THOMAS SOWELL
E A ANIQUILAÇÃO DE FALÁCIAS IDEOLÓGICAS

BREVES LIÇÕES | DENNYS GARCIA XAVIER

Conselho Acadêmico da LVM

Adriano de Carvalho Paranaiba
Instituto Federal de Educação, Ciência e Tecnologia de Goiás (IFG)

Alberto Oliva
Universidade Federal do Rio de Janeiro (UFRJ)

André Luiz Santa Cruz Ramos
Centro Universitário IESB

Dennys Garcia Xavier
Universidade Federal de Uberlândia (UFU)

Fabio Barbieri
Universidade de São Paulo (USP)

Marcus Paulo Rycembel Boeira
Universidade Federal do Rio Grande do Sul (UFRGS)

Mariana Piaia Abreu
Universidade Presbiteriana Mackenzie

Paulo Emílio Vauthier Borges de Macedo
Universidade do Estado do Rio de Janeiro (UERJ)

Ubiratan Jorge Iorio
Universidade do Estado do Rio de Janeiro (UERJ)

Vladimir Fernandes Maciel
Universidade Presbiteriana Mackenzie

THOMAS SOWELL
E A ANIQUILAÇÃO DE FALÁCIAS IDEOLÓGICAS

BREVES LIÇÕES | DENNYS GARCIA XAVIER

LVM
EDITORA
São Paulo | 2019

Impresso no Brasil, 2019

Copyright © 2019 Dennys Garcia Xavier

Os direitos desta edição pertencem à
LVM Editora
Rua Leopoldo Couto de Magalhães Júnior, 1098, Cj. 46
04.542-001. São Paulo, SP, Brasil
Telefax: 55 (11) 3704-3782
contato@lvmeditora.com.br · www.lvmeditora.com.br

Editor Responsável | Alex Catharino
Editor Assistente | Pedro Henrique Alves
Coordenador da Coleção | Dennys Garcia Xavier
Revisão ortográfica e gramatical | Moacyr Francisco e Márcio Scansani / Armada
Preparação dos originais | Dennys Garcia Xavier, Pedro Henrique Alves & Alex Catharino
Índice remissivo e onomástico | Márcio Scansani / Armada
Produção editorial | Alex Catharino
Capa | Mariangela Ghizellini
Projeto gráfico, diagramação e editoração | Carolina Butler
Pré-impressão e impressão | Exklusiva

Dados Internacionais de Catalogação na Publicação (CIP)
Angélica Ilacqua CRB-8/7057

A949	Thomas Sowell e a aniquilação de falácias ideológicas: Breves Lições / coordenado por Dennys Garcia Xavier. — São Paulo : LVM Editora, 2019.
	376 p. (Coleção Breves Lições)
	Vários autores
	Bibliografia
	ISBN: 978-65-50520-16-8
	1. Ciências sociais 2. Ciência política 3. Filosofia 4. Economia 5. Liberalismo 6. Sowell, Thomas, 1930- I. Xavier, Dennys Garcia
19-0706	CDD 300

Índices para catálogo sistemático:

1. Ciências sociais 300

Reservados todos os direitos desta obra.
Proibida toda e qualquer reprodução integral desta edição por qualquer meio ou forma, seja eletrônica ou mecânica, fotocopia, gravação ou qualquer outro meio de reprodução sem permissão expressa do editor. A reprodução parcial e permitida, desde que citada a fonte.

Esta editora empenhou-se em contatar os responsáveis pelos direitos autorais de todas as imagens e de outros materiais utilizados neste livro. Se porventura for constatada a omissão involuntária na identificação de algum deles, dispomo-nos a efetuar, futuramente, os possíveis acertos.

SUMÁRIO

Exórdio
SOWELL, LIBERDADE E NOVOS TEMPOS PARA O PAÍS......... 9
   Dennys Garcia Xavier

Apresentação
THOMAS SOWELL: UM INTELECTUAL COMPLETO 17
   Paulo Roberto de Almeida

Capítulo 1
THOMAS SOWELL: UMA BIOGRAFIA 29
   Gustavo Henrique de Freitas Coelho

Capítulo 2 103
DA DOUTRINAÇÃO IDEOLÓGICA PARA A EDUCAÇÃO: UMA PROPOSTA DE RUPTURA PARADIGMÁTICA DO ENSINO 103
   José Luiz de Moura Faleiros Júnior
   Dennys Garcia Xavier

Capítulo 3
A VISÃO DOS CONFLITOS PARA THOMAS SOWELL............... 115
   Francisco Razzo

Capítulo 4
O "CONFLITO DE VISÕES" DE THOMAS SOWELL: DISTINTAS VISÕES SOBRE A NATUREZA HUMANA E SUAS IDEIAS POLÍTICAS 135
    Tommy Akira Goto

Capítulo 5
SOWELL E UMA LEITURA SOBRE AS VISÕES DE SOCIEDADE E A REALIDADE PARALELA NA MÍDIA E NO MUNDO CIENTÍFICO 149
    Fernanda Aquino Sylvestre

Capítulo 6
A SEGURANÇA COMO VIRTUDE E A INSEGURANÇA CRIADA PELOS VIRTUOSOS 167
    Francisco Ilídio Ferreira Rocha

Capítulo 7
AS FALÁCIAS DA SUPERIORIDADE MORAL ANTE A TRAGÉDIA HUMANA 179
    Anamaria Camargo

Capítulo 8
THOMAS SOWELL CONTRA A "INEBRIANTE MISTURA DE NÚMEROS E RETÓRICA" 199
    Paulo Cruz

Capítulo 9
QUANDO O "POLITICAMENTE CORRETO" É O MAIOR INIMIGO 217
    Rosane Viola
    Dennys Garcia Xavier

Capítulo 10
AÇÃO AFIRMATIVA: AFIRMATIVA NA PERSPECTIVA DE QUEM? 231
Pedro Caldeira

Capítulo 11
SOWELL CONTRA O MARXISMO ECONÔMICO-FILOSÓFICO: UMA APRESENTAÇÃO 257
Marcelo Rosa Vieira

Capítulo 12
ELEMENTOS BASILARES DA ECONOMIA SOWELLIANA 281
Antero Neto
Nei Oliveira de Souza Júnior
Dennys Garcia Xavier

Capítulo 13
A ECONOMIA DO CONHECIMENTO EM SOWELL 293
Fabio Barbieri

Capítulo 14
THOMAS SOWELL E AS POLÍTICAS URBANAS 319
Marize Schons

Capítulo 15
A VIDA IDÍLICA – E NADA INOFENSIVA – DO INTELECTUAL PÚBLICO 329
Nahman Matias de Mello Oliveira
Dennys Garcia Xavier

AUTORES 345
ÍNDICE REMISSIVO E ONOMÁSTICO 353

EXÓRDIO

SOWELL, LIBERDADE E NOVOS TEMPOS PARA O PAÍS

Dennys Garcia Xavier

A razão de ser deste livro

Este livro segue a linha editorial adotada para a série *Breves Lições*, que tenho o prazer de coordenar. Após volumes dedicados à divulgação de alguns dos elementos doutrinários mais fundamentais de F. A. Hayek (1899-1992) e Ayn Rand (1905-1982) – sucessos editoriais dos quais nos orgulhamos imensamente e pelos quais agradecemos, com todo o nosso entusiasmo, aos nossos generosos leitores –, é chegada a hora de darmos a conhecer outra potência infatigável do espírito humano e da liberdade: Thomas Sowell.

Antes de irmos a ele, no entanto, cabe aqui registrar, uma vez mais, como de praxe, o desígnio que nos move nas *Breves Lições*.

Há tempos a Universidade brasileira virou as costas para a sociedade que a mantém. Há uma série de fatores que explicam tal fato, sem, entretanto, justificá-lo minimamente. Talvez seja o caso de elencar, mesmo que em termos sinópticos, alguns deles, para que o nosso escopo reste devidamente esclarecido.

Em primeiro lugar, a estrutura pensada para as Instituições Públicas de Ensino Superior (IPES) é o que poderíamos denominar "entrópica". Com isso quero dizer que passam mais tempo a consumir energia para se manter em operação do que a fornecer, como contrapartida pensada para a sua existência, efetivo aperfeiçoamento na vida das pessoas comuns, coagidas a bancá-las por força de imposição estatal. Talvez fosse desnecessário dizer, mas o faço para evitar mal-entendidos: não desconsidero as contribuições pontuais e louváveis que, aqui e ali, conseguimos divisar no interior das IPES. No entanto, não é esse o seu arcabouço procedimental de sustentação. Os exemplos de desprezo pelo espírito republicano e pelo real interesse da nação se multiplicam quase que ao infinito: Universidades e cursos abertos sem critério objetivo de retorno, bolsas e benefícios distribuídos segundo regras pouco claras – muitas vezes contaminadas por jogos internos de poder político –, concursos e processos seletivos pensados *ad hoc* para contemplar interesses dificilmente confessáveis entre outros. Em texto que contou com grande repercussão nacional, o Prof. Paulo Roberto de Almeida esclarece o que aqui alego:

> Não é segredo para ninguém que as IPES funcionam em bases razoavelmente "privadas" – isto é, são reservadas essencialmente para uma clientela relativamente rica (classes A, B+, BB, e um pouco B-, com alguns merecedores representantes da classe C), que se apropria dos impostos daqueles que nunca terão seus filhos nesses templos da benemerência pública. Na verdade, essa clientela é a parte menos importante do grande *show* da universidade pública, que vive basicamente para si mesma, numa confirmação plena do velho adágio da "torre de marfim". Não se trata exatamente de marfim, e sim de uma redoma auto e retroalimentada pela sua própria transpiração, com alguma inspiração (mas não exatamente nas humanidades e ciências sociais). A Capes e o CNPq, ademais do próprio MEC, asseguram uma confortável manutenção dos aparelhos que mantém esse corpo quase inerme em respiração assistida, ainda que com falhas de assistência técnica, por carência eventual de soro financeiro.

Nessa estrutura relativamente autista, a definição das matérias, disciplinas e linhas de pesquisa a serem oferecidas a essa distinta clientela não depende do que essa clientela pensa ou deseja, e sim da vontade unilateral dos próprios guardiães do templo, ou seja, os professores, inamovíveis desde o concurso inicial, independentemente da produção subsequente. A UNE, os diretórios estudantis, os avaliadores do Estado, os financiadores intermediários (planejamento, Congresso, órgãos de controle) e últimos de toda essa arquitetura educacional (isto é, toda a sociedade) e, sobretudo os alunos, não têm nenhum poder na definição da grade curricular, no estabelecimento dos horários, na determinação dos conteúdos, na escolha da bibliografia, no seguimento do curso, enfim, no desenvolvimento do aprendizado, na empregabilidade futura da "clientela", que fica entregue à sua própria sorte. Sucessos e fracasso são mero detalhe nesse itinerário autocentrado, que não cabe aos professores, às IPES, ao MEC responder pelos resultados obtidos (ou não), que de resto são, também, uma parte relativamente desimportante de todo o processo (ALMEIDA, 2017).

Jamais questione, portanto, pelos motivos expostos, os tantos "gênios" produzidos e alimentados pela academia brasileira. No geral, pensam ser nada mais do que uma obviedade ter alguém para sustentar as suas aventuras autoproclamadas científicas, os seus exercícios retóricos de subsistência e o seu esforço em fazer parecer importante aquilo que, de fato, especialmente num país pobre e desvalido, não tem qualquer importância (e me refiro com ênfase distintiva aos profissionais das áreas de Humanidades). Tem razão, portanto, Raymond Aron (1905-1983) quando diz:

Quando se trata de seus interesses profissionais, os sindicatos de médicos, professores ou escritores não reivindicam em estilo muito diferente do dos sindicatos operários. Os quadros defendem a hierarquia, os diretores executivos da indústria frequentemente se opõem aos capitalistas e aos banqueiros. Os intelectuais que trabalham no setor público consideram excessivos os recursos dados a outras categorias sociais. Empregados do Estado, com salários prefixados, eles tendem a condenar a ambição do lucro (ARON, 2016, pp. 224-225).

Estamos evidentemente diante do renascimento do acadêmico *egghead* ou "cabeça de ovo", segundo roupagem brasileira, naturalmente[1] . Indivíduo com equivocadas pretensões intelectuais, frequentemente professor ou protegido de um professor, marcado por indisfarçável superficialidade. Arrogante e afetado, cheio de vaidade e de desprezo pela experiência daqueles mais sensatos e mais capazes, essencialmente confuso na sua maneira de pensar, mergulhado em uma mistura de sentimentalismo e evangelismo violento. O quadro, realmente, não é dos mais animadores.

Depois, vale ressaltar outro elemento que configura o desprezo do mundo das IPES pela sociedade. A promiscuidade das relações de poder que se formam dentro dela, sem critério de competência, eficiência ou inteligência, o que a tornam problema a ser resolvido, em vez de elemento de resolução de problemas:

> A despeito de certos progressos, a universidade pública continua resistindo à meritocracia, à competição e à eficiência. Ela concede estabilidade no ponto de entrada, não como retribuição por serviços prestados ao longo do tempo, aferidos de modo objetivo. Ela premia a dedicação exclusiva, como se ela fosse o critério definidor da excelência na pesquisa, ou como se ela fosse de fato exclusiva. Ela tende a coibir a "osmose" com o setor privado, mas parece fechar os olhos à promiscuidade com grupos político-partidários ou com movimentos ditos sociais. Ela pretende à autonomia operacional, mas gostaria de dispor de orçamentos elásticos, cujo aprovisionamento fosse assegurado de maneira automática pelos poderes públicos. Ela aspira à eficiência na gestão, mas insiste em escolher os seus próprios dirigentes, numa espécie de conluio "democratista" que conspira contra a própria ideia de eficiência e de administração por resultados. Ela diz privilegiar o mérito e a competência individual, mas acaba deslizando para um socialismo de guilda, quando não resvalando num corporativismo exacerbado, que funciona em circuito fechado.

Tudo isso aparece, de uma forma mais do que exacerbada, na "eleição", e depois na "escolha", dos seus respectivos "reitores",

---

[1] O termo *"egghead"* se espalhou rapidamente nos Estados Unidos da América com a publicação dos trabalhos apresentados em um simpósio de 1953 denominado *"America and the Intellectuals"*. Houve ali a evisceração de uma hostilidade latente contra os intelectuais – frequentemente representados por professores universitários – por grande parte da opinião pública.

que não deveriam merecer esse nome, pois regem pouca coisa, preferindo seguir, por um lado, o que recomenda o Conselho Universitário – totalmente fechado sobre si mesmo – e, por outro, o que "mandam as ruas", no caso, os sindicatos de professores e funcionários. Algumas IPES chegaram inclusive a conceder o direito de voto igualitário a professores, alunos e funcionários, uma espécie de assembleísmo que é o contrário da própria noção de democracia, se aplicada a uma instituição não igualitária, como deve ser a universidade (ALMEIDA, 2017).

Talvez esse seja um dos mais graves entraves a ser enfrentado no âmbito da educação brasileira de nível superior: o seu compromisso ideológico com o erro, com o que evidentemente não funciona, com uma cegueira volitiva autoimposta que a impede de enxergar o fundamento de tudo o que é: a realidade, concreta, dura, muitas vezes injusta, mas... a realidade. Trata-se de uma máquina que se retroalimenta com a sua própria falência e que, por isso mesmo, atingiu estágio no qual pensar a si mesma, se reinventar, é quase um exercício criativo de ficção. Fui, eu mesmo, vítima/fautor complacente da realidade que aqui descrevo. Seduzido pelo que julgava ser a minha superior condição intelectual num país de analfabetos funcionais, promovi eventos, obras e diversas doutas iniciativas sem necessariamente pensar em como ajudá-los, mas em como ventilar alta ciência para poucos eleitos, poliglotas, frequentadores de conselhos, grupos e sociedades assim consideradas prestigiosas. O caminho não é esse: ao menos não apenas esse.

Certo, não podemos abrir mão de ciência de alto nível, de vanguarda, de um olhar ousado para o futuro. Isso seria reduzir a Universidade a uma existência "utilitária" no pior sentido do termo: e não é disso que estou falando nesta sede. Digo mais simplesmente que é passado o momento de darmos resposta a anseios legítimos da população, à necessidade de instruirmos com ferramentas sérias e comprometidas uma massa humana completamente alijada de conteúdos muitas vezes basilares, elementares, que permeiam a sua existência. A ideia que sustenta o nascimento deste livro, ou da coleção da qual faz parte, se alimenta dessa convicção, ancorada num olhar mais cuidadoso com o outro – especialmente alheio às coisas da ciência.

Não busquem aqui, portanto, contribuição original ou revolucionária ao pensamento de Sowell. Esta obra não se confronta contínua e rigorosamente – o que devia ter feito, fosse outro o seu propósito – com a fortuna crítica/técnica que a precede, com os múltiplos especialistas em temas específicos ou transversais que contempla ou com textos que, sincrônica ou diacronicamente, se referem ao nosso autor. Ela deseja enfatizar, isso sim, a importância capital de um pensador para a compreensão da crise pela qual passamos, e sublinhar algumas das soluções e alternativas apontadas por ele – como nos casos de Hayek, Rand e de outros que virão nos próximos volumes – mestre da condição humana quase que absolutamente posto de parte pela *intelligentsia* brasileira, sem qualquer pudor ou constrangimento. A obra é o resultado de um esforço conjunto de pesquisadores brasileiros que, sob minha coordenação, assumiram a tarefa não só de estudar Thomas Sowell mais a fundo, de compreender as articulações compositivas da sua linha argumentativa, mas de dar a conhecer a um público leitor mais amplo a sua estratégica importância. A esse time de primeira linha, o meu mais profundo agradecimento. Vocês tornaram (e tornam) possível a construção de um legado que fala por si.

    Adotamos como regra geral evitar tanto quanto possível a linguagem hermética, pedante ou desnecessariamente tecnicista, nem sempre com o sucesso desejado. Queremos falar a homens letrados, não exclusivamente a círculos especializados. Não obstante isso, fomos intransigentes na ajustada apropriação e na interpretação dos conceitos do autor. Longe de nós, ademais, o intuito de operar leitura teórica do texto, vale dizer, usar a arquitetônica doutrinária de Sowell para propósitos outros que não o da sua estrita compreensão. É isso: avançamos aqui com leitura eminentemente histórica, sem nuances subjetivas ou julgamentos aprioristicos, para oferecer ao leitor uma visão geral e calibrada de alguns elementos fundantes da filosofia do nosso autor. O passo seguinte, é claro, cabe ao leitor, não a quem oferece o texto... ao menos este texto.

    O momento é propício. Parte da Universidade brasileira, não obstante tudo, parece querer acordar do "sono dogmático" que a deixou inerte diante do diferente nas últimas décadas. Seria mesmo inevitável. Esta é nossa modesta (mas criteriosa) contribuição ao movimento de saída de uma condição de hibernação ideológica crônica. O reexame proposto aqui, ainda que não desenhe qualquer revolução hermenêutica, pode ser útil não só para alinhar os termos do debate hodierno, mas também para publicizar doutrina de um pensador que merece nossa detalhada meditação.

Pois avancemos. Não se trata mais de mero capricho intelectual, mas de proposição mesma de novos tempos para o país.

Fiquem agora com uma bela apresentação do Professor e Embaixador Paulo Roberto de Almeida, citado neste exórdio, e, em seguida, com o universo da filosofia de Sowell. Obrigado, uma vez mais, ao leitor... *télos* último do nosso esforço e do carinho que depositamos em cada uma dessas páginas. Boa leitura a todos!

BIBLIOGRAFIA

ALMEIDA, P. R. DE. (2017). *Cinco coisas que aprendi dando aula numa universidade pública brasileira*. Disponível em: <https://spotniks.com/5-coisas-que-aprendi-dando-aula-numa-universidade-publica-brasileira/>. Acesso em: 22 fev. 2018.

ARON, Raymond. (2016). *O ópio dos intelectuais*. Tradução de Jorge Bastos. São Paulo: Três Estrelas.

CROSSMAN, Richard H.S. (1952). *New Fabian Essays*. Londres: Turnstile Press.

APRESENTAÇÃO

THOMAS SOWELL:
UM INTELECTUAL COMPLETO

Paulo Roberto de Almeida

Meus encontros (erráticos) com a obra de Thomas Sowell

Lamento ter demorado tanto tempo para a "descoberta" desse grande economista americano, seguida do mergulho fascinante em suas obras. Entre a penúltima estada nos Estados Unidos – como ministro-conselheiro na embaixada em Washington, entre 1999 e 2003 – e a mais recente – no Consulado do Brasil em Hartford, entre 2013 e 2015 –, passei dez anos no Brasil, entregue a atividades acadêmicas vinculadas à economia brasileira, objeto de minhas aulas no mestrado e doutorado em Direito no UniCEUB, onde ainda sou professor. Mas, mesmo quando estava em Washington, eu me ocupei basicamente de estudos dirigidos ao Brasil: encontros com brasilianistas, redação de livros sobre a história diplomática ou sobre a política brasileira, e quase não me voltei para a produção acadêmica americana, a não ser nos temas estritamente conectados à minha área de trabalho naquela embaixada: finanças internacionais (seguimento das atividades do FMI, do Banco Mundial e do BID, política comercial numa fase em que a Área de Livre Comércio das Américas ainda não tinha sido implodida pelos companheiros, encontros nos *think tanks* de capital americana, entre eles o *Institute of International Economics*, onde trabalhava John Williamson, o homem do "consenso de Washington). Mas, a despeito do atraso, creio ter recuperado algum terreno desde então, e isso começou em Hartford, quando passei a adquirir os seus livros.

Foi apenas da segunda vez que tratei de atualizar minha bibliografia econômica e logo tratei de encomendar meu primeiro livro do grande economista: descubro agora que seis anos atrás, mais exatamente em abril de 2013, encomendei o primeiro, *The Thomas Sowell Reader* (2011), ao qual se seguiram muitos outros livros dele. Na postagem que fiz em meu *blog Diplomatizzando* sobre esse e vários outros de sua bibliografia – a qual eu já estava mirando com um olhar cúpido –, verifico que o título escolhido foi o mesmo que, inadvertidamente, decidi adotar nesta apresentação: "um intelectual completo".

Este é, creio, o que define o *self-made intellectual* que ele foi, nascido em família pobre, pai falecido antes do seu nascimento, logo entregue para adoção por sua mãe a uma parente de maior renda, e que enfrentou todas as durezas da vida, até se consagrar ao que sempre quis fazer: ensinar o que aprendeu ao longo de uma carreira juvenil permeada de mudanças e até uma passagem, como fotógrafo militar, pela guerra da Coreia. Pois foi justamente o GI Bill – a lei que, desde o final da Segunda Guerra Mundial, assegurava aos soldados retornados de conflitos bolsas de estudos, habilitando-os a frequentar uma universidade de prestígio, o que a maioria deles nunca teria conseguido com seus próprios, e parcos, recursos – que lhe permitiu aceder a estudos superiores de qualidade.

Sowell foi para Harvard e depois para Columbia, antes de se dirigir ao templo da economia liberal, Chicago, ele que, na época, se definia como marxista. Não sei se foi por essa característica que eu ressenti precoce empatia pela obra de Thomas Sowell, mesmo sem conhecer ainda seu livro sobre o marxismo (1985; 2012). A afinidade não era tanto de substância, uma vez que eu justamente comecei minha educação política e econômica pelo marxismo, mas mais propriamente de método, o de foco no estudo e nas críticas subsequentes às principais teses de Marx, o que acredito tenha sido igualmente o meu percurso. De forma não exatamente similar, e sem qualquer produção intelectual longinquamente comparável, comecei no marxismo: ainda adolescente, consegui resumir *O Capital* em apenas 70 páginas, a partir de uma edição já abreviada de uma tradução em francês, passando a ler depois todos os clássicos do marxismo. Paralelamente, contudo, e creio ter sido este também o caso de Sowell, nunca deixei de ler os grandes nomes da bibliografia "liberal": Raymond Aron (1905-1983), Roberto Campos (1917-2001), Max Weber (1864-1920) e muitos outros. Não ser dogmático já é um grande começo.

Em seu livro sobre o marxismo – que talvez possa ser lido em paralelo ao de Aron –, Sowell começa pela abordagem dialética, indo em seguida ao materialismo filosófico e à teoria da história, antes de se dedicar à análise da economia capitalista propriamente dita (modo de produção, da "teoria" da mais valia e das crises), para, finalmente, tratar das prescrições revolucionárias na política, assim como da figura de Karl Marx (1818-1883) e de seu legado. Por mais que a contribuição intelectual de Marx e do marxismo não se sustentem nem no plano da lógica, nem na do desenvolvimento real das sociedades humanas, ele não se exime de analisar e dissecar criticamente o método e a substância de uma visão do mundo que terminou por dominar grande parte do globo e da espécie humana. Sowell procede com total honestidade intelectual em relação ao promotor de uma doutrina que está na origem do grande sofrimento humano produzido por uma filosofia coletivista à qual ele sempre objetou.

Esse tipo de abordagem metodológica, aplicada sobretudo aos grandes problemas sociais, foi um dos fatores que me levou a me aproximar de sua obra, já aderente ao pensamento econômico liberal, provavelmente pelos mesmos motivos que Sowell: somos ambos adeptos da "teoria do pudim": o funcionamento dos mecanismos econômicos da sociedade deve ser avaliado pelos seus resultados concretos, ainda que complementado por muitas leituras, pelo estudo contínuo dos clássicos e por reflexões suscitadas pela observação atenta das realidades do mundo. No meu caso, foi a comparação entre a doutrina dos livros e o conhecimento direto da mediocridade socialista; no caso dele, deve ter sido a constatação extraída de sua própria vida, ao ter vindo da Grande Depressão e acompanhado o "Grande Salto para a Prosperidade Americana", da era Franklin Delano Roosevelt

(1882-1945) à década de 1960, quando seu pensamento já se tinha fixado nos caminhos práticos para o bem-estar social, ao passo que os países socialistas continuavam patinando no marasmo econômico e na opressão política.

Ao longo da segunda década do novo milênio, fui adquirindo aos poucos suas obras mais representativas, preferencialmente as de análise econômica, mais do que as coletâneas de artigos conjunturais sobre questões tipicamente americanas. Um dos últimos, adquirido em Buenos Aires, foi a tradução em espanhol de um dos primeiros livros de Sowell, *Classical Economics Reconsidered* (1974), na qual ele retoma as lições dos clássicos agrupadas em quatro grandes áreas de interesse: a filosofia social (para ele um foco sempre mais relevante do que a simples *economics*), a macroeconomia, a microeconomia e questões de metodologia. Nos últimos anos, os livros em formato eletrônico, habilitando-me a ler em qualquer lugar, se acumularam em bem maior número do que os volumes impressos, alguns até pesados.

Mesmo tendo acumulado uma boa coleção, não posso me considerar um especialista em sua obra, o que seria quase impossível: quase cinco dezenas de livros, várias outras coletâneas de escritos (centenas de artigos em colunas de periódicos), monografias, e muitas outras dezenas de resenhas e notas, convertem sua obra completa em uma biblioteca inteira de economia acadêmica, de discussão de problemas práticos e de redescobertas dos "antigos", como muitas vezes descobri com seus comentários em torno dos clássicos, mas também a propósito de autores hoje praticamente esquecidos dos anos 1940 e 50.

Um contrarianista metodológico: as falácias econômicas

Um dos livros de Sowell que mais aprecio, porque talvez também combine com meu espírito contrarianista, é o seu famoso *Economic Facts and Fallacies* (2008), na verdade um tipo de abordagem que ele seguiu, invariavelmente, em muitos dos seus demais livros, em especial aqueles voltados a desmentir políticas distributivistas, ações afirmativas, supostos efeitos do racismo ou das disparidades sociais, demonstrando aos incautos, com base em certezas acachapantes, como nosso julgamento superficial sobre a aparente "racionalidade" de certas opções políticas não fazem nenhum sentido do ponto de vista da eficiência ou da consistência econômica. O frontispício dessa obra, uma citação de John Adams (1735-1826), deixa transparecer sua atitude básica em face de opiniões subjetivas ou de percepções de senso comum: "*Fatos são coisas teimosas; e quaisquer que sejam nossos desejos, nossas preferências, ou os ditados de nossas paixões, eles não podem alterar o estado dos fatos e das evidências*".

Paradoxalmente, ele trata os principais postulados econômicos como evidências de alcance geral, tal como revelado no título de seus livros mais conhecidos, e mais usados como *text-books*: *Basic Economics: A Citizen's Guide to the Economy* (2000) e *Basic Economics: A Common Sense Guide to the Economy* (3ª edição, 2007). Em consonância com essa atitude inerente à sua metodologia, ele nunca hesitou em marchar contra a corrente, seja nas questões raciais – um tema especialmente delicado num país com remorso de seu *apartheid* passado, talvez nunca terminado, e que empreendeu uma cruzada nas ações "afirmativas" –, seja nos problemas de desigualdades de renda dentro e entre os países. Ele não apenas toma posição contra essas verdades de senso comum, que nada mais são do que pensamento politicamente correto envelopado em belas frases progressistas, como demonstra, com apoio em estudos empiricamente embasados, como a visão dos bem pensantes e das almas caridosas não passam no teste da realidade prática ou da eficiência econômica. Nisso ele se aproxima de um outro intelectual que também nadou contra a corrente durante a maior parte da sua vida: o francês Raymond Aron, tão denegrido em sua terra natal quanto, entre nós, Roberto Campos ou Eugênio Gudin (1886-1986), dois liberais clamando no deserto.

O debate econômico nos Estados Unidos – em grande medida graças aos grandes bastiões do liberalismo clássico que são os *think tanks* da linha hayekiana ou misesiana, e escolas de pensamento econômico como Chicago – nunca foi tão dominado pela vertente social-democrática quanto o foi na Europa continental, em especial na França e nos países latinos. Na França, por sinal, durante muito tempo se repetiu que era "melhor estar errado com Jean-Paul Sartre do que ter razão com Raymond Aron", mas é também verdade que a praga do politicamente correto teve início nas universidades americanas para depois se espalhar como erva daninha por instituições congêneres de quase todos os países do mundo. Na América Latina, a chegada da praga foi mais delongada, pois o desenvolvimentismo estava na linha de frente do debate público, sujeito às controvérsias conhecidas e que foi abordado em várias das obras tipicamente econômicas de Sowell: como seria de se esperar ele recusa as teorias vulgares da dependência e da exploração como causas do atraso.

A maior parte das falácias econômicas é partilhada por pessoas não formalmente instruídas na teoria ou na história econômica. Mas mesmo economistas podem ser levados a defender algumas falácias simplesmente por ignorar certos fatos econômicos – a verdadeira obsessão de Sowell com a fundamentação empírica de todas as suas demonstrações – ou por operar um corte seletivo na realidade econômica, sem observar uma metodologia rigorosa que os teria levado a outras "descobertas" ou argumentos. No caso da América Latina, por exemplo, não só a opinião pública educada (entre elas políticos e acadêmicos), mas também economistas se deixaram seduzir pela "teoria", aparentemente "comprovada pela evidência histórica", da "deterioração dos termos do intercâmbio", ou seja, a baixa relativa e contínua dos preços das matérias primas comparativamente ao valor dos produtos industrializados. O confronto de tendências opostas entre preços de *commodities* e de manufaturas alimentou vários programas de industrialização substitutiva, com todas as consequências criadas pelo excesso de protecionismo e de dirigismo estatal nas décadas seguintes à disseminação dessa "teoria" a partir de suas fontes cepaliana e prebischianas. A França, por sua vez, é um dos poucos países do Ocidente avançado onde livros de economistas recomendando a adoção explícita e aberta do protecionismo recebem certa adesão entre colegas.

Nos Estados Unidos, concepções da dinâmica comercial como um jogo de soma zero, ou as próprias noções de "comércio justo" ou "leal" sempre ganham novo vigor em épocas de campanha eleitoral, quando candidatos populistas agitam o conhecido temor da concorrência para cativar alguma clientela pouco instruída, como se observou no caso de Donald Trump. Novas falácias surgem continuamente, ao lado daquelas velhas já amplamente conhecidas – como aquela tristemente famosa na história econômica, a de que os países avançados ficaram ricos no tráfico de escravos e por ter impiedosamente explorado colônias conquistadas e frágeis nações periféricas –, como a do desemprego tecnológico ou a de que os imigrantes estão "roubando" os empregos dos nacionais. Não se pode esperar que pessoas simples deixem de acreditar nessas falácias, ou que políticos oportunistas deixem de explorar essas concepções ingênuas em seu proveito, mas se deveria esperar que, ao menos, economistas formados nas melhores faculdades do mundo não se deixassem seduzir pelo protecionismo mais prejudicial à própria prosperidade de seus países. Sowell passou a vida inteira combatendo esse tipo de bobagem, mas a luta é interminável, como aliás provado pelos progressos do criacionismo entre parcelas expressivas de populações ricas.

Um intelectual completo, e insaciável

Uma consulta ao índice do *Thomas Sowell Reader* revela a amplitude de seus temas básicos de pesquisa e de reflexão. As 500 páginas de artigos selecionados se dividem em 26 breves notas sobre questões sociais, dez outros artigos sobre temas propriamente econômicos, uma dúzia sobre problemas políticos (inclusive o longo ensaio sobre "Marx o Homem", retirado de seu livro sobre a filosofia e a economia do marxismo), mais uma dezena e meia de discussões sobre questões legais, outro tanto de debate em torno da raça e questões étnicas, quase duas dezenas de problemas educacionais, uma preocupação básica em toda a sua vida, para terminar com dois esquemas biográficos e pensamentos esparsos sobre questões corriqueiras. A seção de frases preferidas de sua página (http://www.tsowell.com/) transcreve citações dos mais variados autores, indo de Adam Smith (1723-1790), David Ricardo (1772-1823) e Jean-Baptiste Say (1767-1832) a Paul Johnson e Dinesh D'Souza, passando por Joseph Schumpeter (1883-1950), Friedrich August von Hayek (1899-1992) e o "filósofo estivador" Eric Hoffer (1898-1983).

Curiosamente, eu tinha chegado a Eric Hoffer quando comecei a pesquisar sobre os fundamentalistas religiosos e políticos: esse trabalhador das docas de San Francisco, e ao mesmo tempo pesquisador na Universidade da Califórnia, em Berkeley, tem um livro de 1951 chamado, justamente, *The True Believers: thoughts on the nature of mass movements* – no qual procura explicar as origens psicológicas do fanatismo, referindo-se ao comunismo, ao fascismo e ao nacional-socialismo, ao catolicismo, ao protestantismo e ao islamismo –, e que voltou a ser consultado depois dos ataques terroristas de 2001. Muito antes disso, Sowell cita esse e vários outros livros de Hoffer, como uma espécie de tributo a um estivador que, cego durante muitos anos, passou longos anos lendo e anotando obras clássicas em bibliotecas públicas da Califórnia, para compor manuscritos que depois foram adquiridas pela *Hoover Institution*, à qual Sowell está ligado desde longos anos.

Talvez o que tenha aproximado Sowell dos livros de Hoffer, trinta anos mais velho do que ele, morto em 1983, quase 20 anos antes que a Hoover adquirisse seus escritos, tenha sido a comum rejeição do fanatismo, quer seja religioso, secular ou nacionalista. Um possível outro aspecto dessa aproximação é a desconfiança dos intelectuais, os ungidos, como Sowell intitulou um de seus livros. Hoffer, desde os tempos da guerra do Vietnã, tinha uma rejeição visceral por acadêmicos como Noam Chomsky, que considerava os Estados Unidos como a potência mais agressiva do mundo, a grande ameaça à paz, à autodeterminação dos povos e à cooperação internacional, quase ao mesmo nível do antigo fascismo. Hoffer, em termos não muito diferentes dos que seriam usados mais tarde por Sowell, reagia a isso:

> Chomsky adora o poder. Ele também está convencido de sua superioridade sobre qualquer político ou homem de negócios vivo dos Estados Unidos. Ele olha o mundo sendo administrado por seres inferiores, por pessoas que fazem dinheiro, por gente sem princípios ou ideologia. Ele acha que o capitalismo é coisa para vulgares e ignorantes, e que as pessoas inteligentes devem cultivar uma forma superior de socialismo. (Tom Bethell. *Eric Hoffer: the longshoreman philosopher*. Stanford: Hoover Institution Press, 2012; *e-book*, loc. 270).

Thomas Sowell exibe palavras igualmente críticas a propósito dos intelectuais, seja em *A Conflict of Visions: Ideological Origins of Political Struggles* (1987), seja em *The Vision of the Anointed: Self-Congratulation as a Basis for Social Policy* (1995), ou, mais diretamente em *Intellectuals and Society* (2010). No primeiro dessa tríade, ele tenta desvelar os supostos ideológicos por trás das diferentes visões do mundo de diferentes grupos de opinião, em relação a conceitos básicos, como igualdade, poder ou justiça. O subtítulo do segundo livro já traduz boa parte do seu conteúdo: os problemas existem porque certas pessoas, decisores no poder, não são tão sábios ou tão virtuosos quanto os ungidos. Estes recusam recorrentemente aceitar montanhas de fatos e de evidências que desmentem suas assertivas e suas propostas de políticas públicas, ao mesmo tempo em que acusam os seus críticos de más intenções. No terceiro livro, à diferença de Paul Johnson, que trata de casos individuais de intelectuais, a partir de Jean-Jacques Rousseau (1712-1778), Sowell busca determinar a natureza das diferenças de visão entre intelectuais sobre diversas questões de interesse básico da sociedade: a economia, as políticas sociais, o direito e a justiça, a guerra e questões raciais, um eterno problema americano.

Sem dúvida que Thomas Sowell participa ativamente do debate público nos Estados Unidos sobre questões cruciais das políticas públicas e das propostas feitas pelos "ungidos" resolver problemas práticos da sociedade, mas ele nunca descurou de uma abordagem desses problemas por um método analítico profundamente enraizado nos clássicos da economia, como demonstrado por um dos livros iniciais de sua carreira, aquele justamente dedicado à reconsideração dos clássicos da economia: Adam Smith, David Ricardo, John Stuart Mill (1806-1873), e também Karl Marx. Numa edição mais recente (2016) de *Wealth, Poverty and Politics: An International Perspective*, ele volta a tratar das diferenças de renda entre as nações e dentro das nações, mas, em lugar de se estender sobre as propostas para "acabar" com a pobreza e a desigualdade, ele se preocupa basicamente em explicar e analisar os diferentes fatores que se encontram entre as causas dessas diferenças: fatores geográficos, culturais, sociais e políticos, para ao final tratar da diferença entre causação e culpa. Ele cita, por exemplo, o caso da China, que esteve durante largo tempo à frente de todas as demais nações, mas que depois retrocedeu também durante bastante tempo, antes de começar a se recuperar rapidamente.

Um compromisso básico de Thomas Sowell, em todos os seus livros não está tanto com a filosofia social que possam defender diferentes grupos da sociedade, mas com os simples fatos da vida e da economia, razão pela qual ele volta a repetir a frase de John Adams (1735-1826) em mais de um frontispício de seus livros. E um dos temas recorrentes em seus livros é o *slogan* perfeito de políticos, benfeitores, almas cândidas, acadêmicos, do povo em geral: igualdade. Basta dizer que o objetivo das medidas sociais, das políticas públicas, como um todo, que o princípio guia e o valor prioritário de toda ação governamental é a sacrossanta e sempre presente igualdade, detalhada como sendo uma "melhor distribuição de renda" e a "correção" das injustiças da economia de mercado, que cessam todas as resistências se desfazem e uma assembleia de piedosos e numerosos seguidores da seita dos politicamente corretos se levanta em uníssono para aprovar tais metas.

Pois Thomas Sowell, vindo de um meio pobre (eu até esqueci de dizer, até aqui, que ele é negro, o que para ele não tem uma mínima importância) e desprovido de uma estrutura familiar que lhe garantisse as condições essenciais para empreender qualquer projeto de ascensão social, tem coragem de, e considera ser sua tarefa principal como economista, levantar-se contra essa unanimidade praticamente consensual e recusar-se a aderir à crença geral. Não apenas ele prova, com fatos, que a desigualdade é um traço comum a toda a humanidade, em todas as épocas e lugares, como afirma, claramente, que buscar igualdade não pode ser um objetivo de qualquer política estatal.

Os grandes conceitos da trajetória intelectual de Thomas Sowell

Sowell é o oposto daqueles formalistas da microeconomia ou dos processadores de grandes números dentre os teóricos da macroeconomia. Entre os conceitos principais que percorrem suas obras, e sobretudo seus artigos populares, figuram os da igualdade, o da discriminação – crucial em vista do *apartheid* americano, nunca realmente superado –, o da distribuição de renda, o do protecionismo comercial, o da promoção de interesses particulares, todos eles referidos a realidades concretas e cujo tratamento analítico recebe o mais meticuloso e sacrossanto respeito aos fatos. Como seu colega economista, professor na George Mason University (GMU), Walter Williams, igualmente negro, Sowell não hesita a tratar das questões raciais, mas sempre se posiciona contra a corrente das opiniões dominantes, seja das políticas oficiais de ação afirmativa, seja da maioria dos demais acadêmicos, brancos e sobretudo negros, ao se opor ao racialismo dessas políticas de promoção de uma falsa igualdade, o que também decorre de sua oposição às tentativas de políticos de promoverem bondades com base apenas em suas suposições do que seria o bem, não com base nas realidades da vida.

Na questão das disparidades raciais ou de renda ele sempre observa que as pessoas tendem a se posicionar a favor ou contra certas políticas com base em suas concepções *a priori* de natureza abstrata, não com base nos fundamentos empíricos das desigualdades e nos efeitos reais dessas políticas supostamente corretoras dessas desigualdades. A edição mais recente (2019) de seu livro *Discrimination and Disparities* está, aliás, dedicada ao professor Walter Williams, que de acordo com a dedicatória, "*trabalhou no mesmo vinhedo*". E ele volta a recorrer ao seu credo no prefácio a esse livro, citando uma frase conhecida do intelectual Daniel Patrick Moynihan (1927-2003), para quem "você tem direito à sua própria opinião, mas não tem direito aos seus próprios fatos". Ele também começa o livro citando o historiador francês Fernand Braudel (1902-1985), que expressa uma realidade praticamente universal: "*Em nenhuma sociedade, todas as regiões e todas as partes da sociedade se desenvolveram de maneira igualitária*".

Num livro anterior, *Affirmative Action Around the World: an empirical study* (2004), ele examina as experiências de ação afirmativa da Índia, da Malásia, do Sri Lanka, da Nigéria e dos Estados Unidos. O Brasil é apenas referido episodicamente como sendo um país dotado de tais políticas, mas seu caso não recebe, infelizmente, nenhum tratamento empírico nesse livro, talvez porque esse tipo de medida só se expandiu em fases históricas posteriores. O Brasil, aliás, não figura muito frequentemente, ou quase nada, em suas obras, o que não impediria economistas ou sociólogos brasileiros de adotarem sua postura analítica e sua teimosa adesão à pesquisa empírica para também abordar os grandes problemas nacionais com o mesmo espírito aberto e certa adesão filosófica ao liberalismo. Na verdade, a crença nas soluções liberais em economia não se justifica apenas com base em algum princípio filosófico abstrato, mas como uma espécie de guia para a melhor conduta pessoal, por parte do analista econômico, e para a seleção das melhores políticas públicas, por parte dos dirigentes governamentais, na busca da prosperidade social e do bem-estar para toda a nação, com base nos valores da democracia e dos direitos humanos.

Todos nós temos muito a aprender com as obras e o pensamento de Thomas Sowell, um gigante do liberalismo econômico e da disseminação da educação econômica para as grandes massas, um exercício intelectual que os franceses chamam de *haute vulgarisation*. No caso dele, é bem mais do que isso, pois suas obras servem perfeitamente bem aos cursos de pós-graduação em economia e em sociologia, assim como a outros ramos das ciências sociais, em especial aos programas de pesquisa empírica. Não por outra razão, o início de muitos livros sempre recorre à conhecida frase de John Adams: *"fatos são teimosos..."*.

Paulo Roberto de Almeida
Brasília, 12 de julho de 2019

CAPÍTULO 1

THOMAS SOWELL: UMA BIOGRAFIA[2]

Gustavo Henrique de Freitas Coelho

O ponto principal de olhar para trás em minha vida, além do prazer de compartilhar reminiscências, é esperar que os outros encontrem algo útil para suas próprias vidas (SOWELL, 2000, n.p.).

---

2 Ao contrário de outras biografias escritas até o momento para a coleção *Breves Lições*, nas quais buscamos inserir relatos das mais diversas fontes a fim de reconstruir a vida e elementos essenciais da obra do pensador em questão, ao tratar da vida de Thomas Sowell tivemos a oportunidade de conhecer alguns detalhes, sobretudo de sua infância, em uma obra autobiográfica. Desse modo, sendo Sowell, quase que paradoxalmente (visto ter escrito autobiografia), um intelectual tão reservado em relação à sua vida particular, além do resultado de exaustiva pesquisa, nas próximas páginas o leitor encontrará passagens selecionadas dos seus próprios registros biográficos, fonte primária de pesquisa, em que Sowell descreve, ele mesmo, parte substantiva de suas lembranças. Colhemos a ocasião para agradecer ao Prof. Dennys G. Xavier, coordenador da coleção *Breves Lições*, que, como nos volumes dedicados a Hayek e a Rand, revisou todo o material aqui registrado e propôs importantes modificações no texto que agora o leitor tem em mãos.

1. OS PRIMEIROS ANOS

Thomas Sowell nasceu no dia 30 de junho de 1930, na pequena cidade de Gastonia, no Estado da Carolina do Norte – EUA. No ano de seu nascimento, a cidade contava com uma população de 17.093 habitantes, segundo o Censo Decenal Americano[3].

Rua Principal, Gastonia, 1938. Fonte: *Millican Pictorial History Museum*.

Muito reservado e discreto em sua vida pessoal, pouco se sabe a respeito de sua família e de seus primeiros anos de vida, a não ser o que ele próprio escreveu em sua autobiografia, intitulada *A Personal Odyssey* (2000). Seu pai, Henry, faleceu antes de ele nascer e sua mãe, Willie, trabalhava como empregada doméstica. Doente, ciente da morte iminente e de que sua esposa não teria condições, sozinha, de criar mais uma criança, Henry, pai de Sowell, procurou, pouco antes de falecer, por sua tia, chamada Mamie Sowell, mais conhecida como

---

[3] Para mais informações a respeito do Censo populacional dos EUA, e o desenvolvimento da cidade de Gastonia, que no ano de 2010 tinha uma população estimada em 71.741 habitantes, confira o *site*: https://www.census.gov/prod/www/decennial.html, com acesso em 19/out/2019.

Molly, e lhe pediu que cuidasse do filho que estava por nascer. Com a morte de Henry, a mãe de Sowell não teve outra alternativa, senão entregar a criança aos cuidados de Molly. Em um período econômico conturbado, em que os EUA e o mundo tentavam se recuperar da crise financeira de 1929, sua mãe, agora viúva, lutava contra a pobreza para alimentar os quatro filhos pequenos que o casal já tinha.

Sowell foi, então, criado por sua tia-avó, sem saber, durante muito tempo, que havia sido adotado. Sua mãe biológica lhe fazia visitas regulares, contudo, todos da família se esforçaram para esconder do jovem Sowell que Molly não era realmente sua mãe. Embora os parentes mais próximos soubessem a verdade, incluindo seus irmãos biológicos, Sowell viria a descobrir que era adotado apenas na adolescência, quando sua mãe biológica já havia falecido ao dar à luz a mais uma criança. Esses acontecimentos trágicos são apresentados por Sowell na seguinte passagem de sua autobiografia:

> Henry estava prestes a se tornar pai novamente – se ele vivesse por tempo suficiente. Ele provavelmente sabia que estava morrendo, embora talvez não soubesse exatamente do que estava morrendo. Os negros do Sul nem sempre procuravam pelos médicos quando estavam doentes, isso em 1929. Em todo caso, quando Willie ficou grávida, Henry foi até sua tia Molly para perguntar se ela poderia cuidar do bebê. Com quatro filhos para cuidar não havia como Willie cuidar de um bebê, sozinha, enquanto tentava ganhar a vida sem Henry.
>
> Tia Molly era logicamente a pessoa a quem recorrer. Seus próprios filhos cresceram e ela tentou adotar um bebê, mas a mãe do bebê mudou de ideia e voltou depois de alguns meses para levá-lo de volta. Foi uma experiência que pode ter deixado uma marca duradoura na tia Molly. Mas ela estava disposta a tentar novamente. O novo bebê de Willie acabou sendo também um menino – e Henry morreu antes de ele nascer. Willie não teve outra escolha senão prosseguir com os arranjos que Henry fizera com sua tia. Alimentar quatro crianças e a si mesma com o salário de empregada acabou se tornando muito difícil, mesmo depois que ela deu o bebê para tia Molly criar como se fosse seu. Ainda assim, Willie conseguiu de alguma forma visitar o garotinho regularmente, embora tia Molly morasse a 24 quilômetros de distância. Esses encontros tinham que ser cuidadosamente administrados, como se Willie estivesse

simplesmente "visitando" a tia Molly, de modo que o menino – "o pequeno amigo", ela o chamava – nunca suspeitasse que fosse adotado, muito menos que Willie fosse sua mãe. Isso foi, de fato, administrado tão bem que ele cresceu até a idade adulta sem memória da mulher que aparecia discretamente em seus primeiros anos, supostamente para visitar os adultos.

Willie podia ver que seu filho tinha uma vida material melhor do que ela poderia dar a ele. Ele usava roupas melhores do que seus outros filhos e tinha brinquedos que ela não podia comprar. Ele também era amado e talvez até mimado em sua nova família. A filha mais nova de tia Molly era uma garota de 20 anos chamada Birdie, que gostava especialmente dele. Ainda assim, Willie às vezes voltava para casa em lágrimas depois de uma visita e falava melancolicamente em algum dia conseguir ir buscar o pequeno amigo e trazê-lo de volta. Mas não era para ser. Willie morreu no parto alguns anos depois (SOWELL, 2000, n.p.).

Ao ir viver com sua tia-avó, Sowell mudou da cidade de Gastonia para a cidade de Charlotte – ambas do Estado da Carolina do Norte. Ainda que Sowell tenha tido melhores oportunidades durante sua infância vivendo com sua família adotiva, isso não quer dizer que eles estavam acima da pobreza que assolou boa parte da população americana nesse período, sobretudo a população negra. Sowell e sua família moravam em uma casa humilde, em um bairro pobre e predominantemente de pessoas negras, senão totalmente.

A primeira casa da qual eu me lembro era a casa de madeira, na 1121 East Hill Street, em Charlotte, Carolina do Norte. Ficava próxima do final de uma colina alta em uma rua não pavimentada, como a maioria das ruas nos bairros negros. Papai colocou uma passarela pavimentada no quintal e fez uma janelinha na porta da cozinha, nos fundos. Ambas eram marcas de distinção das quais nos orgulhávamos. Como a maioria das casas da região, a nossa não tinha eletricidade, aquecimento central ou água corrente e quente. Havia uma sala de estar, uma cozinha e dois quartos. Na cozinha havia um fogão a lenha, da marca "Perfeição". Eles disseram que foi a primeira palavra que eu soletrei. O banheiro ficava em uma parte parcialmente coberta na varanda dos fundos. Para tomar banho, você aquecia a água no fogão da cozinha e despejava-a em uma grande banheira portátil de metal. Para nos esquentar no inverno, tínhamos o fogão, uma lareira na sala de estar e um aquecedor a querosene. Para luz à noite, tínhamos lâmpadas de querosene. Nunca me ocorreu que estávamos vivendo na pobreza e, de fato, esses foram alguns dos momentos mais felizes da minha vida. Nós tínhamos tudo que as pessoas ao nosso redor tinham, exceto algumas que tinham eletricidade e uma senhora que tinha um telefone (SOWELL, 2000, n.p.).

A família adotiva de Sowell era composta por Molly (Mamie Sowell), seu marido, que trabalhava na construção civil, e duas filhas, chamadas Birdie e Ruth. O filho mais velho do casal, chamado Herman, era casado e morava em uma fazenda no campo. Ao relembrar de sua infância, Sowell escreve:

Papai era o meu favorito e eu era o dele.

[...]

Papai tinha uma certa brutalidade ligada a ele, mas geralmente era bem-humorado com as pessoas e era extremamente paciente comigo. No entanto, ele ficava com raiva sempre que achava que alguém não estava me tratando direito. Ele brigava com mamãe sempre que descobria que ela havia me batido enquanto ele estava no trabalho. (Eu era, é claro, a fonte habitual dessas informações). Uma vez ele quase brigou com um homem na rua, que inadvertidamente me assustou apontando sua bengala em minha direção enquanto tentava dar indicações a outro homem. Mamãe era mais enigmática, com humor inconstante. Uma mulher com bem pouca educação – escrevia seu nome com dolorosa lentidão – era, no entanto, astuta e até manipuladora, mas também emocional e sujeita a um sentimentalismo imprevisível que, às vezes, a fazia chorar por pequenas coisas. Birdie e eu éramos muito próximos naqueles primeiros anos e continuamos assim até a adolescência. Ela me ensinou a ler antes dos meus quatro anos de idade. Nós líamos histórias em quadrinhos juntos, então, algumas das primeiras palavras que aprendi a soletrar foram palavras como "*pow*" e "*splash*". Birdie também lia para mim algumas das habituais histórias infantis. Uma história que achei triste na época, mas me lembrei dela pelo resto da minha vida, foi sobre um cachorro com um osso que viu seu reflexo em um riacho e pensou que o cachorro que ele viu tinha um osso maior do que o seu. Ele abriu a boca para tentar pegar o osso do outro cachorro – e, claro, perdeu o próprio osso que caiu na água. Haveria muitas ocasiões na vida para me lembrar dessa história.

Ruth era alguns anos mais velha que Birdie e era uma pessoa mais reservada, com um sorriso ocasional, enigmático e um ar mais mundano. Mas ela era mais suave e mais calorosa do que seu exterior mais sofisticado sugeria. No entanto, para mim, Ruth era sempre adulta, enquanto Birdie e eu às vezes brincávamos juntos, como se fôssemos crianças.

[...]

Uma figura mais remota era o filho mais velho de mamãe, Herman, que era casado e morava no campo em sua própria fazenda. Herman era alguém honrado, apesar de sortudo, independente. Ele também possuía um carro, o que para nós era um sinal de prosperidade bem além de nosso alcance. Ele não era um fã meu, nem eu dele. No entanto, raramente nos víamos e não mostrávamos sinais de sofrimento pela ausência um do outro.

[...]

A essa altura, Birdie estava com vinte e poucos anos, Ruth tinha cerca de trinta anos e Herman tinha quarenta e poucos anos. Isso significava que mamãe já era idosa quando eu era criança – mais parecida com minha avó do que com minha mãe. Minha avó era na verdade sua irmã. Elas faziam parte da primeira geração de nossa família nascida após a escravidão (SOWELL, 2000, n.p.).

Ainda na década de 1930 os pais de Sowell se separaram. No ano de 1934 Birdie se mudou, junto com o marido, para a cidade de Nova York, seguidos em 1936 por Ruth. O divórcio, somado à dificuldade em criar sozinha uma criança pequena, podem ter levado Molly a mudar de cidade, indo morar com as filhas e o genro em Nova York.

Além disso, os parentes relatam que ela tinha muito medo de perder Sowell, o "menino" que havia adotado, e que pode ter preferido mudar de cidade a arriscar que o tirassem dela, ou que o segredo sobre sua adoção fosse revelado. Em várias ocasiões Sowell menciona que esse amor possessivo de sua tia Molly por vezes resultava em um excesso de autoritarismo arbitrário – que foi gradualmente se agravando ao longo dos anos, até atingir o ápice durante sua adolescência. Além de sua família adotiva, Sowell lembra que James Lacy, namorado e depois marido de Birdie, também teve um papel importante em sua infância, sobretudo depois que seus pais se separaram e sua família mudou para Nova York. Durante algum tempo, Lacy foi não apenas amigo de Sowell, mas também seu referencial.

2. A MUDANÇA PARA NOVA YORK

Sowell e sua mãe foram para a cidade de Nova York no ano de 1939. Sua família se instalou no Harlem, bairro ainda hoje conhecido por ser um grande centro cultural e comercial da população afro-americana na cidade[4]. Acostumado com seu bairro em Charlotte, Sowell lembra, na passagem a seguir, que seu encontro com pessoas brancas até então era tão limitado que acabou por ficar extremamente surpreso com a quantidade de pessoas brancas nos Estados Unidos.

> Aqui e ali encontrei pessoas brancas – geralmente em mercearias, vendedores ambulantes ou ocasionalmente policiais. Mas os brancos eram quase hipotéticos para mim quando criança. Eles eram uma das coisas que os adultos falavam, mas não tinham papel significativo em minha vida diária. Isso permaneceu em grande parte verdade até depois que deixamos Charlotte, quando eu tinha quase nove anos de idade, e me mudei para Nova York. Então, foi um choque saber que a maioria das pessoas nos Estados Unidos eram brancas. A maioria das pessoas que eu tinha visto eram negras, em todo lugar que eu fui (SOWELL, 2000, n.p.).

A respeito do prédio em que moravam, Sowell lembra que parecia muito alto e imponente, de um tempo em que "o Harlem ainda mantinha algumas das características do bairro de classe média que

---

4 "No final da década de 1930, o Harlem era um centro cultural movimentado, que abrigava dois terços da população afro-americana de Nova York. O Renascimento do Harlem, um período robusto de expressão literária e artística, ajudou a colocar a vizinhança no mapa, e um passeio pelas ruas revelava imponentes casas de culto como a *Abyssinian Baptist Church*, uma cena musical próspera centrada em torno do recém-inaugurado *Teatro Apollo* e instituições estimadas como o *Amsterdam News*. Mas, por mais que a energia vazasse de trás das portas desses estabelecimentos, a vida era tão vibrante, se não mais, nas ruas diretamente fora deles" (BERMAN, 2016).

fora um dia". O apartamento em que moravam tinha uma sala com vista para a rua e que, além de funcionar como sala de estar, também era o quarto de Birdie e Lacy. Ruth, que trabalhava como doméstica já há alguns anos, ficou com a sala do meio, enquanto Sowell e sua mãe ficaram com o quarto dos fundos. Pela primeira vez, Sowell morava em um lugar onde, além de eletricidade, também havia um fogão a gás, água corrente e uma banheira embutida.

Harlem, 125th Street looking West. 1946. Crédito: Centro Schomburg de Pesquisa em Cultura Negra, Fotografias e Divisão de Impressões, Biblioteca Pública de Nova York.

Apesar dos perigos inerentes à "cidade grande", o que fazia com que a mãe de Sowell o proibisse de sair de casa por mais de uma hora, ou mesmo brincar com as crianças do outro lado da rua – além de ouvir diversas advertências do resto da família para não se enturmar com valentões –, Nova Iorque proporcionou a Sowell, entre outras coisas as quais ele não teria acesso nas cidades em que morou na Carolina do Norte, acesso a diversas bibliotecas públicas. Sowell salienta que a primeira vez em que entrou em uma biblioteca foi um ponto de virada em sua vida, pois desde então desenvolveu o hábito de leitura.

Lacy trabalhava como cozinheiro de uma família rica. Quando estava em casa, ele gostava de ouvir os noticiários todas as noites, o que fez com que Sowell se familiarizasse com o nome de vários apresentadores: Elmer Davis, Gabriel Heatter, Stan Lomax (esportes) e, eventualmente, Edward R. Murrow, considerado por Sowell como o maior de todos. Além disso, todos os domingos Lacy enviava Sowell à banca de revistas para comprar dois jornais, "o que era considerado uma espécie de extravagância" para a época. Com exceção de sua mãe, todos trabalhavam em casas de pessoas brancas, de classe média ou alta. Com isso, Sowell recebia de segunda mão vários brinquedos, livros e jogos doados pelos patrões de seus parentes. Além disso, Sowell também afirma que recebeu de Birdie, Lacy e Ruth resquícios da cultura da classe média branca, por exemplo, em coisas como modos à mesa e vocabulário.

Children on a Harlem street, 1938. Hansel Mieth, The LIFE Picture. Collection Getty Images.

Em setembro de 1939, Sowell foi matriculado em uma escola pública no Harlem. Ao sair da cidade de Charlotte, no meio do semestre, Sowell estava na quarta série.

> Foi uma experiência muito dolorosa. Muitas tardes desagradáveis foram passadas agonizando sobre o dever de casa e, às vezes, chorando. Ajustes sociais não eram tão fáceis. Embora fôssemos todos garotos negros no Harlem, eu era do Sul e falava "engraçado". Além do mais, todo mundo "sabia" que garotos sulistas eram "burros" – e me lembravam disso em todas as oportunidades (SOWELL, 2000, n.p.).

No final do semestre, Sowell foi promovido para uma turma um pouco melhor. No ano de 1940 a família de Sowell se separou novamente, dessa vez por conta de uma discussão familiar. Birdie e Lacy se mudaram para um apartamento menor, enquanto Sowell, Ruth e sua mãe ficaram hospedados em apartamentos de amigos durante os dois anos que se seguiram – "não era uma maneira incomum de se viver no Harlem naqueles dias", afirma Sowell, "mas definitivamente não era como ter seu próprio lugar". Embora Sowell não tivesse mais contato diário com Lacy, ele já havia desenvolvido o interesse em acompanhar pelo rádio os eventos atuais, de modo que, por meio das transmissões de Edward R. Murrow, ficou sabendo do bombardeio a Londres.

Em 1941 Sowell se tornou tio, com o nascimento do primeiro filho de Birdie e Lacy. O menino recebeu o nome do pai, James, embora fosse chamado pelo apelido de Jimmy. Sowell e Jimmy se tornaram bons amigos, se divertindo muito enquanto cresciam.

Desde sua infância na cidade de Charlotte, Sowell constantemente se envolvia em brigas, narradas em sua autobiografia geralmente como resposta a alguma ordem a ele direcionada ou em legítima defesa. Em Nova York, depois de um tempo de adaptação, não demorou muito para acontecer o mesmo. Na escola, Sowell passou por altos e baixos, até que no sexto ano, incentivado por um professor, parece ter se acertado, ao menos provisoriamente. Naquele ano ele fez vários testes, e conseguiu boas notas em todos eles, incluindo a nota de 120 em um teste de Q.I. Seu comportamento durante as aulas também mudou, passando a se esforçar para ser o primeiro da turma. Em 1942 ele passou a frequentar a sétima série, o que foi um marco para toda a família: "Eles me informaram, muito gravemente, que nenhum deles chegara à sétima série. 'Você está indo mais longe do que qualquer um de nós', me disseram". Foi também nesse período que Sowell narra ter tido seu primeiro contato com pessoas brancas de modo desestruturado, ou seja, sem que fossem professores ou donos de mercearias. Ele recebeu um convite para participar por duas semanas de um acampamento de verão, e, ao chegar no acampamento, descobriu que o convite na verdade era um teste para introduzir o primeiro garoto negro naquele acampamento. Sowell lembra que durante a sua estadia, sendo o único negro no acampamento, *"as pessoas – crianças e funcionários – variavam de excessivamente solícitos a desagradáveis"*.

Em setembro de 1942, Sowell iniciou seus estudos na *Junior High School 43* (J.H.S. 43), uma escola que ficava numa vizinhança branca de classe média baixa, na época, localizada fora do Harlem. A escola se orgulhava da diversidade de alunos que tinha, contando com mais de trinta grupo étnicos diferentes, incluindo judeus, asiáticos, porto-riquenhos, entre outros. Contudo, o cosmopolitismo da escola e o bom comportamento de Sowell não significavam ficar livre de brigas e confusões, de modo que em todas as séries escolares pelas quais passou ele narra desentendimentos com outros alunos, que geralmente eram "resolvidos" com as mãos de Sowell envolvidas no pescoço de seu oponente, ou discussões com professores, que em alguns casos também resultavam em agressões físicas, por vezes, recíprocas.

Não muito tempo depois de Sowell entrar na J.H.S. 43, sua mãe e sua irmã conseguiram alugar um apartamento, a quase dois quilômetros de distância do apartamento de Birdie e Lacy. Com isso, os encontros familiares aos domingos se reduziram, uma vez que, além da distância, Birdie teve outro filho em poucos anos. Além disso, com a responsabilidade de sustentar a casa e a crescente família, Lacy começou a trabalhar em uma fábrica de guerra, fazendo muitas horas extras.

Posteriormente, por conta do aumento do custo de vida em decorrência da guerra, Sowell e sua família mudaram novamente de apartamento. Como apenas sua irmã contribuía com as despesas de casa, eles aproveitaram o déficit habitacional que havia em Nova York para alugar alguns cômodos do novo apartamento.

Em relação à escola, a principal preocupação de Sowell era conseguir uma vaga na seletiva Stuyvesant[5]. Em vista desse objetivo, ele passou a se preocupar com as notas escolares, se dedicando especialmente à matemática, área em que mais se destacava. O esforço valeu a pena, e, no ano seguinte Sowell conseguiu uma vaga na eminente escola.

> Entrei na Stuyvesant High School em fevereiro de 1945, com grandes esperanças e avidez. Foi gratificante estar com tantos estudantes obviamente brilhantes e sérios, e não sentir que qualquer tentativa de usar minha própria mente seria ressentida por colegas de classe mais lentos como "exibicionista". Os professores também estavam claramente acima do que eu havia encontrado antes, tanto intelectualmente quanto como seres humanos [...]. O trabalho era exigente. Havia horas de trabalho duro todos os dias, e eu tinha um período extra de aula por dia, por estar no grupo especial avançado. No entanto, consegui atender às demandas, embora elas deixassem pouca ou nenhuma margem para que algo desse errado (SOWELL, 2000, n.p.).

A rotina exaustiva da escola, somada às horas diárias gastas no metrô, mais as atividades acadêmicas a serem feitas em casa, deixaram Sowell esgotado. Seu contato com o resto da família diminuiu drasticamente. Além disso, para ajudar com as despesas, ele ainda trabalhava aos sábados como entregador em uma mercearia – durante o verão, período de férias escolares nos Estados Unidos, o trabalho na mercearia tornava-se diário.

> Muitos outros garotos da vizinhança na minha idade tinham empregos de meio período, trazendo para casa algum dinheiro muito necessário para ajudar suas famílias a sobreviverem. Com a minha agenda, no entanto, eu só podia trabalhar aos sábados, quando era entregador de mercearia na seção de classe média de Sugar Hill, no Harlem. O dinheiro que ganhei com isso

---

[5] A *Stuyvesant High School* foi fundada como uma escola exclusiva para meninos, no ano de 1904. Três anos depois, mudou-se da 23rd Street para um edifício na 345 East 15th Street, onde permaneceu por 85 anos. Em 1919, por conta de suas conquistas nas áreas da Matemática e Ciências, a escola começou a restringir as matrículas segundo o desempenho acadêmico e resultado de avaliações específicas, uma prática que continua até hoje. Em 1992, devido ao aumento de matrículas e à necessidade de ampliação das instalações, a escola mudou para um novo local em *Battery Park City*.

mal cobria minha passagem de metrô e o dinheiro gasto com almoço durante a semana (SOWELL, 2000, n.p.).

Ainda que seus familiares entendessem que a escola de Stuyvesant era uma boa escola, e se orgulhassem por Sowell ter sido aceito nela, eles não entendiam o porquê de os estudos lhe tomarem tanto tempo. Comparações entre ele e os outros garotos, que estudavam perto da sua casa, e por isso tinham mais tempo para trabalhar e consequentemente levavam mais dinheiro para casa, eram inevitáveis e frequentes.

Uma paixão descoberta por Sowell durante esse período foi o beisebol, "seja por jogar, assistir ou ouvir descrições de jogos no rádio". Pela primeira vez, por meio do beisebol, ele estava em contato mais próximo com as crianças da vizinhança, uma vez que na escola especial que frequentava seus colegas e professores eram predominantemente brancos. De qualquer modo, destaca Sowell, "para todas as aparências externas, não havia tensões raciais". Isso acontecia, não porque tudo corria de forma harmoniosa ou porque não houvesse preconceito racial nos Estados Unidos ou em Nova York, mas porque qualquer comentário racista podia transformar um belo dia ensolarado em um motim violento. Mesmo em Nova York, famosa por abrigar pessoas de todo o mundo, esse equilíbrio era tênue. No resto do país, sobretudo na região Sul, a situação era bem diferente, ainda sob a influência das leis de segregação racial, conhecidas como leis Jim Crow.

Durante algum tempo, o beisebol serviu como válvula de escape para os problemas do dia a dia. De qualquer modo, a conciliação entre os estudos e as cobranças em relação às obrigações de casa se tornaram insustentáveis, de modo que ele não encontrou outra possibilidade senão a de abandonar a escola.

> [...] a atmosfera em casa havia se transformado em completo antagonismo, com frequentes e demorados embates familiares, tornando impossível para mim o tipo de trabalho acadêmico que Stuyvesant exigia. Comecei a tirar um dia ou dois aqui e ali, para me dar uma pausa, mas finalmente reconheci a futilidade daquilo que eu estava tentando fazer, nas circunstâncias que existiam, e parei completamente de ir à escola. Isso trouxe a condenação unânime de Birdie, Lacy, Ruth e mamãe, assim como de outros parentes. Entre outras coisas, eles se ressentiram por eu ter jogado fora uma oportunidade que eles nunca tiveram.

Mas eles não tinham a menor ideia de que essa oportunidade tinha pré-requisitos que estavam sendo destruídos, dia após dia, pelas incessantes reclamações e brigas em casa. [...] Em Stuyvesant, os funcionários foram rápidos em acreditar que o trabalho era "muito duro" para mim e sugeriram que eu fizesse um programa especial, pelo menos para manter-me nos registros em boa situação até o meu décimo sexto aniversário, quando eu estaria livre para sair legalmente. Eu me ressenti disso pela insultuosa e insignificante coisa que era. Neste momento, não pude discutir meus problemas internos com esses funcionários da escola, a quem eu não confiava nem respeitava. Algumas pessoas no bairro entenderam minha situação, mas havia pouco que pudessem fazer para ajudar (SOWELL, 2000, n.p.).

Criança usando uma fonte de água em frente ao tribunal do condado em Halifax, Carolina do Norte (estado natal de Sowell), em 1938 – a árvore ao lado da fonte tem uma placa anexada que diz "de cor". Crédito: Smith Collection - Getty Images.

Sowell continuou frequentando a escola, de forma irregular e esporádica, até completar os dezesseis anos de idade. Depois disso, ele conseguiu seu primeiro emprego em tempo integral, trabalhando como mensageiro da Western Union, entregando telegramas no distrito de Chelsea, na parte baixa de Manhattan. Essa profissão lhe proporcionou seu primeiro contato com pessoas brancas de baixa renda, e às vezes semialfabetizadas.

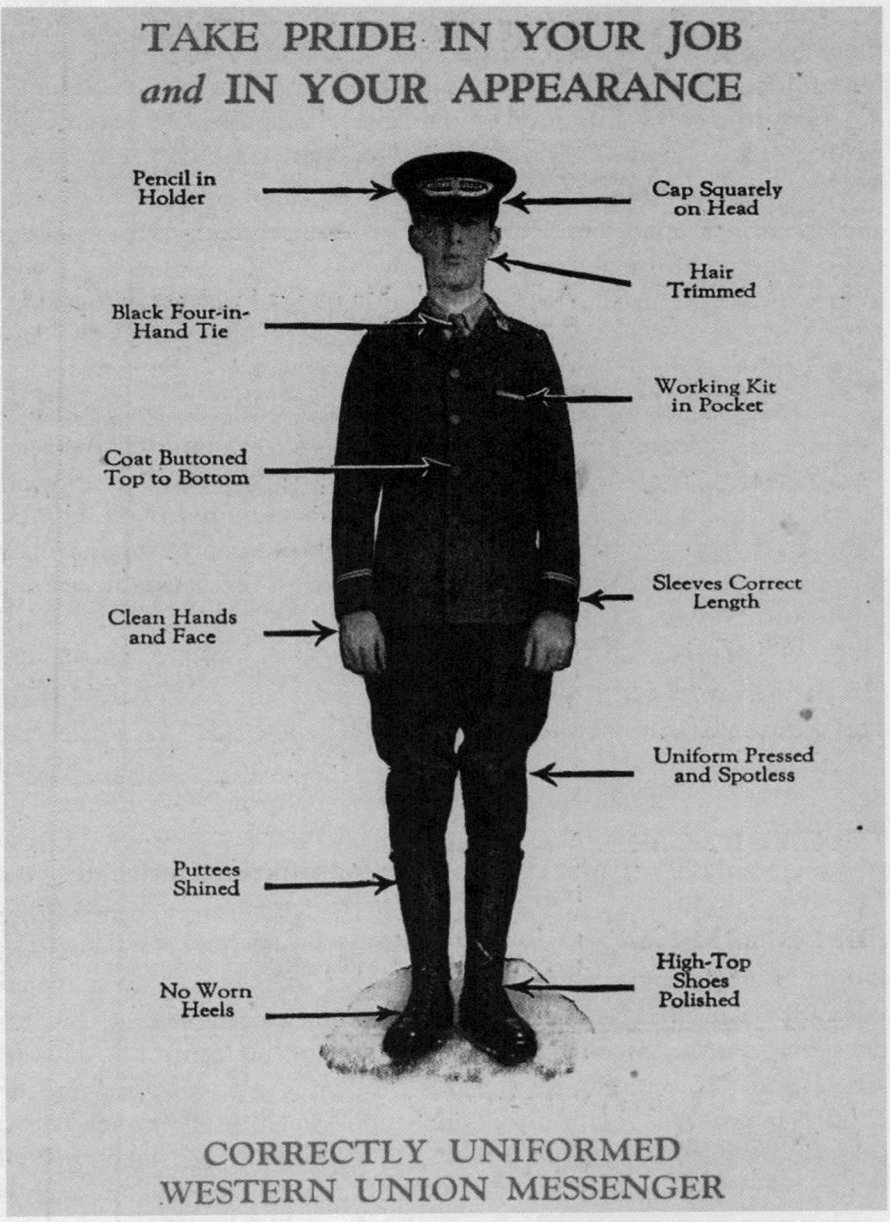

TAKE PRIDE IN YOUR JOB and IN YOUR APPEARANCE

- Pencil in Holder
- Cap Squarely on Head
- Hair Trimmed
- Black Four-in-Hand Tie
- Working Kit in Pocket
- Coat Buttoned Top to Bottom
- Sleeves Correct Length
- Clean Hands and Face
- Uniform Pressed and Spotless
- Puttees Shined
- High-Top Shoes Polished
- No Worn Heels

CORRECTLY UNIFORMED WESTERN UNION MESSENGER

Uniforme padrão dos mensageiros da Western Union Telegraph Company.

Sair da escola representou para Sowell liberdade em relação a um enorme peso exercido por forças conflitantes – por um lado, as obrigações acadêmicas, por outro, a necessidade de contribuir financeiramente em casa. Ainda que o emprego fosse em tempo integral, lhe sobrava algum momento livre. Além disso, o salário lhe permitiu certa autonomia financeira, além de poder contribuir regularmente e de um modo mais efetivo, financeiramente, em casa.

A partir do final de sua infância e praticamente por toda a sua adolescência, a relação entre Sowell e sua mãe se deteriorava cada vez mais. Mesmo antes de mudarem para Nova York, a mãe de Sowell nunca teve um emprego em período integral por conta de sua idade mais avançada e de suas "presumidas" enfermidades, o que lhe dava tempo suficiente para controlar as ações de Sowell.

A satisfação momentânea que Sowell sentiu ao abandonar os estudos, aos poucos, foi se transformando em uma imensa frustação, "e o ressentimento com a forma como fui forçado a isso", diz Sowell, "começou a envenenar meu relacionamento com todos da família, nenhum dos quais podia ver [...] que o comportamento impossível da mãe estava destruindo qualquer esperança de eu ter uma educação ou um futuro".

Enquanto isso, em uma manhã de domingo, Sowell foi acordado com a visita de uma jovem moça em sua casa. "Esta é sua prima Mary Frances, de Washington", disse sua mãe, "Ela está passando pela cidade e parou para nos ver." Meses depois, Sowell descobriria que ela não era sua prima, mas sua irmã Mary Frances, de Washington. Ela veio lhe procurar, mas sua mãe se recusou a deixa-la vê-lo sem antes concordar em se apresentar como uma prima distante.

Frustrado com o caminho que sua vida estava tomando, e sem nenhuma perspectiva em longo prazo no emprego na Western Union, Sowell decidiu fazer um curso de arte comercial para se tornar ilustrador. Ele fazia as lições do curso depois do trabalho e aos fins de semana, e se encontrava com o instrutor no centro da cidade, aos sábados. Entretanto, os mesmos problemas que o impediram de continuar em Stuyvesant tornaram impossível que ele concluísse o curso. Um episódio, em particular, foi responsável por fazer Sowell desistir do curso. Sua mãe constantemente reclamava dos apetrechos usados no curso que ele deixava espalhados pela sala de estar, até que um dia ela jogou fora alguns desses itens. Essa foi a gota d'água para

Sowell, que pegou o vaso favorito de sua mãe e o arremessou na parede. Sucessivas reuniões familiares foram feitas, sempre recriminado o comportamento de Sowell. Durante esse período conturbado, a verdade a respeito da adoção de Sowell veio à tona, o que parece ter agravado ainda mais a situação. Enquanto os laços familiares entre Sowell e sua mãe se desgastavam cada vez mais, assistentes sociais e a polícia foram requisitados várias vezes, uma vez que sua mãe estava determinada a restaurar seu controle sobre Sowell, ainda que tivesse que usar a lei para isso. Como ele ainda era menor de idade, certa vez ameaçou enviá-lo para um reformatório. Com isso, afirma Sowell, ela destruiu qualquer vestígio de respeito que ele ainda tivesse por ela. Em uma tentativa de sua mãe em proibir Sowell de sair de casa, ele foi intimado a comparecer ao tribunal, onde responderia por conduta desordeira. Lá, ele ouviu do magistrado que sua tia-avó tinha o direito legal de impedi-lo de sair de casa, e que poderia enviá-lo a um reformatório caso ele saísse sem sua autorização. Naquele dia, ao sair do tribunal, Sowell deixou para trás qualquer possibilidade de reconciliação com a mulher que o criou.

> Agora estava muito claro para mim que havia apenas uma pessoa no mundo em que eu poderia confiar – eu mesmo. Era igualmente claro que minha única saída era obrigar a mamãe a concordar com minha saída legal de casa. Daquele momento em diante, recusei-me a fazer qualquer coisa que não fosse legalmente exigida de mim. Continuei a morar no apartamento, mas me recusei a contribuir de qualquer maneira, seja financeiramente ou até mesmo levando comida para casa. Eu comprei minha própria comida, preparei e comi sozinho. Eu comprei uma grande provisão de produtos enlatados, para que ninguém duvidasse que eu estava preparado para um longo cerco. Quando eu ia e vinha, recusava-me a contar para qualquer um onde eu ia ou quando voltaria (SOWELL, 2000, n.p.).

Como era de se esperar, esse quadro não durou muito tempo. Em poucos meses a situação chegou ao extremo, levando a um desfecho que já vinha se delineando. Qualquer afeição entre Sowell e sua tia-avó havia ficado no passado.

"Por quanto tempo isso vai continuar, Thomas?", ela perguntou um dia. "Até alguém ceder", eu disse, "E não serei eu". Ela tentou ser hipócrita enquanto eu me afastava, mas eu me virei para ela e disse, em um tom que não deixou nada na imaginação: "Você está mentindo, hipócrita!" Veloz e em cólera, ela empunhou um martelo para jogá-lo em mim. Eu estava longe demais para tirá-lo dela, então eu disse: "Jogue, mas é melhor você não errar". Tremendo de raiva, mais do que de medo, ela abaixou o martelo. Depois, ela pareceu entender, finalmente, a realidade do nosso relacionamento, e que éramos simplesmente inimigos vivendo sob o mesmo teto. Quando caminhávamos para outra reunião agendada com o magistrado, em janeiro de 1948, ele conversou com a mãe, sozinha primeiro, e depois me ligou. "Você fez algum arranjo em relação a um lugar para morar?", ele perguntou. "Não", eu disse, "Eu não sabia que minha tia tinha concordado que eu fosse embora". "Ela acabou de concordar", ele disse. "Então, eu estou pronto para ir, agora mesmo". "Você ainda é menor de idade", ele avisou, "Apenas dezessete. Se você for, terá que se reportar regularmente a mim até os vinte e um anos. Já que você não tem nenhum lugar próprio, eu posso arranjar para você se mudar para o Lar para Meninos Desabrigados no Bronx". "Tudo bem", eu disse. Senti como se tivesse sido libertado da prisão – e mais cedo do que o esperado (SOWELL, 2000, n.p.).

3. TRILHANDO O PRÓPRIO CAMINHO

O lar para meninos de rua no Bronx era um lugar tranquilo, com uma atmosfera acolhedora tanto quando a vida em grupo permitia. Quando Sowell chegou ao abrigo, encontrou outros adolescentes de sua idade, todos bem-comportados, independentemente do que houvesse acontecido para estarem ali. Ainda assim, afirma Sowell, "mantive uma certa cautela, que eu já havia desenvolvido por estar sozinho, mesmo quando morava em casa". Mas, agora que Sowell tinha conseguido a liberdade de trilhar o próprio caminho, ele queria que essa liberdade fosse plena. Era inimaginável para ele ter que ficar se reportando a um juiz por anos. Por isso, ele ficou poucos dias no abrigo, apenas até a data de sua primeira reunião obrigatória. Em respeito ao fato de o magistrado ter agendado a reunião para um horário à noite, por conta de Sowell trabalhar durante o dia, ele sentiu que deveria retribuir a atenção, e ligou para o juiz avisando que não compareceria à reunião:

Sowell (S): "Decidi não participar de nenhuma reunião", disse ao magistrado.

Juiz (J): "Não é com você!", ele disse com raiva. "A lei exige que você venha".

S: "Eu não vou."

J: "Nós podemos ir buscar você".

S: "Você não pode me encontrar".

J: "Nós sabemos onde você mora"!

S: "Eu me mudei".

J: "Nós sabemos onde você trabalha"!

S: "Eu parei".

J: "Ainda podemos encontrar você! Você está violando a lei"!

S: "Existem oito milhões de pessoas em Nova York", eu disse. "Você nunca vai me encontrar".

Houve uma longa pausa do outro lado da linha. Quando o magistrado voltou, ele tinha um tom totalmente diferente e uma voz mais baixa.

J: "Você realmente queimou as pontes atrás de você, não é"?

S: "Sim".

J: "Boa sorte para você, filho".

S: "Obrigado".

Ao sair do lar para meninos desabrigados, Sowell alugou uma pequena sala em uma casa na parte alta de Manhattan – na época, o bairro abrigava uma classe média racialmente mista. Havia uma biblioteca pública na esquina, a qual Sowell recorria frequentemente para preencher suas horas solitárias. As despesas semanais com o aluguel do quarto, tarifa do metrô para ir trabalhar e alimentação totalizavam US$ 22,50, em um período em que seu salário era de US$ 25 por semana. Como Sowell havia abandonado o serviço na Western Union (para não ser encontrado pelo juiz), agora trabalhava como ajudante geral e entregador em uma fábrica de roupas, sempre aproveitando as oportunidades que surgiam de realizar horas extras. A paz e a liberdade da nova vida eram uma mudança bem-vinda, mas o seu futuro ainda era incerto. Sowell continuava frustrado com seu emprego, mas não via uma forma de escapar da sua presente realidade. Com um orçamento tão apertado, ele decidiu não investir ainda mais no curso de ilustrador. Durante algumas semanas, economizou o suficiente para comprar uma velha máquina de escrever, e começou a redigir textos de ficção na esperança de vendê-los para alguma revista. Porém, quase todos foram rejeitados.

> Um conto, que eu considero o meu melhor, acarretou em uma carta de um agente literário, que disse haver detectado algum talento não desenvolvido. No entanto, haveria uma taxa por sua ajuda em desenvolvê-lo. A simples menção de dinheiro foi suficiente para matar a ideia. Houve uma alegria momentânea quando quatro linhas de versos que escrevi foram aceitas para publicação em uma das menores e mais inconsequentes revistas literárias. Não sei se alguma vez apareceu na imprensa, porque a revista quebrou (SOWELL, 2000, n.p.).

Sowell, então, depositou suas esperanças no beisebol. Chegou a realizar um teste para o time dos Dodgers, no Brooklyn, mas sem sucesso. Com isso, ele percebeu que haveria apena um modo de mudar de vida: ele precisava terminar os estudos. Em setembro de 1948, se dirigiu ao escritório do Conselho de Educação para obter os papéis necessários para realizar sua matrícula em uma turma noturna. Lá, encontrou com um antigo professor, que se tornara o oficial encarregado pelo escritório.

> Ele me reconheceu e, tristemente, balançou a cabeça, levando-me tanto tempo para perceber a importância da educação, que ele tentara me contar, dois anos antes [...]. Ele me entregou os documentos que eu precisava, dizendo, no entanto: "Mas agora é tarde demais. Sua oportunidade já passou por você". Ele não era um homem cruel, mas isso me magoou mais do que qualquer outra coisa que ele pudesse ter dito, e voltou para me assombrar de novo e de novo, provavelmente porque ecoava o que eu já sentia em meu coração (SOWELL, 2000, n.p.).

Próximo ao final do ano de 1948, os proprietários da pequena empresa em que Sowell trabalhava demitiram vários funcionários, incluindo Sowell. A partir de então, ele sofreu com o desemprego recorrente, embora entre um emprego e outro não tenha ficado desempregado por um período superior a duas semanas. "Se nada mais, aprendi a procurar emprego – implacavelmente", diz Sowell. Ele se esforçava para ser o primeiro da fila e, ao término de uma entrevista de emprego, já ia para a próxima. Essa foi sua rotina durante algum tempo, até que conseguiu um emprego de meio período, trabalhando à noite, em uma "*machine shop*" – uma espécie de junção entre loja e oficina, que fabricava, montava e vendia equipamentos residenciais. Embora fosse um emprego de meio período, pagava mais por hora do que qualquer outro emprego que Sowell já tivesse tido. Por conta do expediente à noite, ele teve que interromper os estudos. Contudo, tendo o dia livre, passou a procurar por outro ofício, até que conseguiu um emprego em tempo integral, novamente como mensageiro da Western Union. Enquanto trabalhava na loja, Sowell se envolveu amorosamente com uma colega de empresa, uma mulher bem mais jovem que ele.

Trabalhando 40 horas por semana na Western Union durante o dia, e 20 horas por semana na oficina durante à noite, ele conseguiu ganhar dinheiro suficiente para pagar o aluguel atrasado e fazer uma pequena economia, prevendo algum imprevisto. Então, eis que esse imprevisto ocorreu, quando, em uma certa tarde, o gerente da Western Union lhe pediu para fazer algumas horas extras para entregar uma sobrecarga de telegramas que haviam sido postados. Diante da impossibilidade de Sowell em realizar hora extra, visto que tinha que comparecer logo mais à loja onde trabalhava no período noturno, o gerente da Western Union o intimou a escolher entre um dos dois empregos. Essa era uma escolha muito difícil, pois, enquanto a Western Union estava lhe pagando US$ 26 por 40 horas de trabalho semanais, a oficina estava lhe pagando US$ 18 por 20 horas. Financeiramente, a Western Union era mais vantajosa, mas não oferecia nenhum futuro, seja profissional ou intelectual, enquanto o emprego na "*machine shop*" ao menos lhe fornecia certo conhecimento mais especializado. Por isso, ele acabou optando por abandonar o emprego de mensageiro, ainda que a um custo financeiro considerável. Por sorte, o encarregado da loja, chamado Ed Gally, desenvolveu um interesse "paternal" sobre Sowell, e lhe ofereceu uma vaga diurna em tempo integral, embora não permanente, visto que o número de funcionários variava segundo o número de pedidos que entravam, e os trabalhadores regulares mais antigos tinham preferência sobre as vagas. Essa mudança permitiu a Sowell retomar os estudos, tendo aulas noturnas na Washington Irving High School.

Enquanto estudava, seu interesse em política foi estimulado pela leitura de *Actions and Passions*, uma coletânea de ensaios publicados pelo colunista *Max Lerner* (1902-1992)[6]. Além disso, Sowell estava sempre buscando novos conhecimentos, e isso o levou a comprar um conjunto de enciclopédias, e, a partir delas, conheceu o pensamento do filósofo Karl Marx.

> Um dia, encontrei um velho conjunto de enciclopédias de segunda mão por US$ 1,17 e comprei. Estava dez ou vinte anos desatualizado, mas muitas entradas eram sobre coisas que não dependiam de atualidade. Uma das entradas era sobre Karl Marx, para cujas ideias eu seria atraído pela próxima década. Essas ideias pareciam explicar muito, e elas explicavam de uma maneira pela qual minha triste experiência me tornou muito receptivo (SOWELL, 2000, n.p.).

Todavia, as experiências tristes a que Sowell estava destinado estavam longe do fim, no entanto. Por conta de uma redução no número de pedidos, ele foi dispensado da loja em que trabalhava: "Ed Gally me disse que ligaria quando houvesse mais pedidos para o tipo de trabalho que eu realizava, mas não sabia quando isso aconteceria". Com isso, ele estava novamente desempregado. Desta vez, contudo, ele tinha a experiência profissional adquirida na loja, o que lhe qualificou para obter dois ou três trabalhos em outras lojas. Ainda que esporádicos, esses serviços lhe pagaram mais do que recebia no outro emprego, sendo suficiente para economizar um pouco para os períodos de interstício entre um trabalho e outro.

Certa noite, ao entrar em uma papelaria, ele teve um breve encontro com seu sobrinho. Jimmy o chamou para ir para casa com ele, ao que Sowell respondeu que não poderia fazer isso. Eles trocaram um aperto de mão e seguiram cada um o seu caminho.

No final de 1949, Sowell conseguiu emprego em outra "*machine shop*". A princípio, ele teve dificuldades em se adaptar ao ritmo da empresa, que exigia que cada funcionário produzisse 60 unidades por hora, antes de passar o produto para a próxima etapa. Contudo, em poucas semanas ele já estava excedendo sua cota de

---

[6] "Lerner foi um dos mais notáveis escritores de não-ficção do pós-guerra, um humanista cuja consciência liberal descarada o levou às barricadas políticas por mais de três décadas. Muitas de suas preocupações agora parecem prescientes" (SEVERO, 1992, p. L 11).

produção. No início do ano de 1950, em uma semana com muitas horas extras, ele chegou a receber US$ 64. Embora Sowell sentisse que o pior já havia ficado no passado, ele ainda não sabia como conduzir o futuro de modo que pudesse se contentar no longo prazo. De qualquer modo, "o ano de 1950 viu uma série de coisas, cuja importância para o meu futuro não era de todo óbvia na época". Nesse ano, a jovem da loja do Ed Gally lhe emprestou sua câmera fotográfica, e Sowell tirou suas primeiras fotos. Outro evento importante foi a eclosão da Guerra da Coreia[7]. Além disso, um acidente com uma prensa elétrica, que esmagou a ponta de seu dedo indicador esquerdo, fez com que ele se preocupasse ainda mais em conseguir outro tipo de emprego. A oportunidade surgiu quando Sowell foi chamado para ocupar um cargo no funcionalismo público, para preencher uma vaga a qual havia se candidatado um ano antes na Comissão de Serviço Civil[8]. A vaga era para a cidade de Washington, e, com o dedo ainda envolto em bandagens, Sowell não pensou duas vezes antes de aceitar o cargo. Por conta da mudança, de Nova York para Washington, ele deixou no antigo endereço sua máquina de escrever, informando a sua irmã que ela poderia ficar com a máquina, caso quisesse. Desde que ele havia saído de casa, foi a primeira vez que comunicou a alguém da família onde estivera morando.

Em Washington, Sowell fez contato com sua outra família: sua irmã Mary Frances, que havia lhe visitado em Nova York, e seus irmãos, William e Charles. Sowell passou suas duas primeiras semanas em Washington morando na casa de sua irmã e do marido, até que conseguiu alugar dois cômodos para morar. Mary era dona de casa, William era estudante e Charles trabalhava como carteiro. Apesar de serem praticamente desconhecidos para Sowell, ele encontrou em Washington o conforto de uma nova família.

Um dos poucos parentes com quem Sowell não se deu bem em Washington foi com sua tia Adrue, irmã de seu pai biológico. Com a

---

7 A Guerra da Coreia foi um conflito militar que ocorreu entre os anos de 1950 a 1953 tendo, de um lado, a Coreia do Norte apoiada pela China e, do outro, a Coreia do Sul, com apoio dos Estados Unidos e da Organização das Nações Unidas.

8 A Comissão de Serviço Civil (*Civil Service Commission*) era uma agência do governo constituída pelo legislativo para regular as condições de emprego e trabalho dos funcionários públicos, supervisionar as contratações e as promoções e disseminar os valores do serviço público. Desempenhou um papel análogo ao do departamento de recursos humanos nas corporações. Esse órgão governamental foi dissolvido no ano de 1979, sendo instaurado em seu lugar o Escritório de Administração de Pessoal dos Estados Unidos (*United States Office of Personnel Management*).

morte de sua mãe, foi ela quem criou William e Mary Frances. Talvez por isso tenha se sentido na obrigação de cuidar de Sowell. Contudo, ele já havia passado por isso antes com sua mãe adotiva, e preferiu manter distância dela. Apesar do alento em ter seus irmãos morando na mesma localidade, e do trabalho no governo estar indo muito bem (além de estável, lhe pagava cerca de US$ 47 por semana, livres de impostos), morar em Washington era praticamente insuportável para uma pessoa negra. Washington, segundo Sowell,

> [...] era quase uma típica cidade do Sul, com algumas exceções, como não ter ônibus e bondes racialmente segregados, e ter um cinema de alta qualidade sem as proibições raciais comuns em outros teatros do centro da cidade. O sistema escolar ainda era racialmente segregado, embora alguns começassem a questionar isso [...]. Em alguns estabelecimentos de *fast food* no centro da cidade, os brancos podiam sentar e comer, mas os negros só podiam comer em pé no balcão (SOWELL, 2000, n.p.).

Por conta disso, em novembro de 1950, Sowell escreveu uma longa carta ao jornal *Washington Star*[9] pedindo o fim da segregação racial nas escolas públicas da cidade. Este foi o primeiro texto escrito por Sowell a ser publicado.

Sua estadia em Washington, no entanto, foi breve. Com o desenvolvimento da guerra da Coreia, a Junta Seletiva de Serviço Militar manifestou interesse na sua convocação e, até que seu chamado fosse oficializado, ele decidiu retornar para Nova York, na primavera de 1951. Enquanto aguardava a convocação, ele alugou um apartamento de dois cômodos, voltou a trabalhar em seu antigo emprego na "*machine shop*", de Ed Gally, retomou os estudos no período noturno, e fez contato com sua família adotiva: "Nada poderia restaurar as coisas ao ponto em que estiveram antes, mas conseguimos civilidade e tive o prazer de levar Jimmy ao Central Park, para ensiná-lo a andar de bicicleta – algo que eu acabara de aprender alguns meses antes". Nessa fase de sua vida, Sowell havia intensificado ainda mais seu interesse pelas fotografias, comprando câmeras cada vez mais sofisticadas. Como a primeira câmera que ele usou era emprestada, em

---

9 Anteriormente conhecido como *Washington Star-News* e *Washington Evening Star*, o *Washington Star* era um jornal diário publicado em Washington entre os anos de 1852 a 1981. Em 7 de agosto de 1981, depois de 128 anos, o *Washington Star* interrompeu a publicação e entrou com pedido de falência.

Washington ele comprou uma câmera usada e, de volta a Nova York, comprou sua primeira câmera nova: "Eu queria tirar as melhores fotos que eu pudesse de Nova York enquanto eu ainda estava lá como civil [...]".

4. SERVIÇO MILITAR

A convocação não demorou para chegar e, em 30 de outubro de 1951, Sowell se apresentou na Junta Seletiva de Serviços, no centro de Manhattan. Lá, ele foi designado para a o Corpo de Fuzileiros Navais, em Parris Island, no estado da Carolina do Sul. Depois de uma longa viagem de trem, seguida de uma viagem de ônibus, Sowell e os demais recrutas chegaram a Parris Island. Durante sua preparação, Sowell se juntou ao Pelotão 548, e os instrutores e oficiais deixaram bem claro o objetivo do treinamento: "Se você vai desmoronar, queremos que você faça isso em Parris Island, não em combate".

Corpo de Fuzileiros Navais dos Estados Unidos, Pelotão 548. Janeiro de 1952. Na fileira de cima, a partir da esquerda, Sowell é o quarto homem.

Além de todo tipo de exercício físico, também foram realizados testes mentais. Embora os cadetes não soubessem, seria o resultado desse último que determinaria sua alocação, seja entre os vários aparelhos eletrônicos, fotográficos, ou ainda enviados para outras escolas ou para o campo de combate na Coreia.

Ainda na fase de inscrição militar, Sowell havia listado em um dos formulários a fotografia como seu *hobby* e, como o Corpo de Fuzileiros Navais estava com falta de fotógrafos, fato esse que, provavelmente somado à nota que Sowell deve ter alcançado nos exames, fez com que após o treinamento básico ele fosse convocado a se reportar à escola de fotografia da Marinha na Estação Aeronaval de Pensacola, na Flórida. Após breves férias em Nova York, Sowell se juntou a um pequeno grupo de 15 a 20 fuzileiros navais designados para ir a Pensacola. As aulas de fotografia começaram em fevereiro de 1952, Sowell aproveitou bastante sua estadia na Estação Aeronaval de Pensacola. Ele estava entre amigos, jovens com a mesma idade que a sua, e o ambiente era muito bonito e agradável. Durante o curso de fotografia, que durou três meses, Sowell aprendeu bastante sobre essa técnica. Ao lembrar desse período de sua vida, comenta que:

> O quartel da Marinha na Estação Aérea Naval de Pensacola era uma estrutura impressionante. Havia homens permanentemente estacionados, como guardas no portão, no brigue e em outros postos de segurança. Eles tinham uma ala do quartel e os estudantes de fotografia tinham outra. Fomos os primeiros a chegar, para fazer o curso de fotografia, de um grande contingente de fuzileiros navais de todo o país. Por fim, havia cerca de duzentos marinheiros na escola ao mesmo tempo, em vários estágios do curso, que duravam cerca de três meses. No entanto, ainda estávamos substancialmente em menor número do que os marinheiros fazendo o mesmo curso. Uma verdadeira camaradagem desenvolveu-se entre os fuzileiros navais estudantes do quartel. Nós éramos todos da mesma idade, na maioria recrutas recém-saídos do campo de treinamento, e praticamente todos tinham o mesmo nível – *Private First Class*. Mas o que mais tínhamos em comum era o amor pela fotografia. Nossa ala do quartel estava sempre cheia de conversas sobre câmeras, lentes, filmes e reveladores. Às vezes alguém achava demais a conversa constante sobre um assunto e gritava: "Vocês não podem falar sobre nada além de

fotografia?" Mas, geralmente em uma hora, ele mesmo falava sobre fotografia. Meus três meses na estação aérea naval foram meus momentos mais felizes no serviço. Tinha um clima subtropical maravilhoso, palmeiras e uma disposição atraente, incluindo uma linda praia. A escola de fotografia e seus terrenos eram como um *campus* universitário idílico. Havia algo quase irreal nisso, especialmente no contexto dos tempos. Um breve vislumbre da realidade lá fora chegou em casa um dia quando eu notei um fuzileiro naval que eu não tinha visto antes – não um estudante de fotografia – andando a passos largos por um corredor no quartel da Marinha, com vários sinais de múltiplos ferimentos. "O que aconteceu com ele?", perguntei a outro fuzileiro. "A guerra, Sowell – a guerra na Coreia" (SOWELL, 2000, n.p.).

Estação Aeronaval de Pensacola, na Flórida. Década de 1950. Fonte: Naval Aviation Museum Foundation.

Sowell não havia escolhido estar no exército, e tampouco no Corpo de Fuzileiros Navais. No entanto, ainda que estive ansioso para retornar à sua vida de civil, estando agora no curso de fotografia, ele via no Exército uma forma de capacitação para uma vida melhor, ainda que fosse uma vida civil. Desse modo, quando inevitavelmente surgiam conflitos entre suas obrigações militares imediatas e seu desenvolvimento durante o curso, pensando em longo prazo, ele sempre optou por seu futuro como civil. Além disso, Sowell não se importava muito com as várias regras impostas pelo Corpo de Fuzileiros Navais, o que resultou em vários registros de deméritos em sua ficha. Um caso em particular quase levou Sowell a enfrentar a corte marcial por ausência sem autorização. Ainda que o problema tenha sido causado por uma falha de comunicação ao preencher um formulário, Sowell acredita que seus superiores queriam usá-lo como exemplo, o que só não aconteceu graças à intervenção de um sargento que o apoiou.

Após a formatura, Sowell e mais três colegas também recém-formados foram enviados para o laboratório fotográfico de Camp Lejeune, mas isso não significou grandes mudanças em relação ao seu comportamento. Na verdade, assim como Sowell, seus colegas também consideravam o trabalho realizado ali apenas como um interlúdio indesejável em suas vidas.

Em Camp Lejeune, as atribuições como fotógrafo variavam bastante, e incluíam fotografar cerimônias de premiação e distribuição de medalhas para fuzileiros navais, tirar fotos para os jornais do acampamento, fotos de tropas em manobra e fotos associadas a investigações da Divisão de Investigação Criminal, incluindo fotos de acidentes de carro envolvendo fuzileiros e dos cadáveres resultantes no necrotério. Em pouco tempo Sowell foi promovido a cabo, sendo esta sua primeira e última promoção no serviço militar.

Quando o número de homens que fazia a guarda da Base diminuiu, outras unidades contribuíram com pessoal, sendo Sowell designado para essa nova função. Diferentemente das demais unidades, a disciplina da equipe de guarda mais parecia com a de uma unidade de combate, e, em pouco tempo, Sowell já havia feito amigos e inimigos, ao ponto de certo dia, alguém lhe dizer: "Sowell, todos os cabos da guarda usam um calibre 45, mas você é o único que realmente precisa dele". Sowell não ficou muito tempo nessa função, conseguindo uma transferência para o Depósito de Suprimentos do Corpo de Fuzileiros Navais na função de fotógrafo – ainda que tivesse pulado duas patentes na cadeia de comando ao fazer o pedido. O argumento usado por Sowell para conseguir a transferência foi o de que estava havendo um desperdício de dinheiro do contribuinte, uma vez que ele possuía uma alta qualificação como fotógrafo, mas estava trabalhando como vigia. Em sua nova alocação, Sowell finalmente encontrou o nível de exigência/disciplina indulgente que sempre buscou.

Faltando poucos meses para acabar seu dever militar, Sowell foi transferido para o cargo de treinador de rifles e, depois, treinador de pistolas, onde permaneceu pelo resto de sua estadia no Corpo de Fuzileiros Navais. Enquanto terminava de cumprir sua convocação, afirma Sowell, "sempre um leitor voraz, comecei a ler mais e mais coisas em preparação para meu retorno à vida civil, e meu beliche muitas vezes transbordava de leitura". Sowell havia sido convocado para dois anos de serviço militar, mas, por conta de um programa de desligamento voluntário, acabou cumprindo apenas um ano, onze meses e cinco dias, formado pelo Corpo de Fuzileiros Navais dos Estados Unidos.

5. DE VOLTA À VIDA CIVIL

Logo que saiu do Corpo de Fuzileiros Navais, Sowell retornou para Nova York. Durante um breve período, voltou a trabalhar na loja onde Ed Gally era gerente, posteriormente arrumando um emprego no almoxarifado de uma loja de câmeras da Willoughby. Embora os testes realizados no Corpo de Fuzileiros Navais lhe permitissem obter um diploma equivalente ao do Ensino Médio, Sowell preferiu, ao menos nesse primeiro momento, retomar os estudos à noite e completar aquele grau de instrução.

Ao solicitar alguns documentos de seu antigo emprego no governo em Washington, Sowell descobriu que, como veterano militar, poderia solicitar seu retorno ao cargo, agora com *status* de funcionário permanente e com o salário reajustado pelo tempo em que esteve no Exército. Essa era uma oportunidade irrecusável, e por isso Sowell se mudou para Washington mais uma vez.

> A essa altura, muitos dos antigos padrões de segregação racial haviam sido eliminados em Washington, embora ainda não houvesse leis ou decisões judiciais por trás dessa tendência. Era um lugar mais habitável para mim do que antes. Fiquei impressionado com a diferença, mesmo quando passei por D.C. em 1952, enquanto estava de folga do Corpo de Fuzileiros Navais. Mary Frances me encontrou na Union Station, e quando perguntei onde poderíamos encontrar um lugar conveniente para comer nesta cidade, ela disse: "Bem aqui – na estação" (SOWELL, 2000, n.p.).

Já em Washington, ele alugou dois quartos no segundo andar de uma casa de família, propositalmente próximo à Howard University. Ele transformou um dos quartos, onde havia uma cozinha, em uma câmara escura para revelar fotografias. Além disso, também comprou um toca-discos. Embora ele não tivesse solicitado o diploma de equivalência do Ensino Médio, nem tivesse concluído os estudos em Nova York, o resultado dos seus exames realizados nas Forças Armadas foi suficiente para lhe permitir fazer o exame admissional da faculdade, o qual ele transpôs facilmente. Embora a faculdade fosse particular, Sowell recebia, além de seu salário, um benefício oferecido pelo governo para veteranos de guerra – esse benefício ficou conhecido como G. I. Bill[10]. Sowell trabalhava no órgão governamental durante o dia e frequentava as aulas na Howard University à noite.

Embora o serviço no Escritório Geral de Contabilidade, repartição em que Sowell trabalhava, estivesse lhe pagando muito bem, ele buscava por um emprego como fotógrafo. Entretanto, ainda que em 17 de maio de 1954 a Suprema Corte dos Estados Unidos tenha decido acabar com a segregação racial nas escolas públicas, o mesmo não valia para outros aspectos da vida social, de modo que Sowell relata que toda vez que chegava para uma entrevista de emprego recebia a mesma resposta de que a vaga já havia sido preenchida, mesmo quando ele era o primeiro da fila.

Em setembro de 1954, Sowell comprou seu primeiro apartamento – um quarto grande com uma pequena cozinha e banheiro. Havia também um *closet* próximo ao banheiro, que foi convertido em uma câmara escura. Ele também passou a ter seu próprio telefone, e ganhou uma televisão de sua irmã Mary Frances. Todavia, o apartamento ficava bem mais afastado da universidade, o que rendia longas caminhadas para casa em noites de inverno extremamente frias.

---

10 O termo GI originalmente se referia a "galvanized iron" (ferro galvanizado), usado pelo serviço de logística das Forças Armadas dos Estados Unidos. Posteriormente foi adotado para descrever os soldados do Exército dos Estados Unidos e aviadores das Forças Aéreas do Exército dos Estados Unidos, e como sigla referente a questões governamentais. O G. I. Bill era uma lei que oferecia uma série de benefícios para os veteranos da Segunda Guerra (geralmente chamados de GIs). Os benefícios incluíam hipotecas de baixo custo, empréstimos com juros baixos para iniciar um negócio, um ano de seguro desemprego, e pagamentos mensais de mensalidades e despesas para frequentar o Ensino Médio, faculdade ou escola vocacional. Esses benefícios estavam disponíveis a todos os veteranos que estiveram ativos no serviço militar durante os anos de guerra por pelo menos 90 dias e não haviam sido dispensados desonrosamente.

THOMAS SOWELL E A ANIQUILAÇÃO DE FALÁCIAS IDEOLÓGICAS

Na Howard University, algo que chamou a atenção de Sowell foi o fato de que muitos dos alunos e professores pareciam satisfeitos apenas por estarem naquela instituição, em vez de se preocuparem com o que deveriam fazer ali. Uma exceção era seu professor de escrita, o renomado poeta Sterling Allen Brown (1901-1989). Por meio do auxílio do professor Brown, afirma Sowell, "adquiri uma apreciação da beleza e poder da escrita simples, que me ajudou pelo resto da vida ao escrever não-ficção. Também aprendi muito sobre a vida com base na análise cuidadosa e detalhada de Brown sobre algumas das ficções que lemos". Desde o começo, a preocupação de Sowell nunca foi apenas a de conseguir um diploma, de modo que ele se sentiu impelido a buscar um ambiente mais desafiador intelectualmente. Por isso, antes mesmo de concluir um ano de estudo na Howard University ele se inscreveu em várias outras universidades, e sua nota no exame do *College Board*[11] , junto a duas cartas de recomendação escritas por seus professores, dra. Marie Gadsden e dr. Sterling Allen Brown, o fizeram ser aceito em Harvard.

Com certeza Harvard seria um local bem mais desafiador para Sowell do que a Howard University, e ele percebeu isso logo no final do primeiro semestre: "estar em Harvard representava uma grande oportunidade, mas, no início, eu não tinha ideia do quão precária era minha situação". Dos quatro cursos que compunham a carga horária padrão em Harvard, quando foram divulgadas as notas, Sowell conseguiu dois D's e dois F's. Convocado para uma reunião com a coordenação da faculdade, deixaram claro que, ou ele se moldava à instituição, ou seria dispensado. Sowell havia investido tudo o que tinha para custear seu primeiro ano nessa instituição, o que incluiu vender o apartamento e todos os móveis que havia comprado. Além disso, ao se matricular em Harvard, Sowell aceitou uma contribuição para pagar as mensalidades do primeiro ano (na expectativa de ganhar uma bolsa para os outros anos) na forma de um empréstimo, o que comprometia qualquer perspectiva sua de renda futura. Para poder se dedicar aos estudos, ele também abandonou o emprego. Por isso, Sowell se empenhou nos estudos como nunca, e no final do próximo semestre conseguiu uma média *C* em todos os cursos, e uma média *B* no semestre seguinte. Ele conseguiu manter esse padrão durante todo

---

11 A *College Board* é uma associação norte-americana sem fins lucrativos que aplica testes de admissão usados por mais de 5.700 escolas, universidades e outras organizações educacionais.

o curso, com exceção das disciplinas ligadas a Economia, única área em que ele conseguiu uma nota *A*. Desse modo, não foi difícil decidir em qual área deveria se formar. Além disso, ele já havia se familiarizado com as obras de Karl Marx, o que contribuiu para a escolha de sua tese.

> Meu orientador de tese era o professor Arthur Smithies, uma notável autoridade em política fiscal que também ensinava a história do pensamento econômico, mas que pouco havia feito sobre Marx. Ele me disse: "francamente, eu não acho que possa ser de muita ajuda para você, porque o meu próprio conhecimento da economia marxiana é muito limitado". "Tudo bem", eu disse. "Eu planejo fazer tudo sozinho mesmo assim". "Eu sei", ele disse, "mas geralmente o aluno precisa de orientação e sugestões sobre a organização do trabalho, bem como algumas leituras úteis sobre o assunto". "Meu plano é ignorar todos os intérpretes de Marx, ler os três volumes de *O Capital* e tomar uma decisão", eu disse (SOWELL, 2000, n.p.).

Assim, Sowell escreveu sua tese. O resultado final ficou tão bom que ele recebeu honrarias mais altas ao se graduar em Harvard do que alguns alunos que tinham notas médias mais altas que as dele. Ele se formou em Economia, *Magna Cum Laude* ("com grandes honras") no ano de 1958, em Harvard College.

Ao completar sua graduação, ele já estava farto da presunção que o nome da faculdade de Harvard carregava, principalmente entre seus colegas: "A ideia parecia ser que, se todos nós, brilhantes e bons companheiros, acreditássemos em algo, isso deveria ser verdade. Inquestionavelmente, Harvard fez uma grande contribuição para meu desenvolvimento intelectual e social". Já se formava, desde então, o pensamento contrário aos intelectuais que Sowell desenvolveria futuramente.

Para a pós-graduação, Sowell se inscreveu na Universidade de Columbia para estudar a história do pensamento econômico, especificamente com o professor George J. Stigler, recusando uma bolsa de estudos maior na Universidade de Chicago. Contudo, no outono de 1958, quando chegou à universidade, descobriu que o professor Stigler havia ido para a Universidade de Chicago. Apesar de ressentido, Sowell completou seu mestrado no tempo mínimo – nove meses. Assim, ele conseguiu o título de Mestre em Matemática

Aplicada com especialização em Economia pela Universidade de Columbia no ano de 1959.

> Minha dissertação de mestrado na Columbia derivou da minha monografia de graduação em Harvard. O mesmo aconteceu com um artigo que escrevi para o *American Economic Review* em Columbia, embora tenha sido lançado um ano depois, quando eu era estudante na Universidade de Chicago (SOWELL, 2000, n.p.).

Em outubro de 1959, ele começou a frequentar as aulas na Universidade de Chicago, tendo como orientador para o doutorado o economista, estatístico e escritor Milton Friedman (1912-2006).

> Como aluno do professor Friedman, em 1960, fiquei impressionado com duas coisas – seus padrões de classificação difíceis e o fato de ele ter uma secretária negra. Isso foi anos antes da ação afirmativa [...]. Mas nunca ouvi Milton Friedman dizer que ele tinha uma secretária negra, embora ela estivesse com ele há décadas. Tanto seus padrões de classificação quanto sua recusa em tentar ser politicamente correto aumentaram meu respeito por ele (SOWELL, 2012).

Ilustram a foto de Sowell, ao fundo, Friedman e o próprio Sowell.

A influência de Friedman foi fundamental para a posterior mudança de pensamento de Sowell, ao abandonar a perspectiva marxista e gradativamente se tornar cada vez mais conservador. Na verdade, os primeiros artigos publicados por Thomas Sowell foram "Marx's 'Increasing Misery' Doctrine", publicado pela *American Economic Review*, em março de 1960, e "Karl Marx and the Freedom of the Individual", que saiu na edição de janeiro de 1963 da revista *Ethics*.

Foi por intermédio de Milton Friedman que Sowell teve contato com o pensamento de um outro autor que viria a ser de fundamental importância para o desenvolvimento de seu próprio pensamento, Friedrich Hayek (1899-1992). Sowell destaca também a influência que seu pensamento sofreu por conta da leitura das obras de Charles Sanders Peirce (1839-1914).

> Algumas das coisas mais importantes que aprendi na Universidade de Chicago não pareceram de todo importantes a princípio. Uma dessas coisas cuja relevância eu não vi imediatamente foi um ensaio de Friedrich Hayek intitulado "O Uso do Conhecimento na Sociedade". Esse texto foi discutido no curso de Milton Friedman e mostrou o papel de uma economia de mercado na utilização do conhecimento fragmentado e disperso entre um grande número de pessoas. Passaria quase vinte anos antes que eu percebesse todas as implicações desse ensaio aparentemente simples – e então me inspirasse, e escrevesse um livro chamado *Conhecimento e Decisões*. Os estudantes muitas vezes não estão em posição de julgar "relevância" até muito depois do fato. Outra coisa cuja importância me foi perdida a princípio foi a distinção entre uma equação e uma identidade. Parecia um bom ponto matemático na época, e eu me cansei de ouvir a pergunta: "Isso é uma equação ou uma identidade"? Muitas vezes eu pensei comigo mesmo: "Vamos jogar uma moeda". Na realidade, era uma questão de enorme importância, muito além das fronteiras da matemática ou da economia. Uma equação é verdadeira apenas sob certas condições, enquanto uma identidade matemática é verdadeira simplesmente por causa da maneira como você define os termos. Muitas pessoas não entendem que o que estão dizendo pode ser verdade apenas por causa da maneira como usam palavras – e essas pessoas podem ser enganadas e acreditar que estão dizendo algo verdadeiro sobre o mundo real. Muitas crenças políticas dependem desse raciocínio circular. Em uma daquelas peças cruciais de boa sorte que surgiram de tempos em

tempos na minha vida, passei a me interessar pela filosofia de William James mais ou menos nessa época, e isso, por sua vez, levou-me a ler Charles Sanders Peirce, que inspirou a filosofia de James. Desta forma improvável, cheguei a entender a razão de ser tão importante evitar que suas próprias definições o aprisionassem em crenças que não resistem ao escrutínio. Peirce escreveu que era "terrível ver como uma única ideia pouco clara, uma única fórmula sem significado, espreitando a cabeça de um jovem" poderia bloquear seu pensamento e comprometê-lo com coisas que ele nunca acreditaria se compreendesse plenamente o que estava dizendo (SOWELL, 2000, n.p.).

Ainda na Universidade de Chicago, Sowell finalmente conseguiu assistir aos cursos ministrados pelo professor George J. Stigler, e quando a universidade, por questão de reestruturação econômica interna, cortou a bolsa que Sowell recebia, Stigler conseguiu para Sowell uma oferta de bolsa de estudos pela Earhart Foundation[12].

No verão de 1960 Sowell conseguiu seu primeiro emprego em nível profissional, como estagiário em economia no Departamento de Trabalho dos EUA, em Washington. Essa foi sua primeira oportunidade de unir a experiência teórica em economia, adquirida ao longo de sua formação acadêmica, com a aplicação prática da economia em questões de políticas públicas. Posteriormente, em junho de 1961, ele foi contratado pelo mesmo Departamento de Trabalho como economista, trabalhando em várias repartições diferentes. Mesmo no âmbito profissional, a personalidade de Sowell sempre se destacou, nem sempre de forma positiva. Certa vez, um colega de trabalho, ao conhecer Sowell pessoalmente, disse que já havia ouvido falar dele em outra repartição em que, antes dele, Sowell havia trabalhado. Em certa ocasião, tendo surgido o nome dele em uma conversa, narra o colega, ele perguntou quem era Sowell, ao que ouviu como resposta de uma secretária: *"vamos falar sobre isso no corredor durante o intervalo do café. Se falarmos sobre ele aqui, isso só vai perturbar todo o escritório"*.

A experiência no Departamento de Trabalho dos EUA desencadeou uma mudança em seu pensamento referente ao papel do governo e dos programas governamentais, fazendo-o repensar a teoria marxista e sobre como lidar com problemas sociais. "Felizmente",

---

12 Fundada no ano de 1929, a *Earhart Foundation* é uma fundação de caridade privada norte-americana que financiava estudos e pesquisas patrocinadas pelo executivo do petróleo Harry Boyd Earhart.

diz Sowell, "*esse foi um processo gradual, de modo que fui poupado das conversões traumáticas que alguns outros marxistas sofreram*".

O Departamento de Economia da Universidade de Chicago tinha como exigência, no programa de doutorado, uma série de testes, permitindo ao aluno três chances de passar nos exames. A aprovação nesses exames era critério obrigatório para a permanência no programa, enquanto a defesa da tese poderia ser postergada sem um prazo específico para conclusão. Sowell foi aprovado em todos os testes em sua primeira tentativa e, quase imediatamente depois, passou a receber cartas de várias universidades perguntando se ele não teria interesse em lecionar.

6. O INÍCIO DA CARREIRA COMO DOCENTE

Dentre as várias entrevistas pelas quais passou, Sowell aceitou a oferta do Douglass College[13], em New Brunswick – Nova Jersey. Apenas alguns meses depois ele deixou o emprego no Departamento de Trabalho, em agosto de 1962, assumindo a cátedra no Douglass College em setembro do mesmo ano. Sobre seu primeiro dia de aula, escreve Sowell:

> Meu primeiro dia de ensino começou quando me confundi com as instruções para o prédio onde a turma se encontrava, de modo que cheguei cerca de dez minutos atrasado. As alunas ainda estavam lá, fiquei aliviado em as encontrar. Quando distribuí cópias da minha longa lista de leitura sobre economia do trabalho, houve gemidos audíveis. Quando tentei salientar que realmente não era tanta leitura assim, havia uma certa corrente de risadas irônicas. E quando acrescentei no quadro-negro outro artigo que saiu desde que a lista foi mimeografada, houve um silêncio e troca de olhares entre as estudantes. Nos dias que se seguiram, preparei-me para receber avisos de alunos abandonando o curso [...]. No entanto, nenhuma aluna se retirou. Alguns dias depois, outra aluna veio ao meu escritório para obter uma cópia da lista de leituras e depois se juntou à turma. Foi um começo muito animador para minha carreira docente e eu gostei muito das aulas, embora a classe nunca

---

13 Fundado no ano de 1918, o *Douglass College* é uma instituição de ensino exclusiva para mulheres. A partir do ano de 2007, passou a se chamar *Douglass Residential College*.

soubesse disso. Meu salário era agora 20% mais baixo do que no governo, mas mesmo assim decidi que era assim que queria passar minha vida, talvez toda ela no Douglass College [...]. Elas eram estudantes conscientes, em geral, e muitas eram muito inteligentes. Mas o foco de seus esforços eram boas notas para levar para casa, não um ímpeto para entender ou desenvolver seus próprios poderes analíticos. Elas queriam receber uma educação pré-embalada – e isso não foi o que eu ofereci. Meu ensino foi direcionado para levar o aluno a pensar. As tarefas de leitura frequentemente continham análises conflitantes de um dado problema econômico. Algumas alunas responderam a isso, mas outras acharam muito desconcertante (SOWELL, 2000, n.p.).

Apesar do encanto inicial de Sowell com o Douglass College, a realidade não demorou muito para fazê-lo mudar de ideia. Durante suas aulas, ele percebia haver quase uma polarização entre aquelas alunas que respondiam bem ao seu método de ensino analítico e crítico e as que continuavam alienadas à perspectiva do conteúdo apenas decorado. No decorrer do semestre, as alunas desse último tipo começaram constantemente a dirigir-se ao presidente do departamento (um sociólogo), compartilhando sua "infelicidade" com o curso – no colégio havia apenas três economistas, que compunham um departamento de economia e sociologia combinados. Chamado pelo presidente do departamento para conversar sobre o seu método de ensino, foi solicitado a Sowell que diminuísse o nível de cobrança de suas aulas, buscando englobar também as outras alunas. Ainda que Sowell considerasse que qualquer aluna capaz de ingressar no colégio fosse capaz de acompanhar suas aulas, desde que se esforçasse, a determinação do departamento era clara, e Sowell deveria se adequar a ela. Poucos dias depois dessa conversa, Sowell deixou sua renúncia na caixa de correio do departamento. Ele permaneceu no Douglass College até junho de 1963.

Enquanto procurava uma vaga como docente em outra instituição, Sowell teve uma oportunidade perdida na American University por conta de más recomendações, que insinuavam que ele negligenciava seus alunos em detrimento de suas pesquisas. Como ele havia trabalhado como docente em apenas uma instituição, não havia mistério de onde havia partido essa informação.

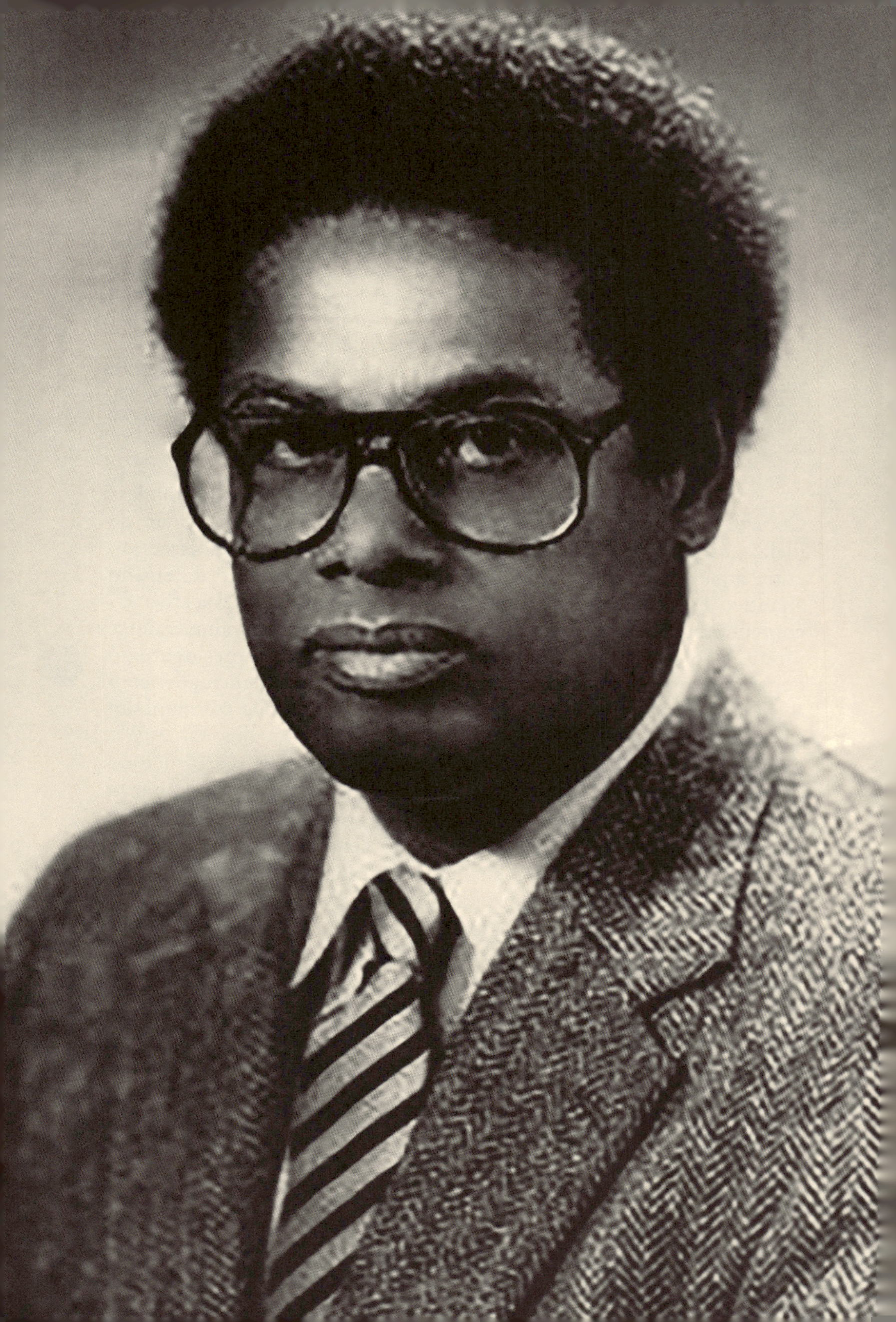

7. A LUTA PELOS DIREITOS CIVIS DOS NEGROS NA DÉCADA DE 60

Vários movimentos sociais nos Estados Unidos reivindicavam, desde muito, a abolição da discriminação baseada na raça. Sowell sempre se mostrou favorável à causa, sobretudo em relação ao fim da segregação racial no Sul do país. Contudo, desde então, Sowell já articulava sua postura "antipopular". "*Minhas visões*", reconhece Sowell, "*certamente não estavam em sintonia com o espírito da década de 1960*", uma época em que a grande questão a ser discutida era referente à raça, com o surgimento de diversos "porta-vozes" carismáticos negros. Durante esse período, enquanto o cenário intelectual americano discutia a questão da segregação racial, Sowell manteve o foco na área em que tinha formação acadêmica, isso é, na área econômica. Isso fez com que seus trabalhos ganhassem mais destaque no exterior do que nos Estados Unidos.

Embora Sowell buscasse discutir academicamente apenas questões relacionadas à economia, em escritos particulares ele não se furtava ao debate, inclusive questionando os métodos e objetivos usados na luta pela integração do Sul do país – ainda que ele mesmo não atuasse em nenhuma linha em defesa dessa integração. Em 6 de agosto de 1962 ele escreveu uma carta a um amigo em que explicita sua preocupação com os rumos tomados pelo movimento negro contra a segregação, que, segundo ele, se preocupava mais em conseguir igualdade em relação a acomodação no transporte público do que melhorar a qualidade do ensino nas escolas que atendem a comunidade negra:

> Quanto mais eu acompanho as lutas de integração no Sul, mais eu estou inclinado a ser cético quanto ao fruto real disso tudo. É estranho ficar "em cima do muro" e criticar as pessoas que estão sofrendo por seus ideais, e ainda assim a pergunta deve ser feita: "O que isso irá fazer"? Parece haver tantas outras coisas com maior prioridade do que a igualdade de acomodação pública, que a preocupação cega com essa coisa parece quase patológica. Quando se considera a apatia na comunidade negra em relação a coisas como a incompetência e irresponsabilidade sem esperança de suas próprias faculdades e outras instituições, o fervor gerado na luta pela "integração" em todas as coisas,

a todo custo, parece mais uma liberação emocional do que um movimento sensível em direção a algo que promete um benefício ao longo do tempo. (SOWELL, 2007, pp. 20-21).

Rosa Louise McCauley, mais conhecida por Rosa Parks (1913-2005). Em 1º de dezembro de 1955, se recusou a ceder o seu lugar no ônibus a um branco. Sua prisão iniciou o movimento que ficou conhecido como o boicote aos ônibus de Montgomery, no estado do Alabama.

Presidente Lyndon Johnson assina a Lei de Direitos Civis na Ala Leste da Casa Branca. Washington, 02 de julho de 1964.

Quando, em 2 de julho de 1964, o presidente Lyndon Johnson (mandato 1963-1969) assinou a *Lei dos Direitos Civis*, proibindo a discriminação por raça, cor, religião ou nacionalidade, Sowell estava cada vez mais desencantado com o pensamento utópico que, segundo ele, havia tomado conta do movimento negro. A ideia geral era de que a aprovação dessa lei fosse acabar com as injustiças sociais e desigualdade econômicas. Entretanto, para Sowell, as enormes mudanças internas que deveriam ocorrer dentro da comunidade negra, em relação à educação e ao desenvolvimento de habilidade e atitudes, pareciam totalmente imperceptível.

8. NOVAS OPORTUNIDADES, OS MESMOS PROBLEMAS

Três meses após deixar o cargo no Douglass College, em setembro de 1963 Sowell assumiu o cargo de docente na Howard University. "*Não espero que Howard seja melhor, mas os problemas devem ser diferentes, e prefiro perder meu tempo em Washington do que em New Brunswick*", escreveu Sowell a seu irmão Charles, em abril de 1963. Ao escolher retornar para a Howard University, dessa vez como professor, Sowell estava consciente de que os alunos dessa universidade enfrentavam dificuldades específicas, responsáveis por tornarem seu progresso no curso mais lento. Todavia, afirma Sowell,

> Embora os estudantes fossem obviamente menos educados e menos polidos do que os estudantes do Douglass College, [...] eu fiquei muito animado ao descobrir que as respostas dos exames eram tão boas quanto as do Douglass. Parecia que eu havia tomado a decisão certa de vir para cá e me permiti acreditar que havia encontrado meu nicho na vida (SOWELL, 2000, n.p.).

Ainda que Sowell tivesse feito novos planos para sua carreira, com a intenção de se estabilizar profissionalmente na Howard University, mais uma vez seus planos foram frustrados. Ao aceitar o cargo na universidade, o presidente do Departamento de Economia havia lhe prometido uma bolsa de pesquisa como complemento de seu salário. Esse fato foi decisivo para que Sowell voltasse para aquela instituição, uma vez que já havia esgotado suas economias.

No entanto, passados poucos dias, Sowell descobriu que não haveria o pagamento dessa bolsa, e que o presidente do departamento havia lhe contado uma mentira. Como já era a semana de início as aulas, abandonar a universidade nesse momento implicaria em uma mancha em seu registro como docente, o que poderia lhe trazer prejuízos futuros. Por isso, a contragosto, ele decidiu permanecer na instituição até o fim do seu contrato. Como se apenas isso não bastasse, ele começou a ter os mesmos problemas com alunos que havia tido no Douglass College. Seu rigor com o conteúdo ministrado em sala de aula e sua tática de combater possíveis trapaças na hora dos exames acarretava em várias notas ruins por parte dos alunos – 30% da classe foi reprovada no primeiro semestre –, o que resultou em reclamações direcionadas a ele, ao presidente do departamento, e ao reitor da universidade. Sowell sempre acreditou que seus alunos merecessem ter um ensino de qualidade, e não apenas conteúdos aos quais pudessem confortavelmente se adequar. Mais uma vez, ele enfrentou a direção de uma universidade defendendo que enquanto os alunos tivessem uma gestão que lhes fosse "simpática", isto é, que estivesse comprometida em sempre agradar a todos, os alunos não iriam se esforçar para atingir o máximo de seu potencial, o que, no caso da economia, incluía analisar gráficos e compreender conteúdos abstratos. *"Minha teoria"*, diz Sowell, *"era de que a educação deveria fornecer o que as pessoas não têm, não as deixar encostadas com o que já sabem"*. Decepcionado com a postura do reitor em defender a flexibilização dos conteúdos por ele ministrados e pela mentira que lhe havia sido contada no momento de sua contratação, em outubro de 1963, pouco mais de um mês depois de chegar na universidade, Sowell escreveu uma carta de demissão de quatro páginas, com validade para junho de 1964.

Desiludido com a carreira acadêmica, Sowell passou a procurar outro emprego, dessa vez, fora da esfera universitária. No mesmo mês em que saiu da Howard University ele conseguiu uma oferta de emprego na American Telephone & Telegraph Company (A.T. & T)[14], em Nova York, para o cargo de Analista Econômico, com um salário equivalente ao dobro do que ganhava como professor. A empresa era um bom lugar para trabalhar, se preocupando com seus funcionários,

---

14 A *American Telephone & Telegraph Company* (A.T. & T) chegou a ser a maior empresa de telefonia do mundo, assim como a maior operadora de televisão a cabo. Em seu auge, nos anos 1950 e 1960, chegou a empregar um milhão de pessoas e sua receita era de aproximadamente US $ 3 bilhões por ano. No ano de 2005 a empresa foi vendida por US$ 16 bilhões.

que eram em sua maioria gentis e atenciosos. Além disso, Sowell ainda conseguiu uma folga para ministrar palestras na Universidade Estadual da Pensilvânia. Ainda no ano de 1964, Sowell se casou com Alma Jean Parr.

Em dezembro de 1964 Sowell viajou a trabalho para Chicago, para participar da reunião anual da *American Economic Association*. Durante a convenção, Sowell conheceu o presidente do Departamento de Economia da Universidade de Cornell, que lhe convidou para conhecer a universidade. A partir desse encontro, lembra Sowell, "eu lhe disse que estava interessado em voltar ao mundo acadêmico, mas que não estava preparado para aturar o tipo de interferência em meu ensino que já havia encontrado em outras duas instituições. Ele me assegurou que tal não seria o caso em Cornell". Sowell deixou o emprego na American Telephone & Telegraph Company em agosto de 1965, ocupando o cargo de Professor Assistente de Economia na Universidade de Cornell no mês seguinte, em setembro de 1965. Nesse mesmo ano nasceu seu primeiro filho.

A carga de ensino na Universidade de Cornell foi a mais baixa desde que Sowell havia iniciado sua carreira como docente, sendo responsável por apenas duas disciplinas. Um curso introdutório de economia para engenheiros e outro sobre a história do pensamento econômico, em que pela primeira vez ensinava o conteúdo no qual havia se especializado. Com isso, ele teve tempo livre para escrever vários artigos, e retomar o trabalho de sua tese de doutorado.

Embora Sowell ministrasse apenas duas disciplinas em seu primeiro semestre na universidade, isso não significava que ele estivesse livre de problemas. Na disciplina introdutória de economia para alunos do curso de Engenharia, assim como nas outras duas instituições de ensino pelas quais passou, Sowell enfrentou a resistência dos alunos, especialmente quando saiu o resultado desastroso do primeiro exame. Sowell ouviu reclamações de alunos, funcionários da escola e colegas de departamento. Contudo, o presidente do departamento manteve sua palavra e não se intrometeu no método didático de Sowell. Aliás, reduziu ainda mais sua carga de ensino para o próximo período, para que Sowell tivesse tempo de trabalhar em sua tese de doutorado sobre a Lei de Say[15]. Nos anos seguintes suas aulas correriam sem maiores

---

15 A *Lei de Say*, também conhecida como *Lei de mercados de Say* ou *Lei da preservação do poder de compra*, é uma teoria sobre o funcionamento dos mercados, popularizada pelo economista francês Jean-Baptiste Say (1767-1832). Na obra *Traité d'économie*

problemas, enquanto a conclusão do seu doutorado em Economia pela Universidade de Chicago ocorreria apenas em dezembro de 1968.

Thomas Sowell com o filho, John, aos dois anos de idade. Ano de 1967.

---

politique, ou simple exposition de la manière dont se forment, se distribuent, et se composent les richesses, a teoria é expressa do seguinte modo: "É de se ressaltar que um produto tão logo seja criado, nesse mesmo instante, forma um mercado para outros produtos adequado ao próprio valor. Quando o produtor finaliza a produção, fica ansioso para vendê-la imediatamente pois quer evitar que a mesma se deprecie em suas mãos. E não ficará menos ansioso para aplicar o dinheiro que ganhará com a venda, pois o valor do dinheiro também poderá se depreciar. Mas o único modo de aplicar o dinheiro é trocá-lo por outros produtos. Assim, a mera circunstância da criação de um produto imediatamente abre um mercado para outro produto" (SAY, 1803).

> Depois de todos os anos de luta para concluir minha tese de doutorado, o fim veio rapidamente e surpreendentemente fácil. Minha defesa da dissertação levou quinze minutos – dez minutos de apresentação e cinco minutos de perguntas. Então George Stigler e meus outros professores me levaram para um restaurante chique no centro de Chicago para comemorar (SOWELL, 2000, n.p.).

Também no ano de 1968, um funcionário da Fundação Rockefeller entrou em contato com Sowell questionando se ele não teria interesse em montar um programa de verão, com duração de oito semanas, que levasse estudantes de outras faculdades negras até Cornell para um treinamento intensivo em economia. O objetivo era encontrar alunos promissores, a fim de aumentar o número de economistas negros. Sowell prontamente aceitou a proposta, e começou a trabalhar no projeto antes mesmo que discutissem a respeito de seu salário.

O programa de verão teve um bom começo, com os alunos apresentando um bom aproveitamento e interesse pelo curso. Contudo, um caso em particular foi crucial para a carreira de Sowell. Ele havia definido com o presidente do Departamento de Economia da Universidade de Cornell, responsável por administrar os recursos disponibilizados pela Fundação Rockefeller, que, em caso de alunos desdenhosos com o curso, eles seriam retirados ou "convidados" a se retirarem do programa. Os recursos financeiros disponibilizados pela fundação eram usados para cobrir despesas oriundas do programa de verão, o que incluía uma bolsa oferecida aos alunos a fim de cobrir suas despesas. Contudo, quando Sowell solicitou a exclusão de um aluno do programa, esse aluno usou toda sua influência para pressionar a Universidade de Cornell a mantê-lo no curso. Cedendo à pressão, o presidente do departamento recuou em sua decisão e impôs a Sowell que mantivesse o estudante no programa.

Com a autoridade de Sowell contestada, esse caso que deveria ser uma exceção contaminou vários alunos do curso, que não mais se preocuparam em atender critérios para permanência no programa – passaram a se ausentar das aulas por dias, faltando a exames, recusando-se a participar de discussões em sala de aula e coisas do gênero. Alguns desses alunos estavam apenas aproveitando a brecha que havia sido aberta, enquanto outros estavam respondendo à militância racial dos ativistas negros que estudavam em Cornell e que viram em

Sowell uma fonte de opressão. Apesar do enfraquecimento do curso por conta dessas questões, os resultados gerais ainda assim foram extremamente satisfatórios. Apesar disso, desiludido com o projeto e com a universidade, Sowell manteve-se no programa apenas até o final do verão, apresentando sua demissão à Universidade de Cornell e sua renúncia ao programa à Fundação Rockefeller – seu acordo original com a Fundação Rockefeller era para executar este programa por dois anos. "Ao contrário de minha longa renúncia na Universidade Howard, minha carta de demissão em Cornell consistia de apenas uma frase. Com o passar dos anos, aprendi a futilidade de tentar dar sentido às pessoas que não querem ouvi-lo". Seu desligamento da universidade ocorreu em junho de 1969.

9. A REVOLTA NEGRA NA UNIVERSIDADE DE CORNELL

No dia 4 de abril de 1968 o Departamento de Economia da Universidade de Cornell foi ocupado por estudantes negros que protestavam contra um dos professores que havia feito uma série de comentários considerados racistas em sala de aula. O evento foi assim descrito:

> Na manhã de 4 de abril de 1968, cerca de 50 membros da Sociedade Afro-Americana assumiram o Departamento de Economia da Cornell University. Eles protestavam contra alegações racistas feitas em sala de aula por um professor visitante de economia, padre Michael McPhelin, um padre jesuíta nascido nos Estados Unidos que passou muitos anos nas Filipinas. Os alunos alegavam que "a filosofia racista estava sendo ensinada na [turma] Economics 103", um grande curso introdutório de palestras. Os três queixosos negros alegaram que "o conferencista construiu consistente e sutilmente uma filosofia de racismo; para esclarecer, não queremos dizer racismo individual ou explícito, mas racismo institucional, aquele tipo pelo qual as atitudes de superioridade branca são perpetuadas". A base para essa acusação era a crença de McPhelin de que a teoria econômica e o desenvolvimento eram de origem ocidental, e seu elogio às "conquistas da civilização ocidental" e à "superioridade econômica das nações europeias", que ele ocasionalmente associava a "bons recursos humanos", por sua

> vez associados a um clima favorável. Os estudantes negros viam McPhelin como racista quase desde o início do curso.
>
> Nenhuma acusação foi processada contra os estudantes negros por sua ocupação do escritório de economia ou por terem feito seu presidente como refém. Uma promessa de limpar o campus do "racismo institucional" deixou muitos professores desconfortáveis com o compromisso da administração de pressionar a liberdade acadêmica plena, incluindo o direito do professor de ensinar a verdade como ele a vê. Embora admitindo que McPhelin deveria ter prestado mais atenção às reivindicações dos estudantes negros, eles não podiam tolerar as ações "extremas" para as quais os negros recorriam.
>
> As bases foram estabelecidas para o confronto subsequente, no mês de abril seguinte [...]. (WALLENSTEIN; FISHER, 2009).

A falta de uma política administrativa da faculdade em responder não apenas a esse caso, mas também a diversas outras demandas dos estudantes negros em Cornell em decorrência de problemas enfrentados durante todo o ano de 1968, criou o cenário para um dos maiores eventos de ruptura acadêmica enfrentados no país.

Sowell, ao relembrar sobre o caso, comenta que:

> A tragédia de Cornell começou com uma daquelas boas intenções com as quais o caminho para o inferno é pavimentado. Quando James Perkins se tornou presidente da Cornell em 1963, tinha um corpo docente e estudantil quase totalmente branco. Quando entrei para o corpo docente, dois anos depois, não vi outro professor negro em nenhum lugar desse vasto *campus*. Perkins, assim como outros presidentes de faculdades e universidades de elite, procurava aumentar a matrícula de estudantes de minorias – e para tanto admitia alunos que não atendiam aos padrões acadêmicos existentes em Cornell. A ênfase estava em conseguir garotos militantes do gueto, alguns dos quais acabaram sendo bandidos que aterrorizavam outros estudantes negros, além de provocar uma reação racial entre os brancos. (SOWELL, 1999).

O estopim ocorreu na manhã de sexta-feira, dia 18 de abril de 1969, quando uma cruz foi queimada em frente ao dormitório para meninas negras que ficava dentro da universidade. Em resposta, na madrugada do dia 19 de abril um grupo armado de estudantes negros assumiu o controle de um dos prédios da Universidade de Cornell.

Dentre as reivindicações do grupo, estava a anulação de processos judiciais instaurados contra estudantes negros por conta de ações anteriores e a apuração a respeito da cruz queimada dentro do *campus* (investigações posteriores apontaram para uma possível autoria por parte de integrantes do próprio movimento negro), além da isenção em relação a qualquer dano causado durante a ocupação. O diretor da Universidade de Cornell, James A. Perkins (1911-1998), concordou com as exigências, e a ocupação chegou ao fim no dia 20 de abril de 1969, depois de trinta e cinco horas de duração. O acordo firmado entre a Universidade de Cornell e a Cornell's Afro-American Society concedia anistia aos estudantes e absolvia-os de qualquer responsabilidade financeira por danos causados durante a manifestação, entre outras coisas.

Contudo, o corpo docente da universidade, ao ver as imagens de estudantes armados dentro do *campus* divulgadas pela mídia no dia seguinte, anulou a decisão de Perkins.

> A maioria dos membros do corpo docente ficou profundamente chocada com as fotografias que apareceram no domingo. [...] ficaram consternados com a introdução de armas, mas estavam ainda mais preocupados com os padrões de liderança que permitiram que essa situação surgisse (WALLENSTEIN; FISHER, 2009).

Uma série de falhas de comunicação envolvendo os motivos que levaram o corpo docente a reverter o acordo concedido por Perkins levou muitos estudantes a acreditarem que a posição adotada por ele, corpo docente, era insensível às reivindicações dos negros, reforçando uma falsa opinião de que seriam os estudantes negros que teriam problemas em se ajustar aos padrões da faculdade. Em decorrência da polêmica que se instaurou, vários professores receberam ameaças, publicamente e no privado. Isso os forçou a reconsiderar a decisão, o que aconteceu no dia 23 de abril. Ao invés de tratarem do problema, aponta Sowell, ao tentarem justificar a mudança de posição, "eles tiveram que encontrar uma razão 'mais profunda', refletindo uma súbita 'compreensão' dos negros", embora não enganassem ninguém.

THOMAS SOWELL E A ANIQUILAÇÃO DE FALÁCIAS IDEOLÓGICAS

Ao criticar a obra *Cornell'69: Liberalism and the Crisis of the American University* (1999), escrita por Donald Alexander Downs (1948-), ex-aluno da faculdade, Sowell aponta que:

> Um dos fatores mais óbvios que praticamente não recebeu atenção foram os sérios problemas acadêmicos dos estudantes negros admitidos sob padrões acadêmicos mais baixos. Quanto de sua insatisfação e alienação foi resultado desse fato dolorosamente humilhante, óbvio para os brancos à sua volta, e quanto foi devido ao "racismo" que eles alegavam ver em toda parte, é uma questão que precisava de exploração, ainda que pudesse ser politicamente incorreto discutir essas coisas (SOWELL, 1999).

Eric Evans, líder estudantil, anuncia um acordo com a administração da universidade. 20 de abril de 1969.

Com relação à postura de Sowell durante toda essa confusão:

Um dos meus colegas me chamou de "homem de Marte" por não me juntar a nenhuma dessas discussões em massa ou intrigas de pequenos grupos que dominavam o *campus* [...]. Ao contrário de alguns de meus colegas, recusei-me a cancelar minhas aulas ou transformá-las em discussões sobre os eventos atuais no *campus* (SOWELL, 2000, n.p.).

Negro Professor Quits Cornell, Charges Leniency Hurts Blacks

By PETER KIHSS
Special to The New York Times

ITHACA, N. Y., June 1—Prof. Thomas Sowell, one of Cornell's few Negro faculty members, disclosed today that he had resigned. He charged that "paternalism" at the university had hurt black students.

Professor Sowell asserted that Cornell has been "interested in its image—anything to keep the black students happy."

Dr. Sowell, an associate professor of economics since 1965, said he favored the departure of Cornell's president, James A. Perkins, whose administration, he said, has been "a veritable weathervane following the shifting crosscurrents of campus politics."

Neither Dr. Perkins nor leaders of the board of trustees were available today for discussion of Dr. Perkins's announcement Saturday that he would ask the board next weekend to look for a successor. The university has been split over the handling of a seizure of a building by black students last April and the proposed Afro-American studies center.

In an interview, Dr. Sowell asserted that the university had reneged on an agreement to drop a black student that Dr. Sowell considered a troublemaker from a special program. This program, which was headed by Dr. Sowell, had an enrollment of 16 students from 11 predominantly Negro schools.

The university's reversal of the agreement to drop the student, Dr. Sowell said, was followed by a "degenerating atmosphere" in the program and his resignation, effective this July 1.

Prof. Tom E. Davis, head of the economics department, said later there had been an "honest misunderstanding" about the student involved. He insisted he had never agreed to the student's ouster, and said Professor Sowell was "upset about pressure" brought in the case.

Professor Davis contended the "problem was getting a program relevant from the students' point of view," and asserted it had concentrated on theory that the students felt was repetitive of previous work, instead of promised seminars on specific issues.

He reported that the Rockefeller Foundation was again sponsoring the program, as revised, this summer, with a white director, Associate Professor Gary W. Bickel.

Professor Sowell asserted that "paternalism" would result in the graduation of "inadequate" black students, and he insisted there was "no black or white economic theory."

Professor Sowell, however, said that "paternalism" would result in the graduation of "inadequate" black students, and he insisted there was "no theory."

As he told the story, the program last summer—for which he said the Rockefeller Foundation had sought him out—had shown that students from the predominantly Negro schools could achieve work comparable to those from the nation's leading schools.

But after a strong start, he said, there came the incident with a student who he said was not working or taking all tests and who was also making trouble in classes.

The New York Times
Published: June 2, 1969
Copyright © The New York Times

Posteriormente, no jornal *The New York Times*, foi publicada uma reportagem contendo a denúncia feita por Sowell de que o paternalismo acadêmico seria prejudicial para os estudantes negros, e que a administração da Universidade de Cornell seria como "um verdadeiro cata-vento seguindo as inconstantes correntes na política do *campus*". No dia 9 de junho de 1969, apenas uma semana após a publicação do artigo com as críticas feitas por Sowell, James A. Perkins renunciou do cargo de diretor da Universidade de Cornell.

10. SOWELL CONQUISTA FAMA NACIONAL

Com o final do ano de 1968 se aproximando, Sowell tinha uma importante decisão a tomar, referente a permanecer na carreira acadêmica ou retornar para o mercado de trabalho privado. Nesse período, o curso de verão que ele havia organizado, apesar do contratempo com a direção da Universidade de Cornell, havia se tornado referência como programa acadêmico voltado ao público negro, e várias pessoas e organizações passaram a procurá-lo buscando informações a respeito do desenvolvimento de programas especiais direcionados a estudantes das minorias. Um desse contatos foi realizado pela Urban Coalition, organização com sede em Washington. Eles pediram a ajuda de Sowell para a elaboração de uma proposta de programa federal voltado a auxiliar estudantes desfavorecidos a ingressarem na faculdade – o foco deveria ser os próprios estudantes, e não as instituições acadêmicas. Sowell aceitou a proposta e, embora houvesse sido contratado como consultor do projeto, coube a ele, além de elaborar a proposta, buscar apoio junto a pessoas e organizações. Em fevereiro de 1969 ele apresentou uma proposta, com um custo federal estimado em US$ 5 bilhões. Em linhas gerais, a ideia "era que os estudantes de baixa renda recebessem bolsas substanciais e os estudantes de renda mais alta recebessem menos dinheiro, com mais desse dinheiro sob a forma de empréstimos". No entanto, no momento em que o Congresso se preparava para discutir a proposta, despontaram em várias instituições movimentos semelhantes ao do dia 19 de abril na Universidade de Cornell, minando qualquer possibilidade de implementação do projeto. Depois de tanto tempo de esforço árduo, pesquisas e discussões, "*meses de trabalho foram pelo ralo*", lamentou Sowell.

Com a conclusão do doutorado (em dezembro de 1968, com a dissertação de 160 páginas intitulada *Say's Law and the General Glut Controversy*) e tendo em vista a futura efetivação da rescisão do contrato com a Universidade de Cornell (em junho de 1969), vários departamentos de Economia entraram em contato com Sowell, manifestando interesse em contratá-lo. Contudo, a vinculação de sua imagem à ideia de que ele estaria engajado em algum tipo de luta pelas minorias o fez ser bem cauteloso em relação às propostas que lhe eram apresentadas, no sentido de ter bem claro se estava sendo contratado como professor, para ensinar o que passou anos pesquisando, ou para ser uma espécie de "guru para os estudantes negros". Dentre as diversas propostas que recebeu, Sowell aceitou o cargo de Professor Associado de Economia na Universidade de Brandeis, com início a partir de setembro de 1969.

No intervalo entre o início do período letivo na Universidade de Brandeis e o término de seu contrato com a Universidade de Cornell, Sowell aceitou o convide para ministrar um curso de verão na Universidade da Califórnia em Los Angeles (U.C.L.A), onde conheceu Walter Edward Williams – nos próximos anos, os dois se tornariam amigos muito próximos um do outro.

> O Departamento de Economia da U.C.L.A. era um reduto de economistas da Universidade de Chicago, que compartilhavam muitas das minhas opiniões sobre questões sociais e educacionais. Um dia, um homem alto e negro veio até a porta do meu escritório em U.C.L.A. e disse: *"Eu entendo que você e eu temos opiniões semelhantes, então eu pensei em fazer uma parada e conferir"*. *"Entre"*, eu disse. *"Meu nome é Walter Williams"*, disse ele. Descobrimos que nossas visões eram de fato muito parecidas. No entanto, em anos posteriores, seria dito pela mídia que ele era um estudante ou um discípulo meu – ele não era nenhum dos dois – quando, na verdade, nos reunimos precisamente porque já havíamos chegado a conclusões semelhantes (SOWELL, 2000, n.p.).

Já em Massachusetts, na Universidade de Brandeis, Sowell encontrou um ambiente melhor do que havia deixado no Departamento de Economia de Cornell, sem hostilidades ou problemas pessoais entre alunos e corpo docente, ou mesmo entre os colegas de trabalho. Ainda assim, lá também prevalecia o duplo padrão de admissão racial – ou, como Sowell costuma chamar, o paternalismo branco.

Durante o tempo em que passou na Universidade de Brandeis, Sowell aproveitou para expandir sua tese de doutorado, com a intenção de transformá-la em um livro. Porém, antes que começasse a buscar uma editora, ele recebeu um convite para ocupar o cargo de Professor Associado de Economia na U.C.L.A. Pela primeira vez em sua carreira acadêmica ele partia de uma instituição com sentimento de arrependimento por deixar um bom grupo de colegas. Ele lecionou na Universidade de Brandeis até junho de 1970, assumindo o cargo na U.C.L.A em setembro do mesmo ano. Antes de se mudar para Los Angeles, Sowell conseguiu um adiantamento de US$ 5.000 por outro livro que havia começado a escrever, de introdução à economia. O dinheiro lhe permitiu comprar seu primeiro carro, aos 40 anos de idade. Também no ano de 1970, em junho, nasceu seu segundo filho, uma menina, a quem deram o nome de Lorraine Hansberry.

Em 13 de dezembro de 1970 Sowell teve seu primeiro artigo sobre questões raciais publicado, pelo *New York Times Magazine*:

> Nele, eu ataquei as suposições predominantes por trás das políticas de admissão para estudantes de minorias – especialmente a prática de passar por cima de estudantes negros altamente qualificados em favor de outros estudantes negros que se encaixavam em algum perfil sociológico ou ideológico (SOWELL, 2000, n.p.).

Em reposta a esse artigo, ele recebeu mais de cem cartas, em sua maioria favoráveis às suas ideias. Além disso, *"três editores escreveram para mim, sugerindo que eu fizesse um livro sobre o assunto. Assim começou meu primeiro livro sobre questão racial, Black Education: Myths and Tragedies"*.

Passados quase vinte anos desde o seu último contato com sua família adotiva, *"um dia, sem nenhuma razão específica, comecei a pensar em Birdie"*. Sowell, então, ligou para ela. Passados alguns dias, ele foi até Nova York lhes fazer uma visita. Ele se encontrou com Birdie, Lacy, e a filha deles, Ruth Ellen, irmã do, a esta altura, falecido Jimmy. Também se encontrou com Ruth, que agora morava no Bronx. Sua mãe já havia falecido. Depois desse reencontro, Sowell manteria contato com eles enquanto vivessem.

Em junho de 1972 Sowell se afastou da U.C.L.A. para assumir o cargo de Diretor de Projetos no *The Urban Institute*, coordenando um projeto de pesquisa sobre grupos étnicos americanos. Junto ao desenvolvimento do projeto, ele passou a se interessar pelo estudo das questões étnicas, sobretudo a partir de analises históricas relacionadas a princípios econômicos, o que o conduziria a escrever seu primeiro livro relacionando os dois temas. A esse respeito, ele comenta que: "meu crescente interesse pessoal na história racial e étnica finalmente se tornou um interesse profissional na primavera de 1972, quando tracei o esboço para um livro chamado *Race and Economics*". Seu contrato com o instituto era de dois anos, com término em julho de 1974.

Ainda no ano de 1972, as obras *Say's Law: An Historical Analysis* e *Black Education: Myths and Tragedies* foram publicadas, "*embora a redação desta última tenha começado mais de um ano após a conclusão da primeira. Enquanto isso, Race and Economics foi concluído em manuscrito no momento em que esses dois livros foram publicados*". Para discutir seu livro sobre educação, Sowell foi convidado a participar de um programa de televisão local em Nova York, chamado *Straight Talk*, onde fez sua primeira aparição na mídia em abril de 1973.

Em setembro de 1974 Sowell retornou para a U.C.L.A., onde havia sido promovido ao cargo de professor titular enquanto estava no *The Urban Institute*. A fim de desenvolver um projeto de pesquisa, dessa vez de interesse particular, Sowell conseguiu reunir pequenas bolsas de pesquisa. Além de contratar duas secretárias para lhe ajudar na coleta dos dados necessários ao desenvolvimento de seu projeto, ele alugou um pequeno apartamento para usar como escritório, a apenas alguns poucos quilômetros de distância da universidade. O artigo resultante desse projeto foi publicado no *The Public Interest*, na primavera de 1976, com o título de *Patterns of Black Excellence*[16].

Sowell, 1974.

Em 22 de fevereiro de 1975, Sowell foi recebido pelo então presidente dos EUA, Gerald Rudolph Ford (1913-2006), para um almoço junto de outros intelectuais. "*Foi uma experiência muito agradável*", comenta Sowell, "*principalmente porque o presidente Ford era um homem tão realista, com uma natural benevolência sobre ele*". Ainda assim, esse não seria o evento mais marcante na vida de Sowell durante esse ano.

Seu casamento apresentava já alguns sinais de esgotamento, até que em 1975 chegou ao fim: "*um dia, uma discussão entre nós –*

---

16 Uma cópia da publicação original de 1976 pode ser acessada digitalmente aqui: https://www.nationalaffairs.com/public_interest/issues/spring-1976, acesso em 19/out/2019.

uma que não era muito importante em si – de repente me fez perceber a total futilidade de nossa situação. Eu simplesmente peguei algumas coisas e saí". Sowell ficou alguns meses morando no pequeno apartamento/ escritório que havia alugado. A respeito do divórcio e sua relação com as crianças, comenta que:

> A separação pode ter salvado a minha vida, literalmente. Eu tive problemas cardiovasculares, que eram comuns na minha família. Naquela primavera, Charles havia morrido de ataque cardíaco quando estava com 50 anos. Um ano antes, William morreu de ataque cardíaco com seus 40 anos. No outono de 1975, Mary Frances escapou por pouco da morte por conta de um ataque cardíaco – e ela era apenas um ano mais velha do que eu. Continuei a visitar as crianças duas vezes por semana em horários programados, levando-as para jantar às quartas-feiras e passando o dia com elas no domingo. Para evitar o contato com minha esposa, eu simplesmente estacionava na garagem alguns minutos antes da hora marcada. Quando as crianças iam até a janela para procurar por mim, viam o carro e saíam correndo (SOWELL, 2000, n.p.).

Após a conclusão do divórcio, Sowell aproveitou o tempo livre para concluir projetos antigos, como a publicação dos resultados da pesquisa realizada no *The Urban Institute*, e dar início a outros, se afastando intelectualmente das questões raciais. Aproveitando a licença sabática da U.C.L.A., ele começou a planejar um novo livro, em uma nova área, tratando sobre os processos de tomada de decisão em geral. Além disso, aproveitou para se recuperar financeiramente do divórcio, aceitando os convites da *Hoover Institution* e do Centro de Estudos Avançados em Ciências Comportamentais para atuar como bolsista visitante durante o ano de 1976.

Em 10 de setembro de 1975 Sowell foi convidado a retornar à Casa Branca como parte de um grupo de intelectuais e membros do gabinete do governo para debater com o presidente os méritos das ações afirmativas. Entre os convidados, havia intelectuais tanto a favor das ações afirmativas, como o ganhador do Prêmio Nobel em Economia, Kenneth Joseph Arrow (1921-2017), como contrários a essas ações.

O sr. Ford [...] se reuniu por 76 minutos com quatro oficiais do Gabinete e quatro presidentes de universidades para uma discussão geral dos esforços federais para evitar a discriminação na contratação de membros do corpo docente em faculdades e universidades apoiadas pelo governo federal.

Um porta-voz da Casa Branca disse que o sr. Ford pediu sugestões para melhorar o programa de ação afirmativa depois de discuti-lo com Kenneth J. Arrow, da Harvard University, Cynthia Epstein, do Queens College at City University of New York, Paul Seabury, da University of California, em Berkeley, e Thomas Sowell, da University of California, Los Angeles.

Os funcionários do gabinete que se juntaram à discussão foram John T. Dunlop, Secretário do Trabalho; William T. Coleman Jr., Secretário de Transportes; F. David Mathews, Secretário de Saúde, Educação e Bem-Estar, e o Procurador Geral Edward H. Levi. (NAUGHTON, 1975).

Apesar de mais de uma hora de discussão, afirma Sowell, "*nada mudou como resultado do nosso debate*". Além disso, na sala de impressa da Casa Branca após a conferência, a hostilidade dos repórteres ficou evidente em relação àqueles que se opunham às ações afirmativas, questionando tanto os motivos como as conclusões apresentadas. Todavia, durante o inverno de 1975-76, ele foi surpreendido com um convide para sua nomeação ao cargo de Comissário da Comissão Federal de Comércio. Depois de muito pensar, ele aceitou.

O processo de nomeação que deveria ocorrer em pouco tempo se arrastou por meses, até que Sowell decidiu apurar por conta própria o motivo da demora. Enquanto seu contato na Casa Branca afirmava que estava correndo tudo bem, em contato com um assessor legislativo do presidente do comitê com jurisdição sobre a confirmação da nomeação, a resposta obtida foi outra. Sowell foi informado de que, embora não houvesse nenhuma restrição legal à sua nomeação, de modo que não seria nem preciso haver audiências de entrevista, sendo ano eleitoral, os congressistas buscavam alguém "em sintonia com o nosso pensamento", e que, por isso, não iriam aprovar a sua nomeação. Ainda que furioso por ter sido enganado durante tantos meses, ao menos agora ele poderia retomar os projetos que haviam ficados suspensos a espera de um desfecho de sua situação.

Capitólio dos Estados Unidos. Fotógrafo: Thomas Sowell.

  Com o destaque nacional alcançado por sua "quase" nomeação, o jornal *The New York* Times o procurou solicitando que escrevesse um artigo expondo seus pontos de vista sobre as questões raciais. Embora Sowell tenha se oposto ao rótulo sugerido de "conservador negro", o artigo escrito por ele, publicado em 8 de agosto de 1976, estampava o título "A black 'conservative'" – ainda que o "conservador" estivesse entre aspas, se tornou um estereótipo duradouro em relação a Sowell. Entre os meses de julho de 1976 a março de 1977 Sowell permaneceu no Centro de Estudos Avançados em Ciências Comportamentais da Universidade de Stanford, enquanto nos meses de abril a agosto de 1977 ele ficou no *Hoover Institution*. Em maio de 1977 a ex-esposa de Sowell abriu mão da guarda de John, o filho mais velho do casal, que passou a morar com Sowell.

Entre setembro de 1977 e janeiro de 1978 Sowell atuou como Professor Visitante de Economia no *Amherst College*, em Massachusetts. Nessa instituição, ele teve um nítido vislumbre das mudanças ocorridas no mundo acadêmico desde quando havia iniciado sua carreira como docente, conforme descreve a seguir:

> Um dos alunos de um dos meus cursos era uma jovem de Smith ou do Mount Holyoke. Suas notas baixas a deixaram altamente indignada e ela solicitou uma reunião comigo em meu escritório. Quando mencionei isso a um colega, ele disse: "Não feche a porta enquanto ela estiver lá" [...]. Agora, de repente, entendi por que um colega do Departamento de Economia mandava os alunos esperarem em uma cadeira situada do outro lado do corredor, do lado de fora do escritório. Essa era a sua maneira de ter conversas particulares com quem quer que estivesse em seu escritório sem fechar a porta. A coisa toda virou meu estômago, especialmente quando eu lembrei no meu primeiro ano de ensino no Douglass College, onde eu era considerado pudico por não convidar as alunas para o meu apartamento. Agora não ousamos fechar a porta do escritório, por medo de acusações vingativas de assédio sexual (SOWELL, 2000, n.p.).

No ano de 1978 Sowell finalmente acabou de escrever aquele que considerava ser seu melhor texto em todos esses anos, *Knowledge and Decisions*. Ainda assim, levaria mais dois anos até a obra ser publicada. Também no ano de 1978, no mês de fevereiro, Sowell participou de um Simpósio na Faculdade de Direito da Universidade Washington em St. Louis. Ao fim de sua apresentação, um jovem negro lhe pediu que autografasse para ele um exemplar de *Race and Economics* (1975). Anos mais tarde, aquele jovem lhe mostraria esse exemplar novamente, dessa vez, em seu escritório em Washington. Seu nome era Clarence Thomas (1941-). Nesse evento, também estavam a professora Ruth Bader Ginsburg (1933-) e o professor Antonin Gregory Scalia (1936-2016). Naquele dia, Sowell esteve perante um terço da futura Suprema Corte Americana.

Suprema Corte em 2009. O Chefe de Justiça John Roberts está sentado no centro; à esquerda estão sentados Clarence Thomas e Antonin Scalia, à direita estão sentados Anthony Kennedy e Ruth Bader Ginsburg; em pé, da esquerda para a direita: Sonia Sotomayor, Stephen Breyer, Samuel Alito e Elena Kagan.

Enquanto a carreira acadêmica em relação a convites para palestras e publicação de textos progredia satisfatoriamente, Sowell sentia que o mesmo não ocorria em relação às aulas ministradas na U.C.L.A. O desinteresse dos alunos parecia maior a cada semestre e, além disso, ainda havia aqueles que constantemente buscavam meios de manipular as notas.

Sowell cada vez mais sentia aversão ao que o ensino havia se transformado. Em 1979 ele enviou cópias do manuscrito de *Knowledge and Decisions* para algumas instituições e, em resposta, recebeu uma proposta da *Hoover Institution* lhe oferecendo a posição de *Senior Fellow*, sem lhe exigir que ministrasse nenhum tipo de aula ou curso.

Em junho de 1980 Sowell deixou a U.C.L.A., e a mudança para a cidade de Palo Alto, para juntar-se à *Hoover Institution*, marcou a sua ruptura definitiva com o ensino acadêmico. Mas, enquanto essa era uma grande mudança em relação a sua carreira, outra estava por acontecer em sua vida pessoal. No ano seguinte, em 1981, ele se casou Mary Ash, uma advogada que havia conhecido em setembro de 1976, por intermédio de um amigo em comum de Stanford.

THOMAS SOWELL E A ANIQUILAÇÃO DE FALÁCIAS IDEOLÓGICAS

Thomas Sowell durante palestra no Hoover Institution, jan. 2007.

Por conta da eleição presidencial nos EUA, Sowell estava extremamente preocupado com o fato de a mídia, cada vez mais, apresentar um único ponto de vista como se representasse toda a comunidade negra. Pensando nisso, ele se propôs a organizar um evento chamado *The Black Alternatives Conference*, mas que ficou conhecido como *The Fairmont Conference*, porque foi realizado no Fairmont Hotel, em San Francisco. Embora organizado em poucas semanas, o evento, que aconteceu em dezembro de 1980, reuniu cerca de cem empresários, educadores e intelectuais, entre os quais, estavam o jornalista negro de televisão William Anthony "Tony" Brown (1933-), o acadêmico Michael Jay Boskin (1945-), além de Clarence Thomas, Milton Friedman (1912-2006) e Ed Meese (1931-). A conferência decorreu de forma tão produtiva que Sowell pensou em organizar outro encontro, programado para ocorrer em março na *Hoover Institution*, a fim de formar uma organização "onde diferentes pontos de vista sobre questões políticas enfrentadas pelos negros pudessem ser discutidos". Contudo, a exaustão em conciliar suas pesquisas, suas publicações, a organização do evento e a criação da organização, levaram Sowell a apresentar sintomas de problemas cardiovasculares. Dado seu histórico familiar, ele optou por cancelar a conferência de março e a criação da organização, e nunca mais se dedicou a esse assunto.

Havia tempo os jornais especulavam a respeito da ligação de Sowell com o então candidato à presidência, Ronald Reagan (1911-2004). Com a repercussão da conferência organizada por Sowell, esse boato ficou ainda maior. Embora Sowell, ainda hoje, afirme que as teorias apresentadas pela mídia eram infundadas, passadas as eleições, um assessor do presidente ligou oferecendo a ele o cargo de Secretário da Educação. Sowell prontamente recusou o convite, uma vez que "já havia percebido que não tinha habilidade política ou temperamento" para Washington. Tendo recusado explicitamente um cargo no alto escalão do governo, Sowell esperava que isso poria fim às especulações da mídia. Na verdade, posteriormente Sowell recebeu outro convite, também prontamente recusado, dessa vez para ocupar o cargo de Secretário do Trabalho.

Durante o mandato do presidente Reagan (20 de janeiro de 1981 – 20 de janeiro de 1989), o único cargo que Sowell aceitou foi o de membro do Comitê Consultivo de Políticas Econômicas do Presidente, embora tenha participado de apenas uma das reuniões e solicitado seu desligamento em seguida, pelos mesmos problemas de saúde que o levaram a desistir de organizar uma segunda edição da *The Black Alternatives Conference*. Durante todo o governo Reagan, Sowell sempre se posicionou de forma independente, inclusive discordando publicamente de várias posturas adotadas pelo presidente. Mesmo em relação a algumas decisões tomadas pela *Equal Employment Opportunity Commission*, liderada por seu amigo Clarence Thomas, Sowell sempre se mostrou crítico.

O tempo todo, o rótulo *"Reaganite"* [apoiador de Ronald Regan] foi alegremente aplicado a mim na mídia e eu fui frequentemente descrito como um republicano, embora, na verdade, eu nunca tenha pertencido àquele partido, e não pertenço a nenhuma das partes desde 1972, quando eu estava registrado como democrata. Fatos simplesmente não parecem importar para muitos na mídia, uma vez que eles têm um estereótipo fixo em suas mentes (SOWELL, 2000, n.p.).

Porém, *"o persistente mito da minha influência em Washington"* ainda estava longe de chegar ao fim, de modo que Sowell era constantemente interrompido por pessoas da mídia lhe telefonando ou pessoalmente, em casa e no trabalho. Isso levou a algumas mudanças duradouras em sua rotina, como a remoção da placa de identificação de sua porta na Instituição Hoover, assim como seu nome e número da sala que ficavam expostos no saguão de entrada. Também trocou seu número de telefone por um número não listado. Antes disso, qualquer um podia encontra-lo. Para não perder o sensacionalismo, diz Sowell, posteriormente *"alguns na mídia se referiram a mim como um 'recluso'"*.

No decorrer do segundo semestre de 1981 o principal objetivo de Sowell foi a divulgação do livro, recém-publicado, *Ethnic America:*

THOMAS SOWELL E A ANIQUILAÇÃO DE FALÁCIAS IDEOLÓGICAS

A History. A respeito dessa obra, diz Sowell: "*Eu gostei de escrevê-lo – não foi uma luta intelectual como Say's Law: An Historical Analysis [1972] ou Knowledge and Decisions [1980] – e eu pensei que outros poderiam gostar de lê-lo*". Um dos argumentos defendidos no livro é que a pobreza entre os grupos minoritários tem como causa muito mais questões relacionadas aos valores e atitudes desse grupo, do que resultado de discriminação racial. Se a discriminação, por si só, fosse capaz de paralisar um grupo, então, segundo Sowell, as comunidades americanas judaicas, japonesas, irlandesas, chinesas não teriam conseguido ter o sucesso que conseguiram nos Estados Unidos. Dessa vez, ao divulgar seu livro, ele soube usar o enfoque político que a mídia estava lhe dando a seu favor. Participou de programas de entrevistas, como o *Meet the Press*, *The Phil "Donahue" Show*, entre outros, no rádio e na televisão. Além disso, uma resenha de sua obra foi publicada na primeira página da seção de livros do *The New York Times* e *The Washington Post*, além de ser revisada na *Time*, *Newsweek*, *Fortune*, *The Wall Street Journal* e em outras publicações.

Thomas Sowell fala com os repórteres antes de sua aparição no programa de televisão da NBC *Meet the Press*. Washington, 20 de setembro de 1981.

Temas recorrentes entre os críticos de sua obra consistiam em atribuir a Sowell posições que não eram dele, e frases que ele nunca havia dito. Um desses equívocos baseava-se na alegação de que Sowell havia negado a existência da discriminação racial.

Eu não tenho ideia de onde essa noção maluca se originou, mas ela foi repetida por muitos e foi imune à negação. Eu recebi uma ligação do revisor de outro livro meu – *Markets and Minorities* – que surgiu ao mesmo tempo que *Ethnic America: A*

History. Ele queria saber o motivo de eu ter dito que não havia discriminação racial. "Você leu o Capítulo 2 de *Markets and Minorities*?", Perguntei. "Sim". "O título é 'A Economia da Discriminação'". "Eu sei". "Por que eu escreveria um capítulo inteiro sobre algo que eu não acreditasse existir"? Quando sua resenha saiu, ele ainda insinuou que eu o fiz não acreditar na existência de discriminação. A pior de todas as deturpações imprudentes veio em uma transmissão do repórter da CBS, Lem Tucker, que disse que minha posição "parece colocá-lo na escola que acredita que talvez os negros sejam geneticamente inferiores aos brancos" (SOWELL, 2000, n.p.).

Com o ressurgimento de Sowell na mídia para promover o livro, e seus pontos de vista abertamente conservadores, novamente ele se viu envolto em ataques violentos promovidos por alguns jornalistas. Muitos inclusive lhe procuravam, insistentemente. Em várias ocasiões, sua secretária estava aos prantos após desligar o telefone. Isso o levou a adotar uma pequena novidade em seu escritório: *"Depois que tivemos uma secretária eletrônica instalada, ela [a secretária] adorou. Repórteres, de repente, se tornaram civilizados, agora que sabiam que suas palavras estavam sendo gravadas, e que ninguém iria lhes responder se não se comportassem"*.

Quando seu filho se formou na faculdade, em 1993, Sowell escreveu um pequeno artigo sobre ele, mencionando o fato de ele ter demorado muito para começar a falar (começou quando já tinha quase quatro anos), embora desde muito cedo demostrasse habilidades analíticas surpreendentes, sobretudo em matemática e xadrez, além de uma memória formidável. Essa publicação atraiu a atenção de vários pais, que estavam passando pelas mesmas situações com seus filhos em relação ao atraso na fala em contraste com uma inteligência avançada. Sowell recebeu várias cartas de pessoas pedindo conselhos. Contudo, ao pesquisar para responder aos questionamentos, ele descobriu que não havia qualquer tipo de material publicado sobre esse assunto. A partir de então, se ofereceu para coordenar um grupo de apoio mútuo, onde os pais poderiam trocar informações e experiências. Como resultado dos estudos realizados em decorrência desse grupo, no qual Sowell estava envolvido sobretudo pessoalmente, surgiu a obra *Late-Talking Children*, publicada no ano de 1997. A partir da publicação desse livro Sowell conheceu o professor Stephen Camarata, da Universidade Vanderbilt, no Tennessee – EUA. Agora, Sowell tinha alguém a quem encaminhar todas as dúvidas que surgissem. Posteriormente, em 2001, ele também publicou *The Einstein Syndrome: Bright Children Who Talk Late*, dando continuidade ao livro publicado em 1997. Nessa obra, ele cunha o termo "síndrome de Einstein" para se referir a crianças, geralmente excepcionais, mas que demoram para começar a falar.

Thomas Sowell, 1 março de 1987. Fotografia de: John Harding - The LIFE. Getty Images.

Em 2002 Sowell recebeu a *National Humanities Medal*. Essa premiação, criada em 1997, tem como objetivo homenagear "indivíduos ou grupos cujo trabalho aprofundou a compreensão nacional das humanidades e ampliou o envolvimento de nossos cidadãos com a história, literatura, idiomas, filosofia e outras disciplinas humanísticas" (NATIONAL ENDOWMENT FOR THE HUMANITIES, 2019). Em 2003, foi homenageado com *The Bradley Prize*. O prêmio consiste em uma bolsa de até US$ 250.000 para "pessoas ilustres cujos talentos extraordinários influenciaram o conhecimento e o debate americano" (BRADLEY FOUNDATION, 2019).

Sowell exercendo seu hobbie. Setembro de 2009. Fonte: http://www.tsowell.com

Desde as primeiras fotografias que tirou, ainda na década 1950, Sowell nunca mais se afastou desse *hobby*. Em seu site pessoal (http://www.tsowell.com/) Sowell reúne uma série de fotografias tiradas por ele, em diferentes períodos, cenários e regiões do mundo.

11. IDEIAS CONTROVERSAS

Com várias décadas de escrita prolífica, Thomas Sowell expressou suas opiniões sobre raça, etnia e economia, muitas vezes sendo rotulado das mais diversas formas. Dentre seus escritos, que incluem também análises econômicas marxistas e liberais, tomadas de decisões e transtorno do desenvolvimento da fala, aqueles sobre ações afirmativas estão entre os mais controversos e são o que levaram Sowell a alcançar maior fama entre os compatriotas.

 De acordo com Sowell, um grupo étnico ou racial que enfatize o trabalho árduo, economize dinheiro e busque uma boa formação acadêmica, geralmente prosperará, independentemente do cenário político ou social. O que as políticas governamentais de assistência social fazem é enfraquecer esses grupos, promovendo a ideia de direitos iguais, por exemplo, em universidades ou em empresas, sem que os favorecidos por essas políticas precisem se esforçar como os demais para conseguir essas vagas – acontecendo o que Sowell denomina de "política paternalista", em que se adota um "duplo padrão" de exigência, de modo a favorecer os indivíduos pertencentes a uma minoria, ainda que esses indivíduos não atendam aos mesmos critérios exigidos para os outros indivíduos. Os indivíduos favorecidos por ações afirmativas conseguem os mesmos direitos sem que tenham se esforçado como os outros indivíduos que ocupam as mesmas vagas, nos mesmos lugares. Isso faz com que qualquer conquista de um indivíduo pertencente a esse grupo pareça suspeita.

 Além disso, sua experiência na Faculdade de Cornell demonstrou que mesmo alunos que têm notas acima da média, quando introduzidos em um ambiente extremamente rigoroso e exigente do ponto de vista acadêmico, acabam apresentando um desempenho ruim por não estarem preparados para esse tipo de ambiente. Por isso, ele argumenta que tais políticas resultam em candidatos menos qualificados, obtendo tratamento preferencial sobre candidatos mais qualificados e, eventualmente, diminuindo os padrões pelos quais todos os indivíduos são medidos. Em linhas bem gerais, isso reforça a sua tese de que, ao invés do movimento negro lutar por políticas afirmativas e de inclusão por meio de um duplo critério (um critério para pessoas brancas, outro critério para pessoas negras), dever-se-ia lutar por melhores condições no ensino de base, qualificando a comunidade negra a, por meio do seu próprio esforço, atingir os padrões exigidos por qualquer instituição. Ao contrário do que ele percebeu acontecer com o ensino americano, sobretudo considerando sua própria experiência como docente, em que, a partir da introdução de políticas afirmativas nas instituições de ensino começou-se a nivelar por baixo o nível da educação oferecida pelas instituições, Sowell acredita que o rigor intelectual, seja ele em qualquer área do conhecimento, é não apenas necessário, mas fundamental na preparação dos estudantes também para o mundo fora das escolas e universidades. Sowell defende que, a exemplo de outros grupos minoritários, por exemplo nos Estados Unidos, que não foram favorecidos por políticas de ações afirmativas e que mesmo assim conseguiram atingir ou superar o padrão médio americano, os negros também estariam em melhor situação se progredissem por seus próprios meios.

12. O LEGADO DE THOMAS SOWELL

Sowell manteve uma *coluna sindicalizada*[17] regular distribuída pelo *Creators Syndicate*, entre os anos de 1991 a 2016 – com isso, seus escritos aparecem publicados em mais de 150 títulos de jornais e revistas diferentes. Além disso, escreveu, também regularmente, para o *Los Angeles Herald-Examiner* entre 1978 a 1980, para o *Scripps-Howard News Service* de 1984 a 1990, e para a *Forbes Magazine* entre os anos de 1991 a 1999. Ocasionalmente, ainda hoje ele escreve artigos ou colunas para o *Wall Street Journal*, *The New York Times*, *Washington Post*, *Los Angeles Times*, *Washington Star*, *Newsweek*, *The Times* (Londres), *Newsday*, *Stanford Daily*.

Após mais de duas décadas de escrita regular para o *Creators Syndicate*, ele anunciou sua aposentadoria dessa coluna em 27 de dezembro de 2016. Na época, aos 86 anos de idade, ele escreveu:

> Até as melhores coisas chegam ao fim. Depois de aproveitar um quarto de século escrevendo esta coluna para o *Creators Syndicate*, decidi parar. A idade de 86 anos já passou da idade normal de aposentadoria, então a questão não é por que motivo eu estou desistindo, mas por qual razão eu continuei por tanto tempo (SOWELL, 2016).

---

17 O *Creators Syndicate* funciona como uma agência que (re)vende artigos, recursos ou fotografias para publicação em vários jornais ou periódicos simultaneamente.

A seguir, apresentamos uma lista com todas as obras publicadas por Thomas Sowell. Desde seu primeiro livro, publicado no ano de 1971, ele conseguiu a incrível média de publicação de quase um livro por ano, sempre mantendo o rigor e a clareza em seus escritos[18].

Muitas das obras citadas aqui naturalmente serão contempladas no decorrer deste livro.

- *Economics: Analysis and Issues* (1971)
- *Black Education: Myths and Tragedies* (1972)
- *Say's Law: An Historical Analysis* (1972)
- *Classical Economics Reconsidered* (1974)
- *Race and Economics* (1975)

---

18 Fonte: site pessoal de Thomas Sowell – http://www.tsowell.com/, acesso em 18/out/2019.

- *Knowledge and Decisions* (1980)
- *Markets and Minorities* (1981)
- *Ethnic America: A History* (1981)
- *The Economics and Politics of Race: An International Perspective* (1983)
- *Civil Rights: Rhetoric or Reality* (1984)
- *Marxism: Philosophy and Economics* (1985)
- *A Conflict of Visions: Ideological Origins of Political Struggles* (1987)
- *Choosing a College: A Guide for Parents and Students* (1989)
- *Preferential Policies: An International Perspective* (1990)
- *Inside American Education: The Decline, The Deception, The Dogmas* (1993)
- *Race and Culture: A World View* (1994)
- *The Vision of the Anointed: Self-Congratulation as a Basis for Social Policy* (1995)
- *Migrations and Cultures: A World View* (1996)
- *Late-Talking Children* (1997)
- *Conquests and Cultures: An International History* (1998)
- *The Quest for Cosmic Justice* (1999)
- *A Personal Odyssey* (2000)
- *Basic Economics: A Citizen's Guide to the Economy* (2000)
- *The Einstein Syndrome: Bright Children Who Talk Late* (2001)
- *Applied Economics: Thinking Beyond Stage One* (2003)
- *Basic Economics: A Citizen's Guide to the Economy, second edition* (2004)
- *Affirmative Action Around the World: An Empirical Study* (2004)
- *Black Rednecks and White Liberals* (2005)
- *On Classical Economics* (2006)

- *A Man of Letters* (2007)
- *Basic Economics: A Common Sense Guide to the Economy*, third edition (2007)
- *A Conflict of Visions: The Ideological Origins of Political Struggles*, revised edition (2007)
- *Economic Facts and Fallacies* (2008)
- *Applied Economics: Thinking Beyond Stage One* (2009)
- *The Housing Boom and Bust* (2009)
- *The Housing Boom and Bust*, revised edition (2010)
- *Intellectuals and Society* (2010)
- *Basic Economics: A Common Sense Guide to the Economy*, fourth edition (2011)
- *Intellectuals and Society*, second edition (2012)
- *Intellectuals and Race* (2013)
- *Basic Economics: A Common Sense Guide to the Economy*, 5th edition (2015)
- *Wealth, Poverty and Politics* (2015)
- *Wealth, Poverty and Politics*, second edition (2016)
- *Discrimination and Disparities* (2018)
- *Discrimination and Disparities*, second edition (2019)

13. THOMAS SOWELL: OUTRAS FONTES

Além das dezenas de livros e centenas de artigos publicados, é possível encontrar diversas entrevistas de Sowell em *sites* de compartilhamento de vídeo, além de vários conteúdos distribuídos em redes sociais. O próprio Sowell mantem uma página na *internet* onde disponibiliza várias informações e conteúdos relacionados às suas publicações.

Na internet:

- Site pessoal de Sowell
  http://www.tsowell.com/

- Hoover Institution
  https://www.hoover.org/

Biografias:
- SOWELL, T. *A Personal Odyssey*. New York, USA: The Free Press, 2000.
- SOWELL, T. *Man of Letters*. E.U.A.: Encounter Books, 2007.

BIBLIOGRAFIA:

"4 Professors Talk with Ford at Lunch". *The New York Times*, 23 fev. 1975.

BERMAN, E. "See Striking Photos of Harlem Street Life in the 1930s". *Time*, 24 fev. 2016. Disponível em: https://time.com/4206723/photos-harlem-street-life-1930s/. Acesso em: 20/jun/2019.

BRADLEY FOUNDATION. "About The Bradley Prizes®". *The Bradley Prizes*, 2019. Disponível em: https://www.bradleyfdn.org/prizes/about. Acesso em: 11/jul/2019.

FEULNER, E. "Losing Thomas Sowell". *The Washington Times*, 02 jan. 2017. Disponível em: https://www.washingtontimes.com/news/2017/jan/2/losing-thomas-sowell/. Acesso em: 19/jun/2019.

HACKER, A. "Affirmative Action: A Negative Opinion". *The New York Times*, 1/jul/1990.

HAZLETT, T. "Thomas Sowell Returns". *Reason.com*, 26/nov/2018. Disponível em: https://reason.com/2018/11/26/thomas-sowell-returns/. Acesso em: 12/jul/2019.

HENDRICKSON, M. "A Salute To Thomas Sowell". *Forbes*, 03/jan/2017. Disponível em: https://www.forbes.com/sites/markhendrickson/2017/01/03/a-salute-to-thomas-sowell/. Acesso em: 19/jun/2019.

KARNAL, L. et al. *História dos Estados Unidos: das origens ao século XXI*. São Paulo: Contexto, 2007.

KIHSS, P. "Negro Professor Quits Cornell, Charges Leniency Hurts Blacks". *The New York Times*, p. 35, 2/jun/1969.

NATIONAL ENDOWMENT FOR THE HUMANITIES (NEH). *Thomas Sowell*. Disponível em: https://www.neh.gov/about/awards/national-humanities-medals/thomas-sowell. Acesso em: 11/jul/2019.

NAUGHTON, J. M. "Rockefeller Associate Is Named To Head Federal Power Panel". *The New York Times*, 11/set/1975.

"People and Business". *The New York Times*, 7/abr/1976.

SAY, J.-B. *Traité d'économie politique, ou Simple exposition de la manière dont se forment, se distribuent et se consomment les richesses*. Paris, FR: Deterville, 1803. Disponível em: https://gallica.bnf.fr/ark:/12148/btv1b86265547. Acesso em: 13/jul/2019.

SEVERO, R. Max Lerner, "Writer, 89, Is Dead; Humanist on Political Barricades". *The New York Times*, 6/jun/1992.

SOWELL, T. "Karl Marx and the Freedom of the Individual". *Ethics*, v. 73, n. 2, pp. 119–125, 1/jan/1963. Disponível em: https://www.journals.uchicago.edu/doi/abs/10.1086/291437. Acesso em: 13/jul/2019.

SOWELL, T. *Say's law and the general glut controversy*. Ph. D. Chicago, EUA: University of Chicago, Department of Economics, 1968. Disponível em: https://www.worldcat.org/title/says-law-and-the-general-glut-controversy/oclc/44609894. Acesso em: 13/jul/2019.

SOWELL, T. *The Day Cornell Died*. Hoover Institution, 30/out/1999. Disponível em: https://www.hoover.org/research/day-cornell-died. Acesso em: 9/jul/2019.

SOWELL, T. *A Personal Odyssey*. [*online*] New York, USA: The Free Press, 2000. Disponível em: https://pt.scribd.com/book/224455856/A-Personal-Odyssey. Acesso em: 19/jul/2019.

SOWELL, T. *Man of Letters*. E.U.A.: Encounter Books, 2007.

SOWELL, T. "Milton Friedman's Centenary". *Real Clear Politics*, 31/jul2012. Disponível em: http://www.realclearpolitics.com/articles/2012/07/31/milton_friedmans_centenary_114960.html. Acesso em: 13/jul/2019.

SOWELL, T. "Thomas Sowell at 85: Looking BackThe Stream". *The Stream*, 7/jul/2015. Disponível em: https://stream.org/thomas-sowell-85-looking-back/. Acesso em: 20/jun/2019.

SOWELL, T. *Farewell*. Creators Syndicate, 27/dez/2016. Disponível em: https://www.creators.com/read/thomas-sowell/12/16/farewell. Acesso em: 19/jun/2019.

SOWELL, T. *Thomas Sowell*. Disponível em: http://www.tsowell.com/. Acesso em: 13/jul/2019.

WALLENSTEIN, S.; FISHER, G. "Timeline of the Events as They Unfolded". *The Cornell Daily Sun*, 16/abr/2009. Disponível em: https://cornellsun.com/2009/04/16/timeline-events-they-unfolded/. Acesso em: 8/jul/2019.

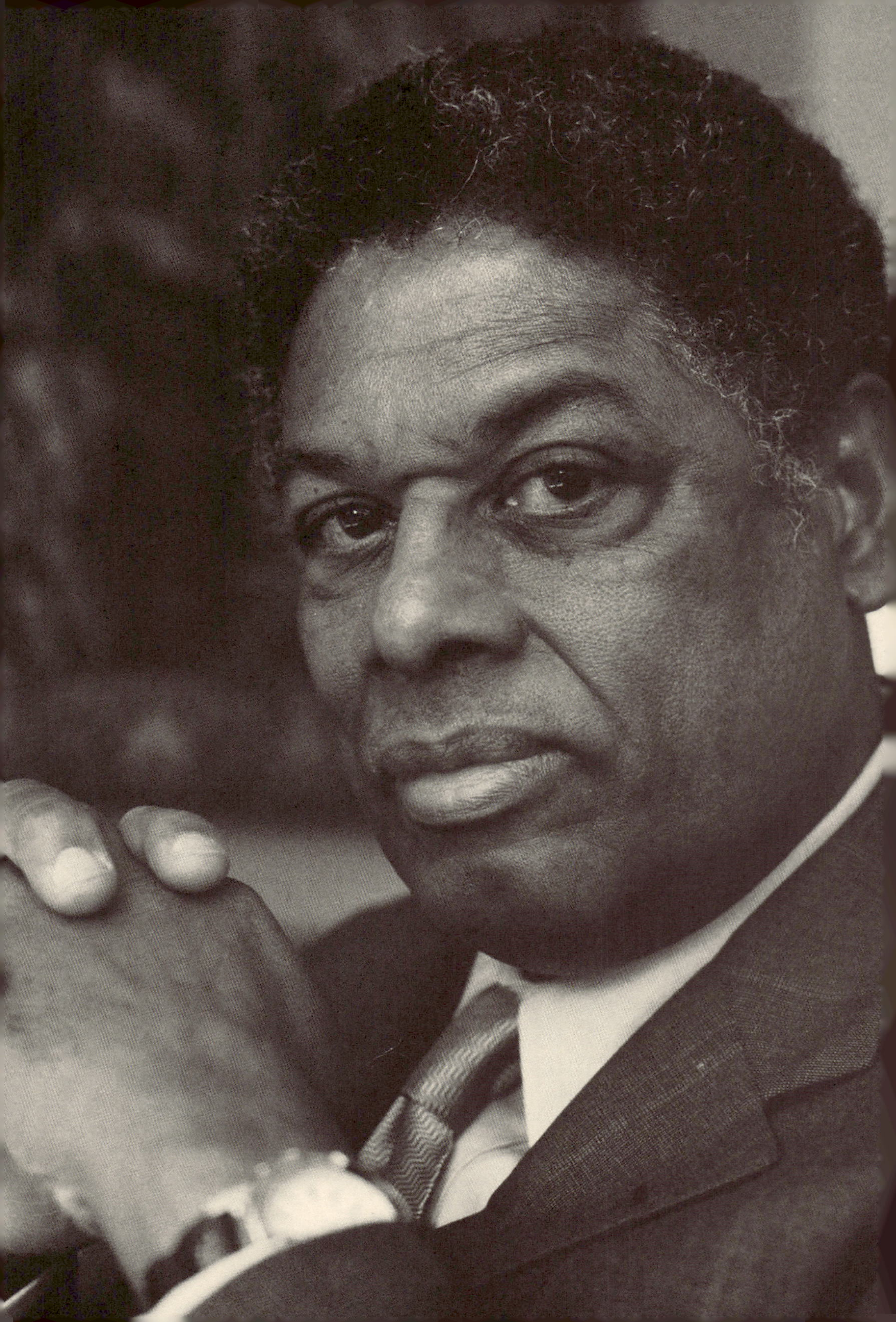

CAPÍTULO 2

DA DOUTRINAÇÃO IDEOLÓGICA PARA A EDUCAÇÃO: UMA PROPOSTA DE RUPTURA PARADIGMÁTICA DO ENSINO

José Luiz de Moura Faleiros Júnior
Dennys Garcia Xavier

1. Introdução

Thomas Sowell é enfático ao asseverar que as escolas norte-americanas, em todos os níveis (do jardim de infância à pós-graduação), substituíram a educação pela doutrinação ideológica. E, com base nesta premissa, o autor se propõe a discutir o papel de programas assim denominados "de esclarecimento de valores" – como educação sexual, sensibilização à morte e propaganda antiguerra.

Sem desmerecer o papel desses aprendizados, em *Inside American Education*, Sowell questiona o tempo e os recursos que tais matérias consomem na trilha do saber, desviando atenções e afastando o escopo educacional daquilo que é realmente valioso em seu ponto de vista: fazer com que os alunos sejam capazes de raciocinar por si mesmos. O livro supracitado é dividido em três partes: Escolas, Faculdades e Universidades e Avaliação. No curso daquelas partes, os temas são plurais: a "lavagem cerebral" em sala de aula, os dogmas alimentados nas escolas, as admissões danosas, o novo racismo, ensino e pregação, o apoio atlético e outros. Sem a pretensão de esgotar aqui todos os múltiplos apontamentos do nosso autor, tentaremos extrair uma compreensão racional e assertiva dos eixos de sustentação do seu pensamento sobre a essência daquelas questões.

2. Declínio, engano e dogmas

É de conhecimento geral o fato de estudantes estrangeiros terem desempenhos mais satisfatórios do que estudantes norte-americanos, diz Sowell; o que indica preocupante declínio qualitativo no processo formativo doméstico – em grande medida ignorado pela maior parte da população –, que tem por resultado uma sensação geral de engano, cujos dogmas e agendas permanecem ocultos.

A questão aqui, para além de qualquer aspecto subjetivo, é mesmo estatística:

> Talvez nada capture mais o que está errado nas escolas americanas quanto os resultados de um estudo internacional com crianças de 13 anos que descobriu que os coreanos ocupam o primeiro lugar em matemática e os norte-americanos o último. Quando perguntados se achavam que eram "bons em matemática", apenas 23% dos jovens coreanos disseram "sim" – em comparação com 68% dos americanos de 13 anos. O dogma educacional americano de que os estudantes deveriam "se sentir bem consigo mesmos" foi um sucesso em seus próprios termos – embora não em outros termos. (SOWELL, 1993, pp. 6-7)[19].

As escolas públicas, seus professores e sindicatos, seus burocratas, os processos de credenciamento e treinamento de professores, a falta de responsabilidade de gestores, a "lavagem cerebral em sala de aula" e a implementação de diversos dogmas,

---

19 A tradução para o português é de quem escreve.

como educação psicoterapêutica, sexual, multicultural e bilíngue são questões nevrálgicas para a formatação da autoestima a partir do chavão da diversidade multicultural (por vezes relacionada à variedade de contextos raciais, étnicos e culturais da população dos Estados Unidos da América, e, por vezes, relacionada à agenda de separatismo entre linguagem e cultura, a uma visão revisionista da história como uma coleção de injustiças a serem mantidas vivas, e a um programa simultaneamente histórico e contemporâneo de condenação da sociedade norte-americana e da civilização ocidental).

Tudo isso se soma às dificuldades pedagógicas relacionadas à transmissão do saber, que o autor estuda sob o ponto de vista não apenas da absorção de informações, mas da formulação de raciocínios críticos e da formação do discernimento:

> Infelizmente, na medida em que nos voltamos do conhecimento simples para as habilidades mais complexas do raciocínio, o colapso completo da educação americana se torna ainda mais dolorosamente claro. Um estudo internacional com crianças de treze anos de idade mostrou que os jovens americanos ficavam cada vez mais para trás, quanto mais eles precisavam *pensar* (SOWELL, 1993, pp. 8-9).

Como resposta a esse cenário, Sowell destaca uma paradoxal reação do *establishment* acadêmico totalmente voltada ao secretismo, à camuflagem, à negação, à transferência da culpa para outrem e à demanda por mais e mais recursos financeiros. Tais fatores conduzem à formação de uma sensação geral enganosa, que faz com que a população não perceba com a devida clareza o que há por detrás desse fenômeno – os dogmas.

Segundo Sowell, as agendas ocultas da educação norte-americana estão intrinsecamente ligadas aos dogmas, que em sua obra vêm subdivididos em duas categorias: os que estão ligados ao ensino e os que se inserem em categorias gerais da vida em sociedade. Falamos aqui, em síntese, de uma indissociável relação entre domínio estatal e educação, sendo evidente a pertinência da permeabilidade ideológica nas instituições, que, do ponto de vista sociopsicológico, propagam a cadeia de fundamentos essenciais para garantir a predominância estatal e, então, a desarticulação do saudável exercício de propagação de ideais não alinhados às estruturas dogmáticas.

Os dogmas se apresentam de forma bruta ou sutil, conduzindo à lavagem cerebral, que se tornou uma atividade importante e demorada na educação norte-americana em todos os níveis, diz Sowell. Para isso, são utilizadas as mais variadas técnicas para transmitir a mensagem de forma emocional (o leitor brasileiro certamente se sentirá "em casa" ao compreender o sistema de manipulação de mentes promovido nas instituições escolares do país):

> Filmes horríveis e pitorescos sobre a guerra nuclear, por exemplo, levaram algumas crianças em idade escolar às lágrimas – depois do que o professor constroi um discurso sobre qualquer movimento que alegue reduzir tais perigos. Outra técnica é o choque da emboscada: uma professora do sétimo ano em Manhattan, por exemplo, inocentemente pediu a seus alunos que discutissem seus planos para o futuro – depois ela disse: "nenhum de vocês percebeu que neste mundo com armas nucleares ninguém nesta turma estará vivo no ano 2000?" (SOWELL, 1993, p. 22).

A chamada "lavagem cerebral" antiguerra explicitada no trecho acima é um dos fatores que geram o colapso educacional. Outros temas, como educação sexual, sensibilização à morte e congêneres se somam a este e impõem enorme carga aos alunos sem considerar a curva de evolução emocional de cada um – ao passo em que a formação acadêmica é deixada de lado:

> Outra técnica comum de sala de aula é unir meninos e meninas em pares, de modo que cada casal estude e discuta em conjunto questões de educação sexual, como órgãos sexuais e suas partes e/ou conversem entre si usando sinônimos para termos como pênis, vagina, relação sexual e seio. Novamente, o valor educacional desse pareamento é muito menos aparente do que seu valor como uma experiência de dessensibilização.

> A educação para a morte e a educação sexual não são, de modo algum, os únicos tópicos curriculares especiais tratados pelas técnicas de lavagem cerebral. A diferença entre educação genuína e condicionamento psicológico para mudar atitudes também pode ser ilustrada pela chamada "educação nuclear", que trata de questões político-militares envolvendo armas nucleares. Como qualquer outro tema controverso, as questões de armas nucleares geraram numerosos argumentos de ambos

os lados em livros, artigos, discursos e editoriais (SOWELL, 1993, pp. 43-44).

Se o propósito da educação deve ser o de dar ao aluno as ferramentas para que seja possível o desenvolvimento do intelecto, mediante análises e formulações baseadas em lógica e evidência, Sowell defende que não se deveria extrapolar esses estritos limites em ambiente formal escolar. Noutros termos, o ensino deveria ser primordialmente acadêmico – e não ideológico. Porém, as tentativas das escolas e faculdades de abranger muito mais do que são capazes de ofertar são uma parte importante da razão pela qual se tem exatamente o declínio apontado pelo autor. Em modelos assim, tudo o que alguém associado ao poder considera importante – mesmo no interior obscuro de sua subjetividade –, escorre para as linhas formais de educação dos cidadãos.

3. Do jardim de infância à pós-graduação

Se os instrumentos utilizados para a propagação da doutrinação ideológica, em detrimento do ensino acadêmico, contribuem para o declínio do papel da educação, certo é que esse fenômeno permeia todos os níveis formativos do indivíduo, do jardim de infância aos cursos de pós-graduação. Com efeito, Sowell (1993, p. 21 *et seq*) denuncia a queda no desempenho geral de professores e alunos. Para entender a razão pela qual os esforços para melhorar a eficácia do professor falharam, era necessário: (i) compreender a profissão docente; (ii) compreender as instituições que educam os professores; (iii) compreender os indivíduos que querem se tornar professores; e (iv) compreender as instituições que tentam prover a educação para crianças.

Sim,

> embora tenha havido, e continuem existindo, muitos esquemas destinados a elevar as qualificações e o desempenho da profissão docente, o nível intelectual dessa ocupação declinou nos últimos tempos, assim como o desempenho dos alunos que eles ensinam declinou (SOWELL, 1993, p. 25).

Pesquisas indicam que os professores que se especializam em educação têm uma pontuação mais baixa nos sistemas de avaliação, tanto na escala verbal quanto na quantitativa, do que os que se especializam em negócios, matemática ou ocupações de saúde. Eis que, para Sowell, financiar práticas educacionais nos moldes ancorados na disseminação de ideologias – em detrimento da construção de percurso técnico ou científico do saber – significa tão-somente ter "incompetentes mais caros".

O declínio do calibre intelectual dos professores é notado, segundo indicações de Sowell, especialmente nas escolas públicas, que estão submetidas a procedimentos institucionais limitantes. Sim, há professores piores e melhores, por evidente. Logo, dever-se-ia impor maior seletividade na contratação e a consequente eliminação dos incompetentes para que se extraia daí um melhor desempenho do conjunto geral. No entanto, as políticas, práticas e restrições legais impostas às instituições educacionais restringem essa maximização racional do desempenho docente, inclusive devido a fatores como a participação em sindicatos e grupelhos de poder para que sejam providos meios nem sempre muito honestos de avaliação e seleção. Num cenário assim contaminado, as amarras à liberdade institucional na formação do corpo docente têm suas causas ligadas até mesmo no atuar dos legisladores, que podem alterar as matrizes curriculares e, então, exigir, por exemplo, que disciplinas novas e não acadêmicas sejam ensinadas nas escolas públicas e, por via de consequência, que os juízes possam interpretar leis e contratos de modo a torná-los um meio legalizado para se livrar de professores não comprometidos com o *status quo* (SOWELL, 1993, p. 34).

Para além disso, Sowell critica vários programas e modelos educacionais que ficaram populares nos Estados Unidos da América a partir da década de 1960 e cujas linhas gerais encontraram, não surpreendentemente, terreno fecundo em diversas iniciativas governamentais no Brasil. Entre os programas especificamente abordados na obra, tem-se *Man: A Course of Study* e a "clarificação de valores". Todo o foco dessas abordagens está distanciado do viés acadêmico-científico e mais próximo de aspectos e valores morais, que são rebaixados para as preferências subjetivas dos indivíduos ou para as tradições cegas da sociedade, contrastados com valores alternativos de outros indivíduos e outras sociedades em abordagem "não crítica", sem que qualquer princípio de lógica ou moralidade possa efetivamente ser escolhido (ou mais bem avaliado) entre as muitas alternativas apresentadas. Para além disso, não se pode deixar de anotar o impacto daqueles que são denominados intelectuais – isto é, pessoas cujo trabalho começa e termina com ideias – no processo aqui descrito:

> Uma das coisas que os intelectuais fazem há muito é afrouxar os laços que sustentam uma sociedade. Eles buscam remodelar os grupos nos quais as pessoas tradicionalmente se arranjam, transformando-os em agrupamentos criados e impostos pela própria *intelligentsia*[20]. Laços familiares, religião e patriotismo, por exemplo, têm sido tratados pela *intelligentsia* como elementos suspeitos ou prejudiciais, e os novos laços que os intelectuais criaram, como classe – e mais recentemente "gênero" –, são projetados como mais reais ou mais importantes (SOWELL, 2011, p. 236).

A doutrina da "auto-estima", apontada por Sowell como um dos dogmas da proliferação do envenenamento ideológico, é apenas uma no longo elenco de dogmas educacionais usados para justificar ou camuflar um recuo histórico da educação acadêmica, cujo sucesso depende da disposição do público, dos representantes eleitos e da mídia para formar uma consciência enganosa de sucesso e de resultados, numa espécie de amor, silencioso ou manifesto, pela mentira que agrada (pois não traz em si a menor evidência de sua efetiva relevância).

A ampla compreensão da qualidade do ensino superior, nesse contexto, ganha contornos especialmente relevantes, na medida em que a avaliação da boa qualidade de um curso deriva, quase sempre, da sensação positiva que o "nome" ou a "reputação" de determinada universidade traz consigo. Neste horizonte, a maior ou menor relevância das eventuais conquistas científicas de seus professores se relativiza. Estamos, novamente, no âmbito de um "discurso de propaganda" pensado para deslocar o eixo das coisas como são para as coisas como "devemos percebê-las". Logo, neste sentido, diz Sowell (1993, p. 103 *et seq*), é natural que estudantes graduados em instituições como Harvard, Stanford e M.I.T. sejam mais valorizados pelo mercado de trabalho. Aqui, a *alma mater* passa a ter importância

---

20 Usualmente, o vocábulo *intelligentsia* se refere a uma categoria ou grupo de pessoas cujo trabalho intelectual complexo e criativo é direcionado ao desenvolvimento e à disseminação da cultura; são "trabalhadores intelectuais".

por mera questão de reputação institucional, a despeito da efetiva qualidade técnica e científica do indivíduo (seja ele professor ou aluno). Eis que, então, vem à tona um efeito paradoxal interessante: instituições renomadas – ainda que apenas por estarem atreladas a um sistema deletério de propaganda – atraem estudantes de boa qualidade em seus processos seletivos. São eles que sustentarão pontualmente seu edifício técnico de pesquisa, quando não capturados pela teia ideológica, evidentemente.

Historicamente, conceitos como "liderança", "caráter" e outros do gênero estavam entre as formas usadas para reduzir as proporções de estudantes judeus admitidos em instituições muito seletivas, como a Universidade de Harvard. Hoje, conceitos semelhantes são usados para aumentar ou diminuir a inscrição de quaisquer grupos que o comitê de admissões queira aumentar ou diminuir, seja pelas próprias razões do comitê ou em resposta a várias pressões externas. Para ilustrar o argumento de Sowell com um exemplo mais próximo da nossa realidade, em julho de 2019, enquanto escrevemos este capítulo, um processo vestibular de ingresso numa Universidade Federal brasileira chamada, acompanhem, "Universidade da Integração da Lusofonia Afro-brasileira" foi suspenso pelo ministério da Educação após forte pressão popular, por estar especificamente destinado a "travestis, intersexuais, transexuais" e pessoas "não-binárias" – critérios, digamos, não necessariamente científicos ou meritocráticos de avaliação de ingresso em uma carreira acadêmica em instituição financiada por alguns dos mais caros impostos do mundo. Eis que, naturalmente, as admissões preferenciais – especialmente quando aplicadas em instituições de reputação questionável – tendem a levar a um desempenho acadêmico inferior, independentemente de os admitidos serem privilegiados ou desprivilegiados.

Sowell destaca que um dos argumentos principais para a liberdade acadêmica deve ser a inclinação dos docentes à realização de seus trabalhos com competência, sem se utilizarem da sala de aula para doutrinar os alunos – e vai além: não apenas as salas de aula, mas também os dormitórios, os comitês administrativos e a plataforma de palestrantes convidados são instrumentos utilizados para expressar as ideologias predominantes e sufocar visões opostas, o que deve ser superado para romper com o paradigma da doutrinação ideológica (SOWELL, 1993, pp. 174-202). Trata-se de tarefa árdua. As instituições educacionais, especialmente as de nível superior, estão contaminadas pelo que Sowell chama de "duplo padrão" de avaliação e de condução das ações administrativas, abraçados, por evidente, ao politicamente correto e, então, pela mídia e pelos políticos em geral. Se você faz parte de alguma minoria social, será avaliado segundo um determinado padrão. Se você faz parte de um grupo assim considerado "opressor" ou "majoritário", o padrão é outro. Aqui entram políticas de cotas, favores governamentais, propaganda sentimentalista e olhar condescendente, independentemente da realidade dos fatos, dos méritos, do esforço individual ou da capacidade de romper limites pela força do empenho bem dirigido. Os efeitos, diz Sowell, são desastrosos. De um lado, você cria uma casta insaciável, desejosa de mais e mais direitos e reparações. De outro, amplia-se o espectro do ódio às "minorias" por contarem com benefícios não mais justificáveis historicamente. Com as políticas institucionais de "duplo padrão", os reais problemas persistem (acesso a boa educação desde a base, por exemplo) inclusive porque a sua solução levaria a um efeito não desejado pelos grupos que representam aquelas minorias: à sua dissolução e à perda de influência política dos seus agentes. Em poucas palavras, num modelo assim concebido, é importante não resolver os problemas que são a única razão de ser de grupelhos que deles se valem para existir.

4. Superando a doutrinação ideológica no caminho para a educação de excelência

As críticas de Sowell ao aparelhamento ideológico ressoam na exata proporção em que o autor defende a educação de excelência como caminho necessário para a superação da ordem estabelecida. Embora Sowell ataque fortemente o sistema escolar público norte-americano, grupos de interesses especiais e burocracia escolar, ele imediatamente descarta a pobreza, o divórcio, as famílias monoparentais, as violências de gangues, o abuso de drogas, o crime adolescente e a gravidez como "desculpas" razoáveis no processo que leva ao declínio do desempenho geral dos estudantes. Aqui, Sowell se vale de um trocadilho com o título de um dos filmes da saga *Star Wars* ("Guerra nas Estrelas"), *The Empire Strikes Back* ("O Império Contra-ataca"):

Educação é um vasto império. Tanto a *National Education Association* quanto sua principal rival, a Federação Americana de Professores, são enormes sindicatos com grandes somas de dinheiro disponíveis para apoiar o *lobby* político e blocos significativos de votos para jogar na balança em tempo de eleição. A sede da Associação Nacional de Educação em Washington emprega mais de 500 pessoas e gasta bem mais de US $ 100 milhões por ano. O N.E.A. é também o sindicato dominante dos professores em todos os estados, exceto Nova York, onde a rival Federação Americana de Professores domina (SOWELL, 1993, p. 269 *et seq*).

Quando chama a educação norte-americana de "vasto império", Sowell conduz seu raciocínio a um ponto fundamental. Com milhões de empregos, milhões de estudantes e centenas de bilhões de dólares colocados nesta equação, o império se torna uma força especialmente robusta para que venha a sofrer qualquer tipo de intervenção ou modificação. Essa é a grande tragédia de um sistema educacional assim concebido: ele absorve progressivamente recursos cada vez mais vastos, sem qualquer melhoria apreciável na qualidade da sua produção, que decai em velocidade cada vez maior.

Na visão do autor, as falhas educacionais não podem ser justificadas, ou mesmo mitigadas, por seus muitos objetivos sociais não-acadêmicos, a exemplo da preocupação com o bem-estar psicológico dos estudantes, com a harmonia entre grupos raciais, étnicos ou outros grupos sociais, com a prevenção da gravidez na adolescência ou outros. Boas intenções não entram no cálculo da educação de excelência, apenas políticas factuais e medidas tecnicamente inovadoras. Em outras palavras, o "império" educacional tem sido muito eficaz em bloquear ou desestimular as tentativas de aumentar o nível intelectual geral dos alunos. De fato, o modelo ideologizante foi o mais bem-sucedido nesse campo, vale dizer, no de criar massa enorme de gente mal formada.

Um sistema formativo assim concebido é uma máquina que se retroalimenta. Seu objetivo principal é o de criar empregos para professores, técnicos e administradores, sendo os alunos um meio para esse fim. Também eles, alunos, são tratados como cobaias para experimentos sociais e como alvos de propaganda para causas que extrapolam os liames acadêmicos (SOWELL, 1993, p. 318). Os desejos dos pais ou do público de colocar a educação à frente das ambições de carreira, ou das satisfações psicológicas, ideológicas ou do ego dos educadores, são tratados taticamente como obstáculos a serem contornados. E, nesse sentido, a superação do modelo atual depende de uma releitura do papel da educação e da primazia do ensino acadêmico em detrimento de arcabouço messiânico, comprometido com aspectos secundários, eivados de subjetividade e, então, manipuláveis sem qualquer escrúpulo, que nos trouxeram até esse estado de coisas.

5. Considerações finais

O *Inside American Education* fornece uma declaração franca e definitiva do pensamento de Sowell sobre a educação americana contemporânea, com análises que, no entanto, como vimos, ultrapassam os limites territoriais dos EUA. Mais especificamente, suas discussões centram-se na deterioração geral da educação, no declínio dos alunos em *rankings* educacionais e na necessidade de reformas educacionais baratas, efetivas e pragmáticas. Os caminhos que levam a outro quadro formativo implicam, segundo o nosso autor: (i) mobilizar força política suficiente para ganhar votos decisivos nas legislaturas estaduais; e (ii) mobilizar poder de fogo superior para assaltos decisivos às forças estratégicas. Sowell nos deixa no escuro, infelizmente, quanto à dinâmica de como tal mobilização da opinião pública e seus desdobramentos podem ser ativados – dada a sua absoluta novidade do que propõe, inclusive – apontando apenas, de modo mais ou menos esquemático, para uma linha viável de ação. Em todo caso, resta claro que o propósito de cada um não deve ser o de ministrar doses maiores de utopia no embate sobre quais métodos de ensino são melhores, quais objetivos educacionais são os mais elevados ou que tipo de produto final representaria o aluno de nossos sonhos. É necessário, em vez disso, começar enfrentando o desastre em que nos encontramos para entender não apenas os fatores institucionais e as atitudes por detrás dos fracassos do sistema educacional, mas, igualmente, a razão de ser do sucesso de tais fatores/atitudes ao frustrar tentativas repetidas de reformas fundamentais.

A tarefa política é enorme, mas, para Sowell, temos já à disposição todos os ingredientes para um sistema educacional bem-sucedido. Os problemas que devem ser enfrentados são fundamentalmente institucionais e mudar as forças de tensão que nos trouxeram a um quadro dramático é a chave para instaurar comportamentos e atitudes por muito tempo isolados da responsabilidade.

BIBLIOGRAFIA:

HOPPE, Hans-Hermann. *Uma teoria do socialismo e do capitalismo*. Trad. Bruno Garschagen. 2ª ed. São Paulo: Instituto Ludwig von Mises Brasil, 2013.

SOWELL, Thomas. *Os intelectuais e a sociedade*. Trad. Maurício G. Righi. São Paulo: É Realizações, 2011.

SOWELL, Thomas. *Inside American Education: The Decline, The Deception, The Dogmas*. New York: The Free Press, 1993.

CAPÍTULO 3

A VISÃO DOS CONFLITOS PARA THOMAS SOWELL

Francisco Razzo

1. Em defesa da filosofia e da liberdade

Pelo menos desde sua origem na Grécia Antiga, a filosofia se empenha em investigar os pressupostos fundamentais de nossas crenças. O trabalho árduo de rasgar o véu da ignorância sempre foi recompensador para quem não abre mão de sua liberdade. O filósofo francês Rémi Brague (1947-) sintetiza a relação entre filosofia e liberdade com as seguintes palavras: a filosofia consiste em afirmar a liberdade e em sustentá-la com todas as suas consequências (Cf. BRAGUE, 2007, p. 11). Questionar sem receios nossas ideias mais caras não seria o primeiro passo para uma consciência que se pretende livre? Não se pode perder do horizonte esse critério elementar; afinal, como ser livre se não se está disposto a questionar e avaliar os fundamentos dos próprios preconceitos? E aqui não me refiro a preconceito no sentido capitalizado pela sensibilidade pós-moderna – um valor social de respeito a diferentes formas de vida em uma sociedade pluralista –, refiro-me ao sentido de uma inadequada postura intelectual: adotar crenças sem examinar criteriosamente seus pressupostos, deixar de perguntar pela coerência e consistência lógica de nossas ideias e ainda abrir mão de entender como os nossos pensamentos e a nossa linguagem correspondem à dinâmica dos fatos.

Toda postura filosófica impõe um compromisso teórico dos mais abrangentes em contraste com pelo menos duas tentações: a tentação do dogmatismo ou a tentação do relativismo. Não se trata de negar crenças, pois necessitamos delas assim como de mapas para nos movimentarmos nos labirintos da realidade, caso contrário seríamos tomados pela inércia do ceticismo niilista. Duvidar tão radicalmente de tudo não é fazer tábula rasa do conhecimento, mas conduzir a inteligência a um vazio que transforma a própria subjetividade em prisão. Porém, por dever de ofício de quem espera criar vínculos mais firmes entre liberdade, razão e realidade, devemos ser capazes de sustentar nossas crenças com boas justificativas, dar boas razões para o que acreditamos ser verdadeiro. Para isso, compreender como a diversidade de sistema de crenças se apresenta consiste em tarefa primordial da investigação filosófica. Por essa perspectiva, a pergunta mais importante não seria outra senão esta: como se justifica uma visão de mundo sem subordiná-la ao exame criterioso de seus fundamentos e da lógica que a sustenta? Não há ato filosófico sério que não comece e termine com a compreensão genuína acerca dos pressupostos elementares de um sistema de crenças.

Com tantas possibilidades de crenças e opiniões divergentes, o risco será sempre duplo: ou damos de ombros para a investigação filosófica, considerando perda de tempo de gente ociosa, e adotamos acriticamente uma visão de mundo como se fosse fundamentada em sólidas verdades universais que devem ser impostas a todos mediante coerção, ou simplesmente assumimos que qualquer tentativa de buscar fundamentos para nossas ideias estará fadada ao completo fracasso. Entre dogmáticos e relativistas como pano de fundo sedutor para as mentes precipitadas e preguiçosas, a postura crítica faz pelo menos duas exigências morais básicas: coragem e honestidade. Por "análise crítica" devemos entender um tipo de postura reflexiva que se engaja no exercício racional de compreensão dos elementos básicos em que se apresentam toda e qualquer concepção de mundo – isso vale para coerência interna da rede de ideias como para a sua origem e desenvolvimento histórico. Em outras palavras, empenhar-se para fazer um inventário o mais rigoroso possível a respeito da forma e do conteúdo das crenças que circulam no espaço do debate público. Sobretudo de crenças políticas, que moldam a nossa vida em sociedade, garantem o funcionamento das nossas instituições, orientam as nossas decisões econômicas e jurídicas etc.

Entretanto, o primeiro passo não deve ser dado pela busca de validade das crenças. Como pergunta Thomas Sowell em seu livro *Conflito de Visões*, o interesse, antes de tudo, está em saber "*quais pressupostos fundamentais existem por trás das tão variadas visões ideológicas de mundo em disputa nos tempos modernos?*" (SOWELL, 2011, p. 11). Acredito que tanto para aderir quanto para recusar um sistema de crenças com mais consciência e liberdade devemos, primeiro, conhecer a "lógica" por de trás de cada um deles. Dar adeus ao dogmatismo não implica ser cúmplice do relativismo.

2. Conflito de interesses e conflito de visões

Nesse pequeno prólogo em defesa da investigação crítica, conferi aos termos "crenças", "ideias", "opiniões" e "visões de mundo" o mesmo valor semântico, sem muita precisão técnica. Porém, a fim de compreender melhor os objetivos históricos e filosóficos de Thomas Sowell, será necessário descriminar com um pouco mais de rigor a terminologia adotada por ele em *Conflito de Visões*. Antes de definir o que ele chama de "visão", vale a pena perguntar o que Sowell endente por "conflito", pois não se trata de mero descordo entre indivíduos em defesa de seus interesses, mas de "conflito de visões". E se tem algo que precisa ficar claro para quem se aventura a ler a obra de Sowell é que "conflito de visões" não significa a mesma coisa que mero "conflito de interesses". Thomas Sowell abre o *Prefácio à Edição de 1987* de sua obra favorita justamente com esta importante ressalva: "*um conflito de visões é diferente de um conflito de interesses opostos*" (SOWELL, 2011, p. 13). Diferentemente de ter uma "visão", alguém que se envolve numa disputa em nome de seus "interesses" tende a ter mais clareza a respeito do que está disputando. Sowell faz uma distinção importante.

Em termos puramente psicológicos, o que define "interesse" é a *experiência direta* do que se deseja, sentimento fornecido por um "*simples impulso emocional*" (SOWELL, 2011, p. 13). Por sua vez, em termos de argumentação, o operador discursivo da manifestação de um interesse pode ser resumido com expressões do tipo "eu quero/desejo isso ou isso" e "eu não quero/desejo isso ou isso". Ninguém precisa ter desenvolvido autoconsciência robusta para evocar ou declarar seus desejos. Nesse sentido, um interesse já se manifesta nos primeiros momentos de vida. De forma óbvia, bebês balbuciam suas primeiras versões de experiência a respeito do que desejam e do que incomodam, e não há muita dificuldade para decifrar o sentido da linguagem rudimentar de um recém-nascido. Contudo, para seres racionais que desenvolvem autoconsciência e percepção interna da própria subjetividade, o problema não está resolvido apenas com percepção e manifestação de interesses dados por uma ordem de natureza psicológica imediata. Reduzir o jogo das disputas sociais a meros conflitos de interesses significaria se prender ao nível mais elementar dos nossos impulsos, o que rebaixaria a estatura do ser humano a um animal governado não pelas regras da liberdade e da razão, mas pela força cega dos impulsos emocionais – em outras palavras, movidos pela irracionalidade.

Gostaria ainda de chamar atenção para uma sutileza na argumentação de Sowell que poderia passar despercebida em uma leitura apressada do prefácio. Ao fazer referência ao "conflito de interesses" como distinto do "conflito de visões", Thomas Sowell diz que *"a maioria das pessoas pode não compreender – e, de fato, pode ser confuso exatamente por causa da propaganda das partes adversárias –, mas essa confusão é consequência direta da clareza das próprias partes interessadas"* (SOWELL, 2011, p. 12). Interessante notar que muitas de nossas confusões geradas em disputas de natureza impulsiva, na verdade, são geradas por excesso de clareza e não o contrário. Mas excesso de clareza aqui não significa excesso de clareza racional, evidência lógica etc.; significa, pelo contrário, clareza dada por impulso emocional, portanto por uma espécie de "clareza irracional". Ninguém duvida da obviedade gerada pela experiência de um simples impulso emocional. O conflito de interesses, ao contrário do de visões, repousa na percepção direta que as partes interessadas têm de si mesmas a ponto delas se tornarem completamente cegas em qualquer tipo de disputa que exige equilíbrio racional, postura crítica etc. O apego emotivo a interesses cria ambientes imunes a argumentos e justificativas racionais. Por isso faz muito sentido Thomas Sowell começar sua obra com essa pequena, porém significativa distinção.

Se conflito de interesses se caracteriza pela "clareza das próprias partes interessadas", não se pode dizer o mesmo do "conflito de visões". O fato é que não somos afetados por uma visão da mesma maneira como somos afetados por um impulso emocional. E é nesse sentido que Sowell defende que "*quando há um conflito de visões, aqueles que são mais afetados por uma visão em particular podem ser os que têm menos consciência de seus pressupostos fundamentais*" (SOWELL, 2011, p. 13). Portanto, a confusão não é uma consequência direta da clareza das partes interessadas, mas o contrário. Não há confusão quando somos afetados por um sentimento de bem-estar ou mal-estar, por exemplo. O sentimento das coisas que me agradam e das coisas que me repudiam são claros para mim a ponto de funcionarem como a causa determinante dos conflitos de interesses. Quando digo "eu quero/desejo isso e isso" é porque não aceito que me digam e tentem me impor o contrário. A vitória dos impulsos emocionais sobre a razão confere um tipo específico de derrocada ao ambiente público no curto prazo. Os conflitos de visões, pelo contrário, desenvolvem espessura de significado mais consistente à história.

Agora, no que diz respeito a ser afetado por uma visão – que ainda não tivemos o trabalho de definir –, podemos nos dar ao luxo de não ter muita clareza do que se passa com os seus pressupostos, e essa falta de consciência de seus fundamentos encontra uma série de razões que derivam das características teóricas das próprias visões. Se não fosse assim, Thomas Sowell poderia se limitar a fazer psicologia social em vez de investigar filosoficamente a origem histórica e teórica das visões.

De qualquer forma, antes de definir o que significa uma "visão", ele ainda apresenta algumas possíveis justificativas para aqueles que são negligentes com o trabalho teórico de investigar os pressupostos das visões. Segundo ele, não ter interesse em "*parar para examinar essas questões teóricas quando há questões urgentes de ordem 'prática' a serem confrontadas, cruzadas a serem empreendidas, ou valores a serem defendidos a qualquer preço*" (SOWELL, 2011, p. 13). Com isso, Sowell demonstra que seu compromisso, pelo menos nessa obra, é substancialmente de ordem teórica e não prática. Se para Karl Marx "*os filósofos se limitaram a interpretar o mundo de maneiras diferentes; cabe transformá-lo*" (MARX, 1974, p. 59), para Thomas Sowell o que vale primeiro não é nem interpretar e muito menos transformar o mundo, mas compreender as "visões" que norteiam as lutas políticas.

3. As moldadoras silenciosas de nossos pensamentos

O que são "visões"? A terminologia adotada por Sowell pode abrir muitas possibilidades de significado. Nesse caso, por compromisso metodológico, devemos nos deter ao texto. Segundo ele, ainda no prefácio de 1987, as visões

> [...] têm uma consistência lógica surpreendente, mesmo que aqueles dedicados a essas visões raramente tenham estudado essa lógica. As visões tampouco são limitadas a fanáticos e ideólogos. Todos nós temos visões. Elas são as moldadoras silenciosas de nossos pensamentos" (SOWELL, 2011, p. 13).

Essa passagem oferece três pistas para uma definição posterior mais consistente e elaborada no primeiro capítulo do livro chamado *O Papel das visões*.

A primeira pista é que "visões" têm "consistência lógica surpreendente", e por "surpreendente" nós devemos entender uma "estrutura lógica robusta". Nesse caso, uma visão não consiste em uma mera "ideia" no sentido de "imagem mental". Em consequência, seu fundamento não é dado apenas pela capacidade de imaginação e que, portanto, não basta defini-la como uma imagem do mundo criada e defendida por fanáticos e ideólogos. A segunda pista indica que mesmo sem conhecimento muito profundo dessa "estrutura lógica robusta", ou seja, mesmo sem muita clareza dos fundamentos de uma "visão", elas continuam "moldadoras silenciosas de nossos pensamentos". Em uma passagem mais para o final do mesmo capítulo, Sowell argumenta que

> [...] "uma visão não é um sonho, uma esperança, uma profecia ou um imperativo moral", mas, antes, "uma visão tem um sentido de causalidade", ou seja, "é mais como um palpite ou um 'instinto' do que um exercício de lógica ou de verificação factual" (SOWELL, 2011, p. 20).

Essas designações "moldadoras silenciosas de nossos pensamentos", "senso de causalidade", "palpite" ou "instinto" funcionam mais para diferenciar "visão" de uma "ideia" ou "imagem mental" e mais ainda de um "impulso emocional". Lembrando que interesses são experiências marcadas pela clareza do impulso emocional, enquanto dispor de uma visão, não. Em outras palavras, para Sowell "*visão*" é algo muito mais abrangente, intrínseco e significativo para a construção e compreensão do mundo do que propriamente as experiências psicológicas – que poderiam ser estudadas por teorias das emoções. Por fim, a terceira pista se torna fundamental para entendermos o quão abrangente é o conceito de "visão" para os objetivos teóricos de Sowell: "todos nós temos visões". Se "visões" têm estruturas lógicas robustas e moldam nossos pensamentos, logo elas atuam em diversos campos da vida humana. Por isso, além de moldarem pensamentos e atitudes, visões também dominam a história humana:

> As visões podem ser morais, políticas, econômicas, religiosas ou sociais. Nestes ou em outros campos, nós nos sacrificamos por nossas visões e, às vezes, quando necessário, preferimos enfrentar a derrota a traí-las. Quando visões entram em conflito de forma irreconciliável, sociedades inteiras podem se dilacerar. Conflitos de interesses predominam por período curto, porém conflitos de visões dominam a história (SOWELL, 2011, p. 13).

4. O emaranhado da realidade e as visões

Como ficou demonstrado, para Thomas Sowell, os diversos conflitos de opiniões não são determinados por meros interesses de ordem emotiva. Nem todas as lutas pelas quais as pessoas se engajam podem ser descritas por paixões mobilizadoras. Nesse sentido, Sowell argumenta que quando lançamos "um olhar mais atendo aos argumentos utilizados" pelos dois "lados opostos da trincheira política" notamos que as pessoas raciocinam "a partir de premissas fundamentais diversas". Paixões não dão conta para explicar o que está em jogo na história. O quadro de referência a partir do qual as pessoas entram em disputas precisa ser analisado com mais atenção, suas premissas fundamentais muitas vezes implícitas precisam ser colocadas à luz da análise crítica.

Embora possamos pensar o mundo como uma entidade objetiva independentemente de como pensamos, são justamente as distintas visões de como o mundo funciona que geram conflitos. Por isso, para entender melhor o que Sowell está chamando de "visões", devemos recorrer a uma tradicional distinção na história da filosofia adotada por ele que se dá entre "visão" e "realidade". Em outras palavras, uma coisa significa pensar como o mundo funciona, outra, completamente diferente, é compreender a realidade em si. Como as visões para Sowell têm uma estrutura lógica robusta capaz de modelar silenciosamente nossos pensamentos, cabe perguntar como se dá a diferença e a relação entre visão e realidade, ou seja, a diferença e a relação entre subjetividade e realidade objetiva. As estruturas da subjetividade, determinadas pelas estruturas de percepção interna de alguém, são diferentes das estruturas da realidade objetiva. Um dos grandes problemas da filosofia é saber como se configura a relação dessas "estruturas" internas e externas. Como Sowell não está fazendo "teoria do conhecimento", seu interesse consiste em analisar as estruturas subjacentes às "visões", que atuam moldando a própria subjetividade.

A esse respeito, Sowell argumento que "*a realidade é muito complexa para ser compreendida por qualquer mente. As visões são como mapas que nos guiam através de um emaranhado de complexidade desconcertantes*" (SOWELL, 2011, p. 17). A designação da realidade como "emaranhado de complexidades desconcertantes" fora da mente é fundamental para compreendermos a referência dele a "visões". Diante do "emaranhado de complexidades" a mente se desconcerta, isto é, pode se perder na confusão dos detalhes. O termo "desconcertante" indica uma dimensão estrutural da própria realidade que quando comparada com a mente humana se revela muito maior do que a capacidade humana de conhecimento dessa realidade. E para a mente não se perder nesse "emaranhado de complexidades desconcertantes" as visões funcionam como mapas, pois apresentam a realidade de forma simples e esquemática. Em outra passagem do texto, Sowell intensifica essa caraterística de disparidade entre mente e realidade: "*O caleidoscópio permanentemente mutante da crua realidade derrotaria a mente humana por sua complexidade, exceto no que diz respeito à capacidade da mente de abstrair, pegar partes e pensar nelas como um todo*" (SOWELL, 2011, p. 18).

A maneira de esquematizar/simplificar esse emaranhado de complexidades desconcertantes em movimento parte de um processo cognitivo conhecido como abstração. Como a mente não dá conta de registrar todos os detalhes da crua realidade, o processo cognitivo de abstração opera por meio de redução a formas simples e esquemáticas. Abstrair literalmente significa ato de retirar, eliminar os detalhes excessivos e configurar o mundo em uma ideia "esquema", que no caso não pode carecer de "estrutura lógica", já que não se trata apenas de um produto caótico de ideias resultado de imaginação subjetiva, que é livre para criar qualquer coisa. A imaginação tem o poder de associar o conteúdo da mente, modelar mundos possíveis segundo a criatividade de cada um. Nesse caso, não faz questão de usar o mundo externo da crua realidade como referência. Por outro lado, no processo cognitivo de simplificação esquemática, o mapa produzido pela mente subsiste "algo" da realidade externa. Embora o mapa apresente uma forma simplificada da realidade, ele não foi criado como puro produto da imaginação. Sowell argumenta com as seguintes palavras: *"A exemplo dos mapas, as visões devem deixar de lado muitos fatores concretos para podermos nos concentrar em alguns caminhos-chave"* (SOWELL, 2001, p. 17).

Esse "deixar de lado muitos fatores" nada mais é do que um aspecto substancial do processo cognitivo de abstração, que deixa de lado os "excessos" do emaranhado de complexidades desconcertantes para apresentar um "esquema" mental, ou, como diz Sowell, "caminhos-chave". Ele sintetiza essa relação entre visão e realidade da seguinte maneira:

> Todas as visões são até certo ponto simplistas – embora se trate de um termo normalmente aplicado às visões de outras pessoas, não às nossas próprias. O caleidoscópio permanentemente mutante da crua realidade derrotaria a mente humana por sua complexidade, exceto no que diz respeito à capacidade da mente de abstrair, pegar partes e pensar nelas como um todo. Em nenhum outro lugar isso é mais necessário do que nas visões e na teoria social, que lindam com interações complexas e, frequentemente, subconscientes de milhões de seres humanos (SOWELL, 2001, p. 19).

Contudo, precisamos destacar um elemento importante na analogia do mapa. Ao associar o conceito de "visões" com o de "mapas", Sowell acrescenta que, além do aspecto puramente lógico, ou seja, da estrutura teórica das visões, existe uma condição instrumental das visões para a ação. Há, nesse sentido, um aspecto pragmático inerente a visões. Quem precisa de um mapa é porque pretende sair de um lugar e chegar em outro com relativa segurança. Porém, um mapa não sinaliza apenas o destino. Como esquemas de percursos, mapas trazem uma série de referências a respeito de todo itinerário a ser percorrido. Pelo menos dos "momentos" que mereçam destaques para quem age e toma decisões. Analisar os pressupostos fundamentais existentes por trás das várias visões significa também entender como as pessoas tomam certas decisões em detrimento de outras e quais são seus objetivos últimos.

5. Porque as visões também podem ser perigosas

Thomas Sowell não esconde os riscos inerentes ao processo de simplificação da realidade a um esquema mental: *"As visões são indispensáveis, mas perigosas porque nós as confundimos com a própria realidade"* (SOWELL, 2001, p. 18). Mas antes de avançar, eu gostaria de explorar um pouco mais esses possíveis perigos relacionado ao apego de uma pessoa a sua visão de mundo.

Desde Platão, que confrontou a filosofia à prática dos sofistas, isto é, confrontou aqueles que investigam a realidade enquanto tal com aqueles que vendem aparência de realidade, filosofar significa o esforço contínuo de encontrar a realidade, por mais difícil que seja a definição de realidade. Por sua vez, em contraste com a filosofia, existe a pura arte de persuasão retórica. Não obstante possa ser usada para outros fins, a persuasão retórica tem o poder de fazer um raciocínio parecer algo que não é. Mediante a retórica é possível tomar o falso como verdadeiro e dispensar o verdadeiro como falso. Em debates públicos, a aparência de verdade exerce um conjunto considerável de efeitos psicológicos: o fascínio de estar sempre com a razão e defender um pensamento total e acabado pode ser um passo para a servidão voluntária.

Muitas vezes incorremos em situações assim sem perceber, por pura distração ou simplesmente por não conseguir, no calor das disputas públicas, distinguir uma coisa da outra. A medida de todas as coisas só pode ser determinada pelo meu senso de verdade e justiça. Fora que a paixão, a vaidade e o medo falam bem mais alto quando o assunto consiste em validar convicções, o que pode transformar o conflito de visões em puro conflito de interesses – um arranjo perfeito para a escalada de violência. Quando procuramos argumentos apenas para confirmar nossas certezas, voluntariamente nos prendemos em um cativeiro mental. Quem se interessa pela verdade precisa, de qualquer forma, questionar a si mesmo, investigar os fundamentos das próprias visões. Nada parece ser mais difícil que buscar fatos ou argumentos contrários às nossas certezas. Ideologia consiste justamente nesse tipo de convicção inabalável. Pessoas podem criar diversas formas de resistências para não ter de investigar os fundamentos de suas visões. É possível nos tornarmos presas fáceis de sistemas ideológicos não por sermos ignorantes, mas porque é mais sedutor se agarrar a certezas que moldam o mundo segundo as nossas próprias convicções. Se para a atitude filosófica é muito difícil definir a realidade e seu "emaranhado de complexidades desconcertantes", para a atitude ideológica não é.

Segundo a filósofa Hannah Arendt (1906-1975), ideologia significa um pensamento total que dá conta de explicar tudo previamente, sem deixar nenhum detalhe em vão. O termo "ideologia" tem a ver com a lógica de uma ideia cujo fundamento ético é o de ter sempre razão e ser contra tudo o que não cabe nessa "lógica". O risco de ter uma "visão" consiste, portanto, em estar preso a uma rede de convicções e ser do contra: contra os outros, contra a história, contra a realidade. Hannah Arendt argumenta que "as ideologias pressupõem sempre que uma ideia é suficiente para explicar tudo no desenvolvimento da premissa, e que nenhuma experiência ensina coisa alguma porque tudo está compreendido nesse coerente processo de dedução lógica". Na mesma esteira de Thomas Sowell quanto aos riscos de uma visão, ela afirma o seguinte: "o perigo de trocar a necessária insegurança do pensamento filosófico pela explicação total da ideologia e por sua *Weltanschauung* [visão de mundo] não é tanto o risco de ser iludido por alguma suposição geralmente vulgar e sempre destituída de crítica quanto". Na verdade, o risco é "o de trocar a liberdade inerente da capacidade humana de pensar pela camisa de força da lógica, que pode subjugar o homem quase tão violentamente quanto uma força externa". Se recorremos ao ato puro da linguagem retórica para construir argumentos com boa aparência a fim de enganar o interlocutor, não somos ingênuos, mas dogmáticos. Não há mais sentido em apelar para nada quando a mente se perdeu na coerência de uma boa ideia. O ideólogo torna-se cínico. Ou, como diz Hannah Arendt, torna-se uma mistura de credulidade e cinismo.

Em *Estados de Violência* (GROS, 2009), Frédéric Gros (1965-) faz uma consistente análise crítica da relação entre ideologia e filosofia. "Aquele que diz 'eu sempre tenho razão' faz a guerra, porque forçará o real a assemelhar-se a seu discurso. A guerra tornou-se total por ser sustentada por um sistema de certezas". No ambiente público do conflito ideológico, todo pensamento se pretende total, por isso se alimenta do confronto. Para Gros, "a filosofia, como pensamento dando-se por tarefa fazer tremer as certezas mais que fundamentá-las, denuncia a guerra. Se podes mostrar-me que estou errado, tu serás meu amigo, diz Sócrates a seu interlocutor em *Górgias*. A ideologia diz o contrário: se devo mostrar-te que tenho razão, é que tu serás meu inimigo". Saber se orientar na filosofia é, antes de tudo, saber se orientar como oposição a toda forma de violência.

6. Visão não é teoria

Gostaria de descer mais alguns níveis na definição que Thomas Sowell dá a "visões", principalmente depois que estudarmos a diferença entre visão e realidade, bem como os riscos inerentes ao apego ideológico suscitado pelas visões.

No que diz respeito à natureza epistemológica das "visões", Sowell faz outra distinção importante: entre visão e teoria. Poderíamos incorrer no erro de supor que ter uma visão sobre o mundo implica dispor de uma teoria para explicar os fenômenos no mundo. Porém, como argumenta Sowell, uma visão consiste na maneira como "*percebemos ou sentimentos antes de construirmos qualquer raciocínio sistemático que poderia ser chamado de teoria, e muito antes de deduzirmos quaisquer consequências específicas como hipóteses que devem ser testadas mediante provas*" (SOWELL, 2011, p. 18). Uma teoria sobre o mundo, na verdade, depende de uma visão. Uma visão, nesse sentido, refere-se a uma estrutura cognitiva pré-teórica muito mais originária e ampla, ou seja, uma estrutura que fornece as condições mentais para teorias serem formuladas e sustentadas cientificamente. Visões não são justificadas pela metodologia científica, porque não se trata de teoria científica. Sowell entende teoria no sentido mais genuíno de "raciocínio sistemático" a respeito do mundo. Por sua vez, a visão tem mais a ver com o que "sentimos" ou "percebemos" como o mundo funciona em termos de concepção filosófica, que diz respeito à experiência de totalidade e não apenas referente à explicação e descrição de um estado específico de coisas.

Obviamente, como já foi demonstrado, não se trata de um sentimento ou percepção no sentido psicológico do termo, mas de uma "estrutura" de percepção mais elementar em termos da disposição de forma mental. A visão não apresenta um conjunto organizado de sentenças justificado por uma metodologia empírica. Sowell cita as seguintes frases para diferenciar visões de teoria: "*Visões são a base sobre a qual as teorias se constroem*". Ou "*a estrutura final dependente não só da base, mas também do cuidado e da coerência com que a estrutura da teoria é construída e como está bem sustentada por fatos sólidos*" (SOWELL, 2011, p. 18). Interessante notar que a construção final de uma teoria depende muito mais dos fatos externos, enquanto a construção de uma visão pode até dispensá-los. Não obstante, a teoria possa ser construída a partir de uma visão, sua validade só pode ser determinada em *confronto/checagem* com os fatos: "*as visões são muito subjetivas, contudo, teorias bem construídas têm implicações claras, e fatos podem testar e medir sua validade objetiva*" (SOWELL, 2011, p. 18).

Será preciso nos deter um pouco mais na relação entre visão, teoria e fatos. Essa relação não é tão óbvia quanto poderia parecer em um primeiro momento. Sowell constrói a seguinte argumentação: "uma visão tem um sentido de causalidade", "é mais como um palpite ou um 'instinto' do que um exercício de lógica ou de verificação factual" e, portanto, "essas coisas chegam mais tarde e alimentam-se do material bruto fornecido pela visão". Quando comparado a visões, o que chega mais tarde é o exercício de lógica ou o exercício de verificação factual. Em outras palavras, as coisas que "chegam mais tarde" é a forma teórica de explicar o mundo, ou seja, o raciocínio sistemático sustentado pela verificação factual: um vínculo entre as categorias lógicas e a matéria prima da experiência. Contudo, a teorização do mundo se alimenta do "material bruto fornecido pela visão". Uma visão modela a nossa orientação teórica e não a teoria determina nossa visão.

Mas o que significa uma visão ter um "sentido de causalidade" e por que isso é importante para entendermos como se dá a construção de uma teoria a partir de uma visão? A respeito disso, Sowell diz o seguinte:

> Se a causalidade procede como a nossa visão a concebe, então algumas outras consequências seguem [daí], e a teoria é a elaboração do que são essas consequências. A evidência é o fato que diferencia uma teoria da outra. Os fatos não "falam por si mesmos". Eles falam a favor ou contra teorias concorrentes.

> Fatos divorciados da teoria ou da visão são meras curiosidades isoladas (SOWELL, 2011, p. 20).

Primeiramente, sem entrar em detalhes acerca dos problemas filosóficos que isso pode gerar, por "causalidade" devemos entender a forma por meio da qual a mente associa fatos. Trata-se, literalmente, de fazer relações, vínculos ou conexões entre fatos. Causalidade consiste em "relação de fatos" do tipo: "A segue B. C segue B. Portanto, C segue A". Quanto melhor uma teoria, melhor será a descrição/explicação que ela oferece entre um fato e outro – o termo "melhor" aqui significa ser capaz de apresentar vínculos/conexões mais consistentes; por "consequências" devemos entender o "efeito" implícito em uma "causa".

Vale recorrer a um exemplo bem simples para nos ajudar: "Se chover na cidade de São Paulo, a Marginal Tietê terá trânsito". Em um primeiro momento, pode-se alegar que o trânsito na Marginal Tietê é uma consequência/efeito implícita da chuva. Portanto "chuva", "Marginal Tietê" e "trânsito" são três fatos distintos que o "sentido de causalidade" relaciona. Quando Sowell diz que "fatos divorciados da teoria ou da visão são meras curiosidades isoladas", ele quer apenas registrar que "chuva", "Marginal Tietê" e "trânsito" quando isolados não têm significado nenhum, "não falam por si mesmos". Para os fatos "chuva", "Marginal Tietê" e "trânsito" formar um sentido, é preciso associá-los. Dar significado teórico consiste em criar vínculos de causalidade: "a chuva *causa* trânsito na Marginal Tietê". Além disso, há um sentido prático e não só teórico nesse tipo de relação. Por exemplo, em dias de chuva, devo evitar dirigir na Marginal Tietê, pois ficarei preso no trânsito. Minha crença na capacidade de associação entre os fatos "chuva", "trânsito" e "Marginal Tietê" fornece a um horizonte de expectativa provável para eu avaliar e tomar uma decisão preventiva. Teorias influenciam atitudes, e isso será fundamental para entender a preocupação de Sowell no que diz respeito a visões que fornecem base para teorias sociais.

Ainda devemos perguntar: o que Sowell quer dizer quando alega que "as teorias podem ser construídas por fatos, mas nunca se mostrarão corretas por fatos"? Ter uma teoria significa dispor de poder explicativo a respeito da realidade e abrir um horizonte de expectativas para tomadas de decisão. Em outras palavras, é poder dizer com certa segurança "como o mundo funciona" para podermos nos movimentar nele com certa segurança. Teoricamente "chuva causa trânsito na Marginal Tietê em São Paulo". A pergunta fundamental é: isso tem bom poder de explicação? Essa "teoria", sem dúvida, foi construída com fatos extraídos da experiência. Não se trata de fruto da imaginação ou de uma previsão sem base na experiência concreta. Porém, o que Sowell defende, é que não são esses fatos que tornam a teoria correta. E por quê? Simplesmente porque a seleção desses fatos foi determinada pela visão que eu tenho de mundo a respeito de como o mundo funciona. A teoria depende da visão na medida em que a visão cria o sentimento de causalidade. No caso, uma visão bastante simplista, já que a *causa* do trânsito pode ser um problema de engenharia urbana muito mais "complexo" do que um típico dia chuvoso na capital paulista. O que *causa* trânsito no *dia de chuva* não é exatamente a chuva, mas a percepção superficial que elimina/abstrai uma série de outros fatores subjacentes ao fator mais explícito. Isso não quer dizer que em dia de chuva não terá trânsito. Isso indica apenas como a mente procura explicar fatos a partir de uma determinada visão, de uma disposição para "enxergar" o mundo muito antes de teorizá-lo. A percepção mais elementar de como os fatos se relacionam não será dada pela teoria, mas pela "visão". Sowell defende que "os fatos nos obrigam a descartar algumas teorias – ou, então, torturam nossa mente tentando reconciliar o irreconciliável – porém nunca podem ser a aprovação final de uma verdade última sobre uma determinada teoria". Pois a "verdade última" é determinada pela visão, já que é a visão responsável por fornecer e determinar o "sentido de causalidade", ou seja, o sentido de como selecionamos e relacionamos os fatos no mundo.

Certamente Thomas Sowell não está interessado em como vamos agir em caótico dia de chuva na cidade de São Paulo. Seu objetivo é investigar "visões sociais" e mostrar como elas moldam silenciosamente nossas históricas lutas políticas, pois "o mais evidente é que políticas baseadas em determinada visão de mundo têm consequências que se espalham pela sociedade e reverberam durante anos, ou mesmo por gerações ou séculos". A partir disso, Sowell argumenta que o estudo das visões sociais merece ser destacado porque além de determinarem "os temas tanto para o pensamento quanto para ação", as visões sociais *"preenchem necessariamente as grandes lacunas do conhecimento dos indivíduos"* (SOWELL, 2011, p. 20). Com as visões sociais edificamos o mundo habitado por nós. Consequentemente, tomados pelas nossas visões, também somos capazes de destruí-lo e de nos destruir.

7. Os dois tipos básicos de visões: restrita e irrestrita

Depois desse percurso para definir o sentido do termo "visão", o horizonte em que toda análise de Sowell se movimentará será um dilema a partir de dois tipos de visões em conflito acerca da natureza humana. Visões sociais dão respostas distintas à pergunta fundamental: o que é o ser humano? Os tipos de respostas a essas perguntas determinam historicamente o substrato da parte das lutas políticas ao longo da história.

No coração de cada visão de mundo não está senão a visão que nós temos de nós mesmos. A forma como nós projetamos na ordem social depende, primeiro, da forma da nossa "ordem interior". Não há "*polis*" sem "homem". E a concepção daquilo que é o ser humano determina a concepção de cidade. Pelo menos desde Platão, é possível dizer que a antropologia precede a política. Ou toda boa teoria política não começa como uma antropologia política? O que acreditamos acerca das nossas potencialidades enquanto seres humanos determina o tipo de mundo que desejamos e estamos dispostos a construir. Sowell expressa essa relação entre homem e cidade dizendo que "*as naturezas moral e mental do homem são vistas de formas tão distintas que seus respectivos conceitos de conhecimento e de instituições também necessariamente diferem*" (SOWELL, 2011, p. 23). Não há visão abrangente de mundo sem estar fundamentada numa visão específica a respeito do que o ser humano é. Todo conflito parte daí, de como o homem pensa a si mesmo. Na verdade, a pergunta pelo homem precede todas as grandes perguntas, trata-se da pergunta das perguntas.

Sowell abre a disputa entre visões com esse tópico porque ele sabe que a longa tradição dos teóricos da política ancorou suas análises nesse problema. Todo desenvolvimento posterior de seu livro dependerá dos dilemas gerados a partir da visão que nós temos do ser humano: conhecimento e a razão; processo sociais; visões de igualdade, poder e justiça etc. vêm depois, ou seja, vem como consequência da visão sobre a natureza humana.

THOMAS SOWELL E A ANIQUILAÇÃO DE FALÁCIAS IDEOLÓGICAS

Thomas Sowell demonstrará que todos os importantes conflitos, de alguma forma, têm origem em duas visões sobre a natureza humana: a visão restrita (*constrained*) e a visão irrestrita (*unconstrained*). São essas duas visões que fornecem, cada uma à sua maneira, o sentimento de causalidade social, "*tanto no que se refere à sua mecânica quanto nos seus resultados*", pois "*o tempo e seus fenômenos secundários – tradições, contratos, especulação econômica, por exemplo – também são considerados de forma bem diferente em teorias baseadas em visões diversas*" (SOWELL, 2011, p. 23). Essas duas visões, vale lembrar, ressalva Sowell, "são abstrações de conveniência" e que servem como mapas e não como dogmas infalíveis. É com esses dois tipos distintos de mapas que nos movemos dentro do complexo emaranhado da realidade.

Por "visão restrita" Sowell entende aquela concepção que reconhece as limitações inerentes à condição humana. A noção de "restrita"designa os limites básicos a respeito das capacidades cognitivas e morais do homem. É preciso ressaltar que a visão restrita aceita essas limitações sem qualquer tentação em querer modificá-las. Aceita a experiência de que a natureza humana nos limitou como seres finitos, mortais e irredutíveis à capacidade de dar uma definição unânime. Há em nós alguma coisa que nos escapa. O homem é, para o homem, um enigma. Uma tradição que remonta pelo menos até *Édipo*, de Sófocles. Descreve Sowell que "*o desafio moral e social fundamental consistia em se fazer o melhor possível dentro dessa limitação, em vez de gastar energias em uma tentativa de se mudar a natureza humana*" (SOWELL, 2011, p. 25). O ser humano aceita a própria fragilidade, desejos confusos e finitude. A característica fundamental da visão restrita é o reconhecimento genuíno de que há uma natureza do homem, ela é limitada e não pode ser modicada. Aceitar os limites impostos pela condição humana e trabalhar a partir desses limites, sem sonhos utópicos de aperfeiçoar o homem. A vida humana em sociedade se desenvolve a partir de trocas de experiências e não de soluções definitivas.

A visão restrita parte do reconhecimento de que "*quando se é mortal, é preciso pensar como mortal*" (BAERTSCHI, 2005, p. 13). Pois é fácil se perder em devaneios e passar a acreditar que, mediante a política, será possível corrigir essa verdade a respeito da condição humana. Ninguém conseguiu ou conseguirá. E para a visão restrita, conceber a política como instrumento capaz de corrigir a natureza humana e toda a vida social pode ser o primeiro passo para instaurar tragédias. Aristóteles foi o primeiro grande cientista político a ver todo esse problema com muita clareza quando demonstrou que o homem é um animal destinado a viver em sociedade, e que aquele que não pode viver em sociedade é ou uma besta ou um deus. Foi o primeiro grande crítico de Platão a demonstrar a impossibilidade da Cidade Perfeita – que se fosse possível, não seria desejável (Cf. VEGETTI, 2010, p. 43). A humilde capacidade de saber que se é mortal impõe à natureza do homem a vida em comunidade, cuja amizade seria o mais alto ideal de virtude.

Na política, não há como sair da esfera da vida compartilhada com outros mortais, nossos iguais. Trata-se de aceitar a realidade tal como ela se impõe: em sua forma complexa e dinâmica. Nossas instituições serão construídas não para negar nossa natureza, mas para conseguirmos conviver com ela, sem ressentimentos e revoltas. Os dois conceitos que inspiram a visão restrita são: trocas e imperfectibilidade. Somos imperfeitos e acumulamos experiências.

Por outro lado, a "visão irrestrita" acerca da natureza humana pensa a partir de potenciais capazes de superar as restrições reais. Não há limites fixos para o aperfeiçoamento do homem. Há um dado da realidade que pode ser modificado. O pressuposto básico aqui é o de que a natureza humana consiste em material maleável pela própria razão (Cf. SOWELL, 2011, p. 33). Por isso, no termo "irrestrito" está contida "*a ideia de que o potencial é muito diferente do real*", e como argumenta Sowell, "*isso significa que existe para aprimorar a natureza humana rumo a seu potencial, ou que tal recurso pode ser desenvolvido ou descoberto, para que o homem faça a coisa certa pela razão certa*" (SOWELL, 2011, p. 31). Portanto, dois conceitos fundamentais inspiram os defensores dessa visão: "solução" e "perfectibilidade". Sowell descreve isso da seguinte maneira: *o objetivo de chegar a uma solução é de fato o que justifica os sacrifícios iniciais ou a condições transitórias que, de outra forma, seriam considerados inaceitáveis*" (SOWELL, 2011, p. 33).

Em linhas gerais, pode-se dizer que a vocação moral da visão irrestrita é universal e fundamentada em um forte sentimento de dever para com toda a humanidade. Nesse sentido, os defensores da visão irrestrita são mais otimistas e progressistas, pois concebem o "homem" como uma realidade abstrata de valor universal. Por sua vez, a visão restrita procura construir modelos de vida ética mais "circunstanciais", já que pensa o ser humano a partir de sua experiência concreta e sujeito a muitas falhas. Para a visão restrita, por exemplo, a essência da vida política, isto é, da vida de mortais vivendo em "cidades", se mantém sempre presa ao reconhecimento de que a vida humana, a despeito de todos os percalços, deverá ser compartilhada e jamais "solucionada". Formamos laços comunitários e criamos instituições para aperfeiçoar esses laços, mas nunca para aperfeiçoar a natureza humana em nome de um ideal de humanidade. A visão restrita evoca a prudência como sua virtude política por excelência, e por isso pode estar mais ligada a uma disposição conservadora moderada e cética; enquanto a visão irrestrita, além de assumir o progresso moral como um imperativo, evoca como sua principal convicção. Um valor que não se pode jamais colocar na balança. O que liga a visão irrestrita aos progressistas mais otimistas.

De qualquer maneira, o desejo de unanimidade – ou absoluta certeza acerca da perfeita justiça determinada por uma única visão – corrompe a política porque corrompe a vida em cidade. O caso é que nenhum ser humano detém o poder para mudar a sua própria realidade. Ele precisa sempre entender o fundamento de sua visão. Ao evocar esse tipo de investigação – compreender a origem ideológica das lutas políticas atuais –, penso que a postura de Thomas Sowell revela o quanto ele está comprometido com a liberdade e a pluralidade de ideias como característica essencial do mundo moderno. No fundo, esse compromisso nos ajuda a denunciar todo aquele imaginário que, ao virar as costas para realidade, tentou forjar um novo homem para uma nova sociedade. Trata-se da arrogância fatal no interior de muitas de nossas crenças cujo serviço será prestado não à construção, mas à eterna glória da destruição (Cf. BESANÇON, 2000, p. 65). Quem pretende ser porta-voz de uma solução final para o homem promove a morte da política, que nada mais é do que a morte do próprio homem, um suicídio moral já é também um suicídio. Incansavelmente, Thomas Sowell nos ensina que a investigação política não deve sucumbir ao desejo de soluções simplificadoras, é, pois, antes um estado de alerta a nós mesmos.

BIBLIOGRAFIA

BAERTSCHI, Bernard. *Ensaio Filosófica sobre a dignidade: Antropologia e ética das biotecnologias.* São Paulo: Edições Loyola, 2005.

BESANÇON, Alain. *A Infelicidade do século: Sobre o comunismo, o nazismo e a unicidade da Shoah.* Rio de Janeiro: Bertrand Brasil, 2000.

BRAGUE, Rémi. *Introdução ao mundo grego: Estudos de história da filosofia*. São Paulo: Edições Loyola, 2005.

GRÓS, Frédéric. *Estados de violência: Ensaio sobre o fim da guerra*. São Paulo: Ideias & Letras, 2009.

MARX, Karl. *MEGA – Marx-Engels Gesamtausgabe*. parte I, vol. III, p. 535.

SOWELL, Thomas. *Conflito de visões: Origens ideológicas das lutas políticas*. São Paulo: É Realizações, 2011.

VEGETTI, Mario. *Um paradigma no céu: Platão político, de Aristóteles ao século XX*. São Paulo: Annablume, 2010.

CAPÍTULO 4

O "CONFLITO DE VISÕES" DE THOMAS SOWELL: DISTINTAS VISÕES SOBRE A NATUREZA HUMANA E SUAS IDEIAS POLÍTICAS

Tommy Akira Goto

1. Introdução

O trabalho de Sowell é reconhecido por várias ideias e análises empíricas profundas na área da economia, ciências sociais e políticas, mas destaca-se, principalmente, por sua forte oposição à política da "ação afirmativa", uma política que, em síntese, busca estabelecer leis que possibilitam reservas de cotas nas universidades às minorias raciais e sociais.

Felizmente Sowell também se aventurou, como somente poucos intelectuais já haviam feito antes[21], a esclarecer as razões e

---
21 Poderíamos citar aqui pensadores como o filósofo Max Scheler na obra *Visão Filosófica do Mundo* (*Philosophische Weltanschauung*, 1928) ou mesmo Martin

as motivações que estão nas raízes das teorias e ideologias políticas. Essa análise está exposta em sua obra Conflito de visões: origens ideológicas das lutas políticas (*A Conflict of Visions: Ideological Origins of Political Struggles*), publicada orginalmente em 1987 e traduzida para o português em 2012. Nesse livro, diferentemente de seus estudos empíricos, o economista explicita que além das divergências e dos conflitos políticos existentes, também existem desavenças e conflitos ideológicos, sendo que estes não surgem das diferentes teorias, mas sim de algo ainda mais fundamental: da diferença entre "visões".

Nesse capítulo a proposta é nos atermos a essa obra, apresentando sinteticamente seus principais pressupostos epistemológico-lógicos e descrevendo suas ideias e conceitos. Outrossim, não entraremos nos pormenores do debate econômico-político, tão pouco nos diversos exemplos práticos expostos pelo autor, mas destacaremos os conceitos-chave da obra para um melhor entendimento do pensamento do autor.

O livro se divide em duas partes, totalizando nove capítulos. Na primeira parte, dividida em cinco capítulos, Sowell apresenta as noções gerais sobre aquilo que chamará de "visões", suas distinções e seus conflitos. Já na segunda parte, dividida em quatro capítulos, o autor apresenta a aplicação dessas "visões" em casos específicos (igualdade, poder, justiça) e controversos (valores e paradigmas). É interessante destacar o que afirma Sowell ao prefaciar a sua primeira edição em 1987: "*Fazemos praticamente qualquer coisa por nossas visões, exceto pensar a respeito delas. O propósito deste livro é pensar a respeito dessas visões*" (SOWELL, 2012, p. 14).

No entendimento de Sowell (2012) as "*visões*" são pressupostos analíticos básicos para a análise das teorias e ideologias, principalmente as teorias políticas, porque são a base sobre a qual as teorias e concepções são elaboradas. Elas são "*atos cognitivos pré-analíticos*" e subjetivos que nos possibilitam entender como os indivíduos percebem o mundo, seu funcionamento, assim como as raízes dos conflitos humanos. Por isso frequentemente as pessoas têm perspectivas diversas e opostas em relação aos problemas e à vida. As "*visões*", afirma Sowell, "*determinam*

Heidegger na obra *A ideia de filosofia e o problema da concepção de mundo* (*Zur Bestimmung der Philosophie*, 1919) entre os intelectuais que analisaram a questão de "visão de mundo", porém muito mais no âmbito da constituição do pensamento filosófico que no pensamento cotidiano ou mesmo social.

os temas tanto para o pensamento quanto para a ação" (SOWELL, 2012, p. 21).

No entanto, essas "visões" não devem ser confundidas com o conceito de "paradigma" de Thomas Kuhn (1922-1996), que significa um modelo teórico. "*Uma visão*", observa Sowell, "*é uma compreensão praticamente instintiva do que as coisas são e como devem funcionar*" (SOWELL, 2012, p. 234); enquanto o "paradigma" é um conceito elaborado intelectualmente, ou seja, já uma teoria científica desenvolvida por uma certa visão. As visões, então, estão na base da ciência e do pensamento social, mesmo que depois elas sejam desdobradas e sistematizadas em teorias, ideologias ou mesmo nos chamados paradigmas.

Frente a isso, o autor nos explica a importância das "visões sociais" no entendimento da realidade, porque elas "*são como mapas que nos guiam através de um emaranhado de complexidade desconcertante*" (SOWELL, 2012, p. 17) e que constituem a "*base sobre a qual as teorias se constroem*" (SOWELL, 2012, p. 18). Ainda, as diferentes "visões", mesmo que opostas, estão na base tanto moral quanto intelectualmente das pessoas, são sua "matéria-prima". Por isso, comenta Sowell que: "*Uma coisa curiosa sobre as opiniões políticas é a frequência com que as mesmas pessoas se posicionam em lados opostos acerca de diferentes questões*" (SOWELL, 2012, p. 17).

2. A VISÃO RESTRITA E IRRESTRITA

Sowell apresenta em sua análise descritiva das visões de mundo, duas "visões sociais básicas" e opostas do ser humano, as denominou de "visão restrita" e "visão irrestrita". Essas duas visões sociais se diferem quanto ao entendimento e concepção fundamental sobre o mundo e a natureza humana, e ambos aspectos estão, por sua vez, na base dos conflitos humanos. É dessa divergência de visões, como afirma Sowell, que derivam todo tipo de conflito e suas consequências, umas mais óbvias, outras menos, mas todas lógicas e evidentes.

Essas duas visões do ser humano são exemplificadas no texto, principalmente por meio dos pensamentos de Adam Smith[22]

---

[22] Adam Smith (1723-1790) – filósofo e economista britânico nascido na Escócia, considerado o pai da economia moderna e um dos mais importantes teóricos do liberalismo econômico.

e Edmund Burke[23], que representam a "visão restrita"; e pelos pensamentos de William Godwin[24] e Condorcet[25], representando a "visão irrestrita". A "visão restrita" tem um conceito menos otimista da natureza humana, pois compreende as limitações como características intrínsecas e constitutivas dos homens. Para os adeptos dessa visão, em todo o caso o ser humano é cheio de limitações, tanto morais, quanto intelectuais. É para Sowell uma perspectiva conservadora ou restrita, pois "*os homens não podem criar diretamente resultados sociais, mas somente processos sociais [...]*" (SOWELL, 2012, p. 258).

Um representante dessa visão restrita é para Sowell o filósofo e economista Adam Smith, que em 1759, em sua "Teoria dos Sentimentos Morais", afirmou que "*se [um homem] tivesse que perder seu dedinho amanhã, não dormiria esta noite; porém, se nunca visse seus dedos, roncaria com a mais profunda segurança sobre a ruína de cem milhões de seus irmãos*" (SMITH, apud SOWELL, 2012, p. 25). Isso significa que "*as limitações morais do ser humano em geral e seu egocentrismo em particular*" (SOWELL, 2012, p. 25), não são lamentadas ou consideradas como coisas para se mudar; ao contrário, são tratados como fatos intrínsecos, como características da vida, ou seja, uma restrição básica.

Por sua vez, Edmund Burke, contemporâneo de Smith, foi quem mais resumiu a "visão restrita", principalmente em sua perspectiva política, quando falou de "*uma doença radical em todas as conspirações humanas*" (BURKE, apud SOWELL, 2012, p. 26). Ou então quando disse que não "podemos mudar a natureza das coisas e dos homens, mas devemos agir sobre eles da melhor maneira" (BURKE, apud SOWELL, 2012, p. 29).

Para a "visão restrita", as ideias, as leis e as instituições são resultado de séculos de experiência e, assim, vão sedimentando conhecimentos e sabedorias implícitas que não podem ser conquistadas pela razão dos mais sábios. Assim, os processos sociais serão compreendidos em termos de características sistêmicas onde crenças, teorias e sistemas se estendem por meio de um *continuum* na experiência, e não na escolha pautada pela racionalidade consciente

---

23 Edmund Burke (1729-1797) – político liberal, filósofo, teórico político e orador irlandês.
24 William Godwin (1756-1836) – jornalista inglês, filósofo político e novelista, sendo considerado um dos primeiros expoentes do utilitarismo.
25 Marie Jean Antoine Nicolás de Condorcet (1743-1794) – cientista, filósofo, enciclopedista e político francês.

ou escolhas individuais. Comenta Sowell que os problemas do mundo são *"resultados das escolhas restritas e infelizes disponíveis em função das limitações morais e intelectuais do ser humano"* (SOWELL, 2012, p. 46).

Para alcançar o progresso e melhorar os males e os problemas do mundo, devemos confiar mais nas características sistêmicas de certos processos sociais (tradição, mercado, família), que nas escolhas individuais, racionais ou decisões criativas. Diante disso, aqueles que têm a visão restrita não acreditam e nem exigem "bons" resultados (igualdade social), ao contrário disso, buscam garantir "bons" processos (igualdade de oportunidades ou igualdade perante a lei). Sowell assim situa na tradição da "visão restrita" pensadores como Thomas Hobbes[26], Adam Smith, Edmund Burke, Alexander Hamilton[27], Oliver Wendell Holmes (1809-1894)[28], Milton Friedman[29], F.A. Hayek[30], entre outros.

Em contrapartida, temos a "visão irrestrita" que tem, por sua vez, uma visão otimista do ser humano, considerando-o um ser infinitamente perfectível, e que pode e deve alcançar, a partir de sua consciência e razão, a sua perfeição. Os adeptos dessa visão acreditam que os problemas humanos têm soluções, e que essas podem ser encontradas com esforço e boa vontade. É para Sowell uma perspectiva liberal ou revolucionária, porque *"o homem pode dominar suficientemente as complexidades sociais para aplicar diretamente a lógica e a moralidade do bem comum"* (SOWELL, 2012, p. 259) e assim, *"permite que os resultados sejam diretamente prescritos"*, ou seja, *"seus conceitos básicos são expressos em termos de resultados"* (SOWELL, 2012, p. 257).

Um dos representantes que Sowell destaca como expoente da "visão irrestrita" é o filósofo político William Godwin que em sua obra *Investigação sobre a Justiça Política* (*An Enquiry Concerning Political Justice*, [1793]) mostrou que o ser humano tem todas as condições

---

26 Thomas Hobbes (1588-1679) – filósofo, matemático e teórico político inglês.
27 Alexander Hamilton (1755-1804) – patrono da escola americana de filosofia econômica, sendo o primeiro Secretário do Tesouro dos Estados Unidos e que estabeleceu o primeiro Banco dos Estados Unidos.
28 Oliver Wendell Holmes Jr. (1841-1935) – filósofo, jurista e advogado americano, professor Universidade de Harvard e juiz da Suprema Corte.
29 Milton Friedman (1912-2006) – economista e escritor norte-americano, professor da Universidade de Chicago e um defensor público dos livres mercados.
30 Friedrich August von Hayek (1899-1992) – filósofo e economista austríaco, naturalizado britânico; considerado um dos maiores representantes da chamada "Escola Austríaca" de pensamento econômico, sendo defensor do "liberalismo clássico" e sistematizando o pensamento liberal clássico do século XX.

necessárias de criar, propositalmente, benefícios sociais, devido a sua condição virtuosa e racional. Ainda, para Godwin os homens são perfeitamente capazes de compreender as necessidades dos outros como sendo mais importantes do que as suas próprias e, assim, capazes também de agir de modo consistente e imparcial, mesmo à custa de seus próprios interesses (egocêntrico ou familiar).

Na "visão irrestrita", então, temos um ser humano que está mais direcionado ao seu potencial do que ao seu estado real. Deve, nesse sentido, buscar aprimorar sua natureza humana por meio de seu potencial fazendo: a coisa certa pela razão certa. Assim, é importante encontrar as causas específicas dos grandes males do mundo (guerra, pobreza, crimes), pois não são inerentemente restritas ao humano (como explica os adeptos da visão restrita) mas, ao contrário, há sempre uma razão para que esses problemas sejam resolvidos. Isso porque, como explica Sowell, "*temos a convicção de que escolhas estúpidas e imorais explicam os males do mundo – e que as políticas sociais mais sábias ou morais e humanas são a solução*" (SOWELL, 2012, p. 46). Podemos dizer que na "visão irrestrita" há uma motivação básica para se promover os mais altos ideais e encontrar as melhores soluções. Por fim, como pertencentes à tradição da "visão irrestrita", Sowell elencou os seguintes pensadores: J. J. Rousseau[31], Voltaire[32], Condorcet, D'Holbach[33], Saint-Simon[34], Robert Owen[35], Bernard Shaw[36] e os fabianos, Harold Laski[37], entre outros.

É importante observarmos aqui, tal como advertiu Sowell, que não há um adepto "puro" dentro das "*visões puras*", pois quase "*ninguém*

---

31 Jean-Jacques Rousseau (1712-1778) – filósofo iluminista, teórico político e escritor suíço.
32 François-Marie Arouet, conhecido popularmente como Voltaire (1694-1778) – filósofo iluminista, escritor, ensaísta francês que esteve na defesa das liberdades civis, inclusive liberdade religiosa e livre comércio.
33 Paul-Henri Thiry ou Barão d'Holbach (1723-1789) – filósofo, escritor e enciclopedista franco-alemão.
34 Claude-Henri de Rouvroy ou Conde de Saint-Simon (1760-1825) – filósofo e economista francês, um dos fundadores do socialismo teórico utópico.
35 Robert Owen (1771-1858) – reformista social galês e um dos fundadores do socialismo utópico e do cooperativismo.
36 George Bernard Shaw (1856-1950) – dramaturgo, romancista, ensaísta e jornalista irlandês, atuou como um dos cofundadores da *London School of Economics*. Foi membro da *Sociedade Fabiana*, movimento político-social britânico nascido no fim do século XIX, cujo objetivo era o desenvolvimento da classe operária para dar-lhe condições de assumir o controle dos meios de produção.
37 Harold Joseph Laski (1893-1950) – cientista político e um dos líderes do Partido Trabalhista Britânico.

acredita que o homem seja 100% limitado" (SOWELL, 2012, p. 47) ou ilimitado. O que faz um pensador pertencer mais a uma tradição ou a outra, não é se ele se refere aos limites inerentes do ser humano ou ao seu potencial ainda não conhecido, mas "*baseia-se em saber se as limitações inerentes ao homem se encontram ou não entre os elementos centrais incluídos na visão*" (SOWELL, 2012, p. 47). Por isso, mesmo Sowell destacando pensadores pertencentes a cada visão, nos diz que nem todos se encaixam nessa dicotomia esquemática, pois há vários tipos possíveis de visão, inclusive visões incoerentes e híbridas.

    É possível suspeitarmos que Sowell elencou os adeptos da "visão restrita" como "conservadores" e os adeptos da "visão irrestrita" como "progressistas" ou "liberais"; ou mesmo a "direita" e a "esquerda", pois nos parecem mais próximos da definição operacional que deu a cada tipo, quer seja: na "visão restrita", "as capacidades intelectuais, morais e ainda outras do homem são tão restritas, no que se refere a seus desejos (não somente por coisas materiais, mas também por justiça e amor, por exemplo), que seus desejos não podem ser todos completamente satisfeitos" (SOWELL, 2012, p. 119); e, na "visão irrestrita", quanto "*maior forem as capacidades intelectuais e morais do homem [...], maior será a confiança na criação direta de resultados sociais por aqueles que têm o comprometimento moral e as habilidades intelectuais necessárias*" (SOWELL, 2012, p. 123).

    Todavia, como dissemos anteriormente, há possibilidade de uma mistura de elementos das duas visões mesmo que de maneira consistente ou inconsistente, ou seja, existem as visões híbridas. No entendimento de Sowell o marxismo, o utilitarismo e o fascismo (podemos pensar no libertarianismo também), são alguns exemplos clássicos, mesmo de formas muito diferentes, de visões híbridas, pois nos impedem a identificação direta da visão restrita ou irrestrita.

3. DIFERENÇAS NA VISÃO DOS PROCESSOS SOCIAIS

    As diferentes visões dos processos sociais (econômicos, religiosos, políticos e de outra natureza) estão fundamentadas nas diferentes visões da natureza humana, fazem parte de um contexto entre a "visão restrita ou irrestrita" que, consequentemente, faz os processos sociais assumirem certas características.

Na "visão restrita", como descreve Sowell (2012), o conhecimento pessoal e individual torna-se insuficiente para tomar decisões sociais ou de planejamento do sistema. O progresso social só é possível na confiança de suas características sistêmicas e na infinidade de acordos sociais que transmitem e coordenam o conhecimento de muitos indivíduos; e não só da experiência individual, mas também a das gerações e experiências passadas. O conhecimento do processo social está no conhecimento da experiência social das massas incorporadas em seus sentimentos e hábitos, e não nas razões explícitas de alguns indivíduos, por mais talentosos que sejam.

Para Sowell um exemplo modelo do processo social na "visão restrita" é a linguagem, porque o desenvolvimento de suas regras, de sua ordem e assimilação, têm características sistêmicas, ou seja, ultrapassa a individualidade, tem uma racionalidade que é sistêmica e não individual. Dessa maneira, tal como é a natureza da linguagem, "*acredita-se ser mais eficaz que mercados se desenvolvam espontaneamente em vez de 'serem planejados' por autoridades centrais*" (SOWELL, 2012, p. 85), mesmo que seja possível dizer que "*os processos sociais devem ser julgados por sua capacidade de tirar o máximo de benefício social das potencialidades restritas do homem com o menor custo*" (SOWELL, 2012, p. 104). É, sem dúvida, uma visão com a influência do darwinismo, não no sentido da seleção de espécies, mas "dos processos sociais mais fortes".

Enquanto na "visão irrestrita", a razão e decisão assumem o lugar da experiência e, isso significa que não é possível um planejamento social e tão pouco um entendimento dos processos sociais sem o uso da razão deliberada dos seres humanos. Só com o planejamento racional e um controle direto de todo o sistema é possível entendermos e, portanto, agirmos sobre os complexos fenômenos sociais. Existe então não só a possibilidade de soluções sociais, como também de soluções óbvias. Segundo Bernard Shaw, citado por Sowell (2012), os males da sociedade não são incuráveis nem difíceis de curar quando são cientificamente diagnosticados.

A razão, a ciência e a tecnologia presentes na modernidade, se usadas adequada e moralmente bem, podem dominar as complexidades de uma sociedade, tornando sua administração viável. Todavia, deve-se ter mais especialistas que pessoas comuns para se governar uma sociedade. "*Delegar a especialistas tornou-se uma ajuda indispensável para um cálculo racional na vida moderna*" (DAHL & LINDBLOM, *apud* SOWELL, 2012, p. 91).

Se na "visão restrita" contamos com a experiência, com a sabedoria dos antigos (ou dos mais velhos) e com as características sistêmicas; na "visão irrestrita" a racionalidade consciente e o conhecimento técnico, além da criatividade e espontaneidade dos contemporâneos (os jovens) são elementos decisivos. Godwin nos ensina que não é possível tomar decisões no presente com base na "*reverência das decisões de nossos ancestrais*" (GOLDWIN, *apud* SOWELL, 2012, p. 92).

Da mesma maneira, outros componentes da vida social, como a liberdade e a justiça, são definidos de forma diversa por essas duas visões, porque as palavras usadas para caracterizar viver social (liberdade, igualdade, justiça, poder) "significam coisas completamente diferentes no contexto de diferentes pressuposições" (SOWELL, 2012, p. 257). Exemplificando isso, podemos dizer que a liberdade na "visão restrita", como observa Sowell, "*é uma característica do processo – a ausência de impedimentos externamente impostos*" (SOWELL, 2012, p. 110). Enquanto na "visão irrestrita", a liberdade, além de incluir a ausência de impedimentos externamente impostos, conta também com os "*limites circunstanciais que reduzem a gama de escolhas*" (SOWELL, 2012, p. 111). Melhor dizendo, temos a capacidade de fazer o que se quer, mas com "*o poder efetivo de fazer coisas específicas*", como resumiu John Dewey (DEWEY, *apud* SOWELL, 2012, p. 111).

Assim procede também com a justiça, que na "visão restrita" é entendida como necessária para manter a sociedade, porém deve ser usada no sentido de "*tirar o máximo de benefício social das potencialidades restritas do homem com o menor custo*" (SOWELL, 2012, p. 104). O que é certo e bom são entendidos como "*características do processo*", ou seja, "*uma corrida é justa se for realizada em condições adequadas*" (SOWELL, 2012, p. 109), e isso significa que algo é justo como se adere às regras concordadas. Tal como afirmou Hobbes: "*aquele que cumpriu a Lei, é Justo*" (HOBBES, *apud* SOWELL, 2012, p. 109).

Na "visão irrestrita" a justiça é compreendida a partir das recompensas individuais, porque se entende que a própria natureza humana é mutável. Dessa maneira, devemos então procurar analisar e julgar os resultados e, se possível, perseguir diretamente os melhores resultados. Na compreensão de Godwin, a justiça resulta da observação de cada caso individual, porque "*aquilo que não foi feito com um propósito benéfico, não é justo*" (GODWIN, *apud* SOWELL, 2012, p. 110).

4. OUTRAS DIFERENTES VISÕES: IGUALDADE, PODER E VALORES

Podemos dizer que a igualdade, o poder e os valores são também concebidos de maneira bem diferente pelos adeptos da visão restrita e da irrestrita. Vejamos algumas dessas diferenças analisadas por Thomas Sowell.

4.1. Visões da igualdade

Na "visão restrita", a igualdade é igualdade na ausência de restrições, tal como Burke afirmou: "*todos os homens têm direitos iguais; mas não para coisas iguais*" (BURKE, *apud* SOWELL, 2012, p. 143). Quer dizer que a igualdade significa estabelecer processos sociais que possam garantir tratamento igual, mesmo que os resultados possam ser ou não iguais. Como pensa Hayek:

> Tratamento igual não tem nada a ver com a questão se a aplicação dessas regras gerais em uma dada situação pode levar a resultados que são mais favoráveis para um grupo do que para os outros (HAYEK, *apud* SOWELL, 2012, p. 144).

E isso acontece porque, nessa visão, como já conceituamos anteriormente, o que é importante no ser humano são suas capacidades humanas que formam o processo e não o seu resultado.

Diferentemente disso, na "visão irrestrita", estabelecer processos iguais às pessoas diferentes significa manter e reforçar a desigualdade, assim a igualdade deve ser igualdade de probabilidades para alcançar certos resultados. Para Condorcet, "uma verdadeira igualdade" exige que "*mesmo as diferenças naturais entre os homens sejam mitigadas*" por políticas sociais (CONDORCET, *apud* SOWELL, 2012, p. 146). Assim, devemos então buscar estratégias e estabelecer políticas que possibilitem igualar as oportunidades para a conquista de determinados resultados.

É interessante notarmos, como observa Sowell (2012), que nenhuma dessas duas visões concebe os indivíduos como iguais em suas capacidades, objetivos e valores. Isso levaria a ter, consequentemente, a ideia de que bastariam os mesmos processos para gerar resultados iguais e que, se assim fosse, já satisfaria as duas visões. Ao mesmo tempo, apesar das diferenças entre as duas visões, ambas assumem a possibilidade da igualdade e atuam frente ao problema da desigualdade, pois como afirma Sowell: *"Não é sobre o nível de igualdade que as duas visões discordam, mas sobre o que deve ser igualado"* (SOWELL, 2012, p. 164).

4.2. Visão do Poder

O poder nas mais diversas situações (força, violência, guerra, crime etc.) é um importante componente para a tomada de decisão político-social nas duas visões, mesmo que tenham concepções opostas sobre o funcionamento da sociedade. No entanto, Sowell pensa que o poder tem um papel mais decisivo na "visão irrestrita", porque essa visão atribui importância à questão racional nas decisões, considerando assim que nos mais diversos fenômenos sociais existe uma oculta vontade deliberada.

Nesse sentido, a força, a violência, os crimes, por exemplo, são, na "visão irrestrita", contrárias à natureza humana, e para Sowell essas calamidades sociais são entendidas como originadas nas instituições e aparecem, justamente, por algum fracasso racional-intelectual. Nas palavras de Godwin: *"É impossível que um homem cometa um crime"*, por exemplo, *"no momento em que o vê em toda em toda a sua maldade"* (GODWIN, apud SOWELL, p. 171). Para se evitar ou reduzir essas calamidades devemos, então, recorrer à redução das razões específicas, ou seja, da pobreza, discriminação, desemprego, doença mental, porque *"pessoas saudáveis, racionais não ferirão as demais"* (CLARK, apud SOWELL, 2012, p. 171). O castigo, por exemplo, é visto como algo primitivo, pois devemos optar pela reabilitação, ou alguma solução disponível. Godwin dizia que: *"Castigo pode mudar o comportamento do homem"*, mas *"não pode melhorar seus sentimentos"* (GODWIN, apud SOWELL, 2012, p. 174).

A "visão restrita" atribui menos ênfase e importância ao papel do poder, já que entende que a maioria dos fenômenos sociais se estabelece nos processos sistêmicos, sem consciência e decisões baseadas na racionalidade. Assim, os males que envolvem a questão do poder, tais como a violência, a guerra e o crime, são reconhecidos como males inerentes à natureza humana, como analisa Sowell (2012). Dessa forma, devemos tentar dissuadir os males com a ameaça e represálias tal como Adam Smith observou que: "*a misericórdia em relação ao culpado significa crueldade para com os inocentes*" (SMITH, *apud* SOWELL, p. 173).

Assim, diferentes serão as ações e as intervenções possíveis em relação ao poder. Na "visão irrestrita" o objetivo será "*descobrir as razões especiais para os males*" (SOWELL, 2012, p. 166), enquanto na "visão restrita" o objetivo estará em "*descobrir estratagemas pelos quais podem ser contidos [esses males] – ou seja, descobrir as causas da paz ou da lei ou ordem*" (SOWELL, 2012, p. 167).

4.3. Visão dos Valores

É interessante destacar, como analisa Sowell (2012), que pessoas com os mesmos valores (morais), acabam em conclusões (sociais, políticas, econômicas) diferentes ou mesmo opostas. Cabe lembrarmos que, apesar de pessoas terem os mesmos valores em uma dada sociedade, estes estão alicerçados na "visão restrita" ou na "visão irrestrita". Assim, por exemplo:

> Gêmeos idênticos, criados para respeitar as mesmas qualidades morais na mesma ordem, devem divergir em suas conclusões se em alguma parte, ao longo do percurso um conceber atributos humanos e causalidade social como são descritos na visão restrita, e o outro os conceber como são descritos na visão irrestrita (SOWELL, 2012, p. 246).

E, mesmo que busquem um bem comum, acabam tendo diferentes ações, atitudes e concepções, devido aos tipos opostos de causalidade social. Isso significa que: "*Quando um determinado credo implica em um certo conjunto de conclusões sociais, econômicas e políticas [ideologias políticas, religiosas] é porque esse credo contém uma determinada visão de causalidade*" (SOWELL, 2012, p. 248), e não apenas uma moral ou valor. Mesmo os valores sendo vitais aos seres humanos, a conclusão de Sowell é que eles decorrem de visões, podendo assim ser analisados a partir dos comportamentos e ações daqueles que têm o poder de controlar ideias na sociedade.

5. CONSIDERAÇÕES GERAIS

Temos visto que Thomas Sowell, a partir de sua análise das ideias e conflitos políticos, defende a explicitação das "visões" por serem elas a fonte de toda diferença social e política. Embora nem todas as ideologias, teorias, valores possam ser enquadrados nas duas visões (restrita e irrestrita) apresentadas por Sowell, ao mesmo tempo as ideologias dominantes dos últimos séculos têm sido exemplos dessas duas categorias.

Em toda a obra Sowell se faz claro, didático, com vários exemplos de diferentes pensadores, mesmo que seu conteúdo muitas vezes apareça de maneira repetitiva. Apesar de analisar vários pensadores econômicos, políticos e sociais que vão de Adam Smith e William Godwin aos contemporâneos como George Bernard Shaw e Friedrich Hayek, o autor evita tomar partido entre as duas visões que identifica subjacentes às ideologias e teorias. É possível assim afirmamos que, nesse livro, Sowell não deixa que sua posição econômica e política interfira em sua análise das diferenças ideológicas e seus conflitos, tão pouco indica saídas para os conflitos das visões.

É um trabalho recomendado àqueles que querem compreender decisivamente a fonte das ideologias e dos conflitos políticos, como também aos interessados na política contemporânea. O estudo é uma apreciação da importância das visões na origem das "visões de mundo", tentando mostrar que seu conhecimento lógico pode auxiliar a dar sentido às perspectivas opostas, principalmente daqueles que discordam de nós por terem pontos de vista opostos aos nossos. Lembrando que, como expõe Sowell, essas visões não são caprichosamente escolhidas ou derivadas de causas ocultas, mas são subjetivamente constituídas como "mapas mentais".

Por fim, a proposta do economista não é encontrar ou dar soluções para os conflitos e reações políticas que vivemos nos nossos dias, mas sim demonstrar de maneira lógica e evidente as possíveis "visões" que estão por trás das ideologias e teorias que têm levado a sociedade ao embate. Conclui dizendo que:

Uma análise das implicações e da dinâmica das visões pode esclarecer questões sem diminuir a dedicação à sua visão, mesmo quando se sabe que é uma visão, mais do que um fato irrefutável, uma grande lei ou um imperativo moral opaco (SOWELL, 2012, p. 265).

BIBLIOGRAFIA

HEIDEGGER, M. *La idea de la filosofía y el problema de la concepción del mundo*. Barcelona: Herder, 2005.

SCHELER, M. *Visão Filosófica do Mundo*. São Paulo: Perspectiva, 1986.

SOWELL, T. *A Conflict of Visions: Ideological Origins of Political Struggles*. New York: Basic Books, 1987 (2007).

SOWELL, T. *Conflito de Visões. Origens ideológicas das lutas políticas*. São Paulo: É Realizações, 2012.

CAPÍTULO 5

SOWELL E UMA LEITURA SOBRE AS VISÕES DE SOCIEDADE E A REALIDADE PARALELA NA MÍDIA E NO MUNDO CIENTÍFICO

Fernanda Aquino Sylvestre

Este capítulo de livro tem como objetivo divulgar e comentar o pensamento de Thomas Sowell, procurando de modo facilitado, mas não simplista, instigar os leitores a buscar a leitura desse autor tão importante para o pensar da contemporaneidade.

Sowell afirma que os intelectuais não têm uma visão isolada sobre os assuntos em geral. A visão dos intelectuais se encontra associada com o social, com aquilo que acontece no mundo, com o que está ao redor deles. Há uma relação de causa, de associação entre as coisas que os cercam, como ocorre normalmente com qualquer pessoa. Nesse sentido, cada intelectual apresenta uma visão peculiar que dialoga com ideias do passado e do presente, ligadas às elites e também às massas. De acordo com Sowell:

Essas visões distintas, cada uma ao seu modo, fundamentam os esforços explicativos tanto dos fenômenos físicos quanto dos sociais, anunciados por intelectuais ou por outros. [...] todos os tipos de pensamentos dessa natureza, formais ou informais, têm como ponto de partida alguma espécie de pressentimento, uma suspeita ou algum tipo de intuição estruturante cuja aplicação gera uma visão e estabelece conexões causais. A análise sistemática de uma visão, em suas implicações pode produzir uma teoria que poderá, por sua vez, ser refinada em hipóteses específicas, as quais serão testadas empiricamente. Todavia, a ideia preconcebida e supostamente não científica estará lá, como afirma o historiador britânico Paul Johnson (SOWELL, 2011, pp. 125-126).

Assim, notamos que as ideias de um intelectual não partem do vazio, mas são fundamentadas em outras para gerar uma suspeita, uma intuição, uma hipótese específica, uma teoria que será testada empiricamente, sem, contudo, apagar a ideia embrionária não científica.

Um ponto importante, destacado por Sowell a respeito dos intelectuais contemporâneos, é a premissa de que eles não se percebem apenas como uma elite, mas como uma elite ungida, "*como portadores da missão de guiar os outros para a realização de uma vida melhor*" (SOWELL, 2011, p. 126). Os intelectuais contemporâneos acreditam, portanto, ser uma espécie de Deus, agem demiurgicamente, acreditando poder salvar a humanidade, dar a ela uma vida melhor a partir daquilo que supõem ser o certo.

Sowell ressalta que há um núcleo central de intelectuais com diversos seguidores gravitando ao redor deles. A partir dessa observação, o autor questiona qual seria a visão que predomina e estrutura o pensamento da *intelligentsia* e qual seria o que se opõe como visão alternativa a ela. Como exemplo de intelectual típico, Sowell cita John Stuart Mill (1806-1873), já que este acreditava no papel diferenciado dos intelectuais, considerando-os as mentes pensantes, os mais sábios e preparados para conduzir os seres humanos para um caminho melhor, porque "*constituíam a vanguarda do pensamento e do sentimento na sociedade*" (SOWELL, 2011, p. 126). Ainda hoje, muito tempo depois de Mill, Sowell acredita que o papel da *intelligentsia* não foi alterado.

Além de Mill, Sowell cita Jean-Jacques Rousseau e sua ideia de que o homem nasceu livre, mas vive acorrentado, pensamento que sintetiza a visão dos intelectuais ungidos:

> Segundo ela, as restrições sociais são causa fundadora de toda infelicidade humana e explicam por que o mundo que nos rodeia difere, grandemente, do mundo em que gostaríamos de viver. Nessa visão, opressão, pobreza, injustiça e guerra são resultado das instituições existentes, problemas cujas soluções exigem a mudança das instituições, o que, por sua vez, implica na mudança das ideias que amparam, na base, essas instituições. Portanto os males da sociedade são vistos fundamentalmente como um problema de ordem moral e intelectual, para a extinção dos quais os intelectuais estão especialmente equipados devido ao maior conhecimento e *insight* que detêm (SOWELL, 2011, p. 126).

A visão do intelectual ungido encontra forças e se perpetua como pensamento social sustentada na ideologia do contraste entre a extrema pobreza e o luxo. Esse contraste funciona como suporte para a agenda e os interesses de dominação dos intelectuais ungidos que acreditam poder até resolver problemas psicológicos das pessoas, como os estigmas sociais e os traumas de guerra.

Ao lado da visão dos intelectuais ungidos, aquela que postula que o mundo apresenta muitos problemas capazes apenas de serem resolvidos por esses intelectuais, há, consoante Sowell, uma outra visão contrária, na qual os defeitos inerentes aos seres humanos são vistos como problemas relevantes. Temos, portanto, duas visões radicalmente distintas na sociedade, uma que aponta que a sociedade deve ser corrigida por meio da melhoria dos intelectuais e outra, conhecida como visão trágica, que pressupõe que a civilização é imperfeita por natureza e precisa se esforçar para continuar existindo.

Na visão trágica, como o homem é imperfeito, há uma ideia de esforço coletivo para a melhoria e sobrevivência do homem. A ênfase dessa concepção se dá pelo conhecimento e experiência acumulados no passado e no presente por milhares de pessoas. Na visão do intelectual ungido, prevalece a ideia de que há uma enorme quantidade de conhecimento, de saber e de inteligência reservados a poucos, a uma minoria superior e especial:

Para os integrantes da visão do intelectual ungido, são males como pobreza, crime, guerra e injustiça social que precisam ser explicados, mas para os integrantes da visão trágica, são coisas como prosperidade, lei, paz e justiça alcançadas que requerem não apenas explicação, mas esforços constantes, negociações e sacrifícios para serem preservadas (SOWELL, 2011, p. 130).

A visão dos intelectuais ungidos e a trágica não diferem apenas na maneira de ver o mundo, mas também na forma como cada membro delas enxerga a si mesmo. Os que concordam ou defendem os elementos atrelados à visão trágica, por exemplo o livre mercado, o pensamento tradicional, a lei como algo a ser obedecido, são pessoas que simplesmente acreditamos nesses valores. Todavia, aqueles que defendem a concepção do intelectual ungido, que dizem lutar pela justiça social, pela conservação do meio ambiente e o fim das guerras não o fazem apenas para justificar ou defender suas crenças, mas porque acreditam que seus atos e pensamentos os colocam em uma posição de superioridade moral, como defensores dos oprimidos, promotores da paz e salvadores do planeta. Os intelectuais ungidos acreditam ser superiores, porque supõem que as outras pessoas não se preocupam em defender o lado mais fraco e nem podem mudar o planeta para melhor.

Sobre os conflitos entre a visão dos intelectuais ungidos e a trágica, Sowell postula que os artifícios retóricos que as sustentam são apenas argumentos sem provas, sem evidências empíricas, ou seja, sem comprovação científica. Pensadores com visões diferentes costumam usar uma tática bastante eficiente de debate, a alegação de que os argumentos contrários às suas crenças não têm valor porque são simplistas. Ao depreciar seus adversários, colocam-se numa posição superior, sem, contudo, apresentar nenhum pensamento ou argumento sólido.

Sowell chama atenção para o fato de que não é a simplicidade do argumento que o enfraquece ou invalida, mas o fato de estar errado. Para justificar seu pensamento, o autor dá como exemplo a experiência desenvolvida com vinhos, do professor Orley Ashenfelter, da Universidade de Princeton, que antecipava os preços de algumas marcas da bebida, com base apenas nas estatísticas climáticas da época de crescimento das vinhas, sem degustar os vinhos ou consultar especialistas no assunto. Embora simplista, o método de Ashenfelter comprovou-se mais eficiente do que o dos enólogos. Por isso, para Sowell, somente após um método se mostrar equivocado é que ele pode ser considerado simplista.

O que ocorre atualmente, conforme Sowell,

> [...] é que o uso indiscriminado da palavra simplista acabou se tornando uma argumentação amplamente usada toda vez que não se dispõe de provas concretas, uma forma de desqualificar visões opostas sem a necessidade de confrontá-las com evidências ou análises (SOWELL, 2011, p. 134).

Ainda sobre a visão dos intelectuais ungidos e a trágica, Sowell destaca que quanto à primeira visão, seus defensores costumam ser mais passionais. Para os que se opõem às ideias dos intelectuais ungidos, suas crenças funcionam apenas como um conjunto de hipóteses que podem ou não se confirmar empiricamente e não a crença de que estão "*defendendo suas próprias almas*" (SOWELL, 2011, p. 139). Para Sowell, essa diferença de envolvimento emocional esclarece a tendência de os intelectuais ungidos considerarem os que não pensam como eles como adversários sem méritos, inimigos moralmente deficientes.

A fim de ilustrar o relato do parágrafo acima, Sowell cita Epstein na obra *True Virtue*, quando ele diz que se alguém discorda de um integrante da direita, ele pode considerar essa pessoa equivocada e tola. Caso se descorde de um esquerdista, ele provavelmente taxará essa pessoa de egoísta, insensível, maligna. Em suma, os defensores da visão trágica e dos intelectuais ungidos acreditam que os que são contrários às suas ideias estão equivocados, entretanto, os adeptos dos intelectuais ungidos creem que seus opositores "*são desprovidos de compaixão*" (SOWELL, 2011, p. 138). Hayek, em 1944, conforme aponta Sowell, já caracterizava seus adversários como "*idealistas meramente tacanhos*" e "*autores cuja sanidade e cujo desinteresse eram fortemente suspeitos*" (SOWELL, 2011, p. 139).

De acordo com Sowell:

> A sinceridade e os sentimentos humanos são frequentemente negados aos adversários ideológicos por aqueles que têm a visão do intelectual ungido em nome de várias justificativas, como, por exemplo, por ser contrário ao estabelecimento de leis de salário mínimo ou de controle sobre os preços dos aluguéis,

posturas que são interpretadas como reveladoras de uma absoluta falta de compaixão com os pobres. Todavia, as questões sobre a validade empírica ou analítica de tais argumentos é deixada de lado. Mesmo que pudesse ser provado como certo que os adversários desses e de outras agendas "progressistas" são verdadeiros canalhas, ou mesmo pessoas venais, isso ainda não constituiria resposta aos argumentos levantados por eles. Ainda assim, alegações que acusam oponentes ideológicos de racistas, machistas, homofóbicos ou "incapazes de entendera questão" são geralmente empurradas pela *intelligentsia* substituindo refutações específicas sobre argumentos discutidos (SOWELL, 2011, p. 139).

Outro ponto importante tratado por Sowell é a dicotomia esquerda-direita. O autor acredita que essa dicotomia seja uma das questões mais controversas nas discussões acerca das questões ideológicas. Quando se toma literalmente a palavra esquerda, assume-se de imediato que existe uma direita. Sowell relembra a origem da palavra "esquerda", relatando que teve suas bases históricas no século XVIII, com os políticos que se sentavam à esquerda do Presidente da Assembleia nas reuniões dos Estados Gerais da França. Atualmente, atribui-se à esquerda "*a visão que promove a tomada de decisões coletivistas, por meio da ação direta do governo e de suas agências, os quais visam ao objetivo de reduzir as desigualdades socioeconômicas*" (SOWELL, 2011, p. 148).

Sowell acredita que a heterogeneidade da direita não seria o único entrave da dicotomia esquerda-direita, já que há nuances também dentro da esquerda. Um grande problema seria que a *intelligentsia* tende a minimizar essas nuances. Em seguida, o autor passa a descrever algumas noções que compõem a dicotomia esquerda-direita, por exemplo o comunismo e o fascismo, dizendo que

> O que distinguia os movimentos fascistas, em geral, dos movimentos comunistas era o fato de os comunistas estarem oficialmente comprometidos com a apropriação governamental dos meios de produção, enquanto os fascistas permitiam a manutenção da propriedade privada dos meios de produção desde que o governo direcionasse as decisões dos proprietários e limitasse os índices de lucro que esses proprietários poderiam receber (SOWELL, 2011, p. 150).

THOMAS SOWELL E A ANIQUILAÇÃO DE FALÁCIAS IDEOLÓGICAS

Comunismo e fascismo, para Sowell, estão muito próximos e a ideia de que fazem parte de polos ideológicos não se sustenta mais. Ao se comparar esses dois movimentos totalitários e suas agendas, incluindo a agenda da esquerda, vê-se que eles têm mais semelhanças do que as agendas da maioria dos grupos conservadores. Sowell chama atenção para a questão de que o conservadorismo não apresenta um conteúdo ideológico específico, já que essa agenda muda dependendo da época e do que se quer conservar. Nos últimos dias da União Soviética, os que queriam preservar o regime comunista, por exemplo, eram denominados conservadores, embora não tivessem nenhuma ideia comum com as de Friedman, Hayek e Buckley.

Sobre a questão direita-esquerda, Sowell ainda acrescenta que a esquerda democrática opta por tomadas de decisão coletivistas, impostas de cima para baixo, como também optavam os fascistas italianos e os nazistas alemães. A esquerda democrática também compartilha com eles uma política de cunho intervencionista e supostamente a favor do povo, das massas, embora esses não tenham autonomia em suas decisões, quem decide pelos trabalhadores, pelo povo, são os intelectuais ungidos, ou seja, aqueles que acreditam ser moralmente superiores e saber o que é melhor para as massas.

Muitos pensadores que supostamente defendiam as massas, na verdade as repudiavam:

> Rousseau, apesar de toda ênfase que deu à "vontade geral", deixou às elites o papel exclusivo de interpretar essa vontade geral. Ele via as massas como algo parecido a um "estúpido e pusilânime inválido". Godwin e Condorcet também expressavam, no século XVIII, um desprezo semelhante às massas. Karl Marx disse: "Ou a classe trabalhadora se faz revolucionária ou não é nada". Em outras palavras, para esses intelectuais, milhões de seres humanos só tinham qualquer importância se adotassem a visão deles. O socialista George Bernard Shaw incluía a classe trabalhadora entre os tipos "detestáveis", pessoas que não têm direito de viver (SOWELL, 2011, p. 158).

Para finalizar a discussão sobre a dicotomia direita-esquerda, Sowell aborda a obsessão da esquerda pelo controle do Estado, sempre com a desculpa de que ele estaria sendo usado em benefício do povo, porém, na realidade, o que ocorre são abusos de todos os tipos, como os genocídios e assassinatos em massa, realizados por Hitler, Stalin, Mao, entre outros ditadores.

Sowell discute a questão da mudança e do *status quo*. Para Sowell, a esquerda só aceita a mudança do *status quo*, quando ela beneficia seu viés ideológico. Mesmo mudanças importantes para toda a população são ignoradas em benefício da manutenção daquilo que a esquerda acredita, ou seja, tudo o que promove o uso ideológico e partidário do pensamento de esquerda. Nesse sentido é interessante mencionar a célebre frase de George Orwell (1903-1950), em *A Revolução dos Bichos*: "Todos os animais são iguais, mas alguns são mais iguais que outros".

Os sórdidos interesses da esquerda são expostos por Sowell, que diz que ela se omite, por exemplo, em mencionar os benefícios e mudanças ocorridas na década de 1920 nos EUA, entre eles o uso da eletricidade, dos carros, do rádio e do transporte aéreo comercial. Qual seria a justificativa para a esquerda ignorar transformações tão relevantes? A resposta seria a não contribuição dessas mudanças em relação aos mecanismos sociais da forma como a esquerda os entende. Quando a década de 1920 é citada pela *intelligentsia*, geralmente é lembrada como uma época de manutenção do *status quo*, de estagnação.

Ainda para sustentar seus argumentos sobre a falácia da visão dos intelectuais ungidos e da esquerda, Sowell discute a questão da retórica. Para que o papel dos intelectuais seja entendido, deve-se compreender não só a retórica desses intelectuais, mas focar na realidade de suas preferências, no modo como elas se apresentam. Não basta que se preste atenção no que um intelectual diz, porque as palavras nem sempre dão conta de expressar algo claramente. Mesmo o que se diz de maneira bem articulada, pode não representar o real comportamento de uma pessoa.

Sowell lembra que um homem, por exemplo, pode defender a importância de se aparar um gramado em detrimento da de se passar horas diante de um aparelho de televisão e não agir conforme sua crença. Assim, nota-se que a retórica de uma pessoa e suas crenças nem sempre se refletem nas preferências reveladas.

Os intelectuais usam, então, consoante Sowell, a retórica de que se preocupam com o bem-estar das pessoas, principalmente das minorias, dos pobres, dos injustiçados socialmente, das espécies que podem ser extintas no meio ambiente, porém há que se observar quais as preferências verdadeiramente reveladas por meio de seus comportamentos, de suas atuações. Tem-se que observar como essas promessas de um bem maior para as minorias, pobres etc., se materializam, se concretizam no mundo. Os discursos por um bem maior são muitos, mas poucos se efetivam na prática, muitos são falaciosos.

A verdadeira face da *intelligentsia* é revelada, muitas vezes, por meio do ressentimento, quando os que a sustentam descobrem que políticas diferentes das suas são eficientes. A *intelligentsia* não admite o sucesso de pautas e programas que fujam de suas "cruzadas sociais", mesmo que elas sejam um fracasso, ou que outras sejam mais efetivas do que as que propõe.

Pode-se notar esse ressentimento, conforme aponta Sowell, em fatos como o citado abaixo:

> A respeito da baixa qualidade da educação na maior parte das escolas de negros, estudos realizados em escolas específicas, onde estudantes negros obtinham ou superavam as médias nacionais, despertaram pouco ou nenhum interesse entre a maioria dos intelectuais, mesmo entre aqueles que são ativos participantes das questões raciais. Assim como aconteceu no caso de milhões de pessoas que saíram da pobreza em países de Terceiro Mundo, essa falta de interesse por pessoas que, em outras circunstâncias, mostram-se altamente engajadas com as questões raciais, revela a real preferência: a condenação, como um todo a das escolas mal sucedidas e da sociedade que mantém essas escolas (SOWELL, 2011, p. 170).

Sobre a juventude *versus* a velhice, Sowell chama atenção para o diferente entendimento a respeito do papel desempenhado pelos jovens sob o olhar da visão trágica e do intelectual ungido. Para o último, a esperança de um mundo melhor reside nos jovens, enquanto para aqueles que tomam para si os preceitos da visão trágica, os mais velhos parecem ser mais confiáveis pelo fato de acumularem mais experiências do que os jovens.

A ideia que a *intelligentsia* veicula de que os jovens devem ensinar os mais velhos tem suas raízes no século XVIII e foi muito propagada na década de 1960. Os jovens se configurariam, então, de acordo com essa concepção como os que são capazes de trazer inovações, porque estariam menos presos ao *status quo*, como mostra a seguinte citação a respeito das palavras do filósofo William Godwin, proferidas no século XVIII. Para ele, as crianças:

> "São como matérias-primas colocadas em nossas mãos" e a mente delas é "como folhas de papel em branco". Ao mesmo tempo, elas são oprimidas pelos pais e precisam passar por "vinte anos de cativeiro" antes que recebam "a minguada porção de liberdade que o governo de meu país oferece para seus súditos adultos". Certamente que, nessa visão os jovens são vistos como candidatos para "libertação" tanto de si mesmos, quanto da sociedade, uma visão ainda em plena vigência entre os intelectuais mais de dois séculos depois (SOWELL, 2011, p. 173).

Sowell mostra que pensamentos como os de Godwin, em que os jovens fazem o papel de matéria-prima para os adultos, devendo ser, então, por eles conduzidos, tornam-se uma forte oportunidade para a doutrinação tanto na sala de aula de crianças e jovens, quanto nas universidades. Intenciona-se mudar os jovens, apartá-los das ideias dos pais. Conforme Sowell, o processo de doutrinação começa cedo nas escolas, quando os professores tratam de assuntos controversos, pedindo posicionamentos aos alunos sobre temas complexos e delicados, que são tratados de forma unilateral, induzindo-os ao tratamento passional das questões discutidas, ao invés de se estimular a análise de evidências e argumentos:

> Em poucas palavras, elas são condicionadas a tirar conclusões pré-fabricadas, em vez de ser equipadas com as ferramentas intelectuais apropriadas para que possam se tornar capazes de elaborar suas próprias conclusões, incluindo conclusões diferentes das de seus professores. Nas faculdades e universidades, departamentos acadêmicos inteiros funcionam e trabalham para a elaboração de conclusões pré-fabricadas, seja em relação às questões sobre raça, meio ambiente ou outros assuntos, que recebem o nome de "estudos" sobre a questão dos negros, do meio ambiente e das mulheres. Poucos ou mesmo nenhum desses "estudos" analisam visões conflitantes, ou mesmo comparam evidências conflitantes, como seria exigido dentro dos moldes e critérios de um estudo acadêmico, em vez de meramente ideológico (SOWELL, 2011, p. 175).

Conclui-se, então, que as escolas e universidades são meios de aparelhamento ideológico, enquanto deveriam tratar de buscas científicas e estudos sérios que promovessem o amplo debate e a diversidade de ideias. Essa discussão proposta por Sowell é bastante pertinente no atual contexto, especialmente no Brasil, em que se está discutindo a questão do projeto Escola Sem Partido, criado em 2004 para combater a doutrinação ideológica nas escolas. Os intelectuais ungidos e a esquerda em geral tendem a criticar projetos como esse, acusando-os de tolher a liberdade de expressão. Na verdade, eles temem que a abertura para discussões amplas sobre assuntos delicados, como a questão de gênero, feche as portas para a doutrinação e para o angariar de minorias que possam aderir a seus discursos e disseminar suas ideias desde jovens.

Sobre a questão dos princípios dos intelectuais ungidos, Sowell aponta para o fato de que eles só são relevantes quando favorecem suas agendas e ideologia. Um dos muitos exemplos enumerados pelo pensador é a receptividade de alguns intelectuais pela redução da pena das mulheres homicidas, sob a alegação de terem sofrido maus tratos na infância ou terem sido espancadas quando adultas; e a condenação da redução da pena para policiais homicidas que dispunham de poucos segundos para agir. Nota-se, a partir dessa postura, que esses intelectuais se sustentam por meio do vitimismo e pela necessidade de defender as minorias, como as mulheres, a fim de sustentar seus discursos e reforçar suas práticas, angariando adeptos de sua ideologia. Ao defenderem apenas a mulher e não os policiais, verifica-se a parcialidade dos que a defendem, como se os policiais fossem mais culpados e perversos, menos vítimas.

Sowell também aborda as falsas crenças dos intelectuais e acredita que elas não ocorrem de maneira aleatória. De acordo com o autor, muitos intelectuais se valem da ideia de que a sociedade é defeituosa e precisa de intervenções políticas para consertá-la, com o objetivo de privilegiar e sustentar a visão da *intelligentsia*. Passa-se a noção de que o mundo é povoado por pessoas abstratas, ou seja, idealizadas, que não têm características próprias e idiossincrasias e devem viver sob a égide das crenças dos intelectuais ungidos. Tratar as pessoas de maneira abstrata é apagá-las como ser humano individual, por isso as pessoas abstratas são inseridas em categorias estatísticas e tratadas como homogêneas,

> [...] como vida familiar e índices de renda, sem, contudo, precisar haver a menor preocupação se essas categorias estatísticas estão falando de pessoas semelhantes ou se falam do mesmo número de pessoas, ou de pessoas que diferem expressivamente em relação à idade ou em distinções mais finas [...]. Podem ser enviadas "de volta" para lugares onde nunca estiveram. Dessa forma, famílias alemãs que viveram por séculos em regiões da Europa oriental e nos Bálcãs foram mandadas de volta para a Alemanha, depois da Segunda Guerra Mundial, pois a maior parte das populações que viviam nessas regiões reagiu ressentidamente ao fato de terem sido maltratadas durante a ocupação nazista, impondo, então, uma massiva limpeza étnica de alemães em seu país depois da guerra. Muitas dessas pessoas de carne e osso e de ancestralidade alemã nunca tinham pisado na Alemanha, para onde estavam sendo mandadas "de volta". Apenas como abstrações intemporais elas tinham vindo de lá (SOWELL, 2011, p. 180).

O intelectual que admite a desigualdade de grupos ou indivíduos é denunciado, atacado moralmente, considerado preconceituoso e intolerante. A ideia que se concebe como correta é a de que os indivíduos e grupos não podem ser diferentes e se o são, a culpa é da sociedade que tem obrigação de reparar seus erros, sua má conduta. Entretanto, as pessoas reais não são tão iguais quanto as abstratas. Para ilustrar essa ideia, Sowell exemplifica:

> Como as pessoas que vivem nas montanhas do Himalaia poderiam desenvolver as mesmas habilidades marítimas de pessoas vivendo nos portos do Mediterrâneo ou do Atlântico? Como os polinésios poderiam saber lidar com os camelos tão bem como os beduínos no Saara ou, inversamente, como os beduínos poderiam ser pescadores tão habilidosos quanto os polinésios? (SOWELL, 2011, p.184).

Sowell também ilustra a questão das diferenças ao mostrar que o negro se destaca enquanto jogador de basquete em relação ao branco. Depois de exemplificar, o autor conclui, dizendo que não há nada errado em se assumir que os indivíduos e grupos sejam diferentes em suas habilidades empíricas, embora alguns intelectuais insistam em dizer o contrário para favorecer suas ideologias.

THOMAS SOWELL E A ANIQUILAÇÃO DE FALÁCIAS IDEOLÓGICAS

A grande questão para Sowell não é acusar a *intelligentsia* de estar equivocada, mas mostrar que tratar as pessoas em termos abstratos, como se vivessem em um mundo abstrato é remover a responsabilidade dos intelectuais quanto à responsabilidade que têm em relação às pessoas reais, habitantes de um mundo real capaz de explicar

> As discrepâncias entre o que os intelectuais veem e o que eles gostariam de ver. Muitos dos que são tidos como problemas sociais são, na realidade, as diferenças entre teoria e realidade que muitos intelectuais interpretam como erros do mundo, que necessita ser reformado. Além do mais, essas mudanças serão implantadas de cima para baixo nas instituições e não nas culturas, as quais são tidas como iguais perante a doutrina reinante do multiculturalismo (SOWELL, 2011, p. 187).

Sowell mostra que os membros da *intelligentsia* e seus agentes usam a manipulação, a filtragem de fatos, a redefinição de termos e a problematização da noção de verdade como forma de preservar a visão do intelectual ungido.

São criadas realidades paralelas, a medida em que as informações são manipuladas, filtradas e destorcidas em benefício da manutenção de uma ideologia ou agenda. Sowell, a esse respeito, cita o cientista político austríaco J. A. Schumpeter (1883-1950), que acreditava que a primeira coisa que um homem faria para manter suas ideias seria mentir. Para Sowell não seria nem necessário chegar a mentir, apenas mostrar seletivamente os fatos, expondo apenas um lado da moeda já seria suficiente para mascarar a verdade, criar realidades paralelas.

Essas manipulações são postas em pratica há bastante tempo. Na época da Segunda Guerra Mundial, por exemplo, cita Sowell, Bennet Cerf (1898-1971), da editora Randon House, queria retirar de circulação os livros que criticavam a União Soviética, deixando para o público leitor apenas "amostras seletivas", como denomina Sowell.

Há diversas maneiras de se selecionar os fatos, uma delas é justamente a manipulação. Sowell exemplifica essa questão com o fato de que muitas vezes se mostra, nos EUA, que o padrão de vida dos negros é mais baixo que o dos brancos, mas se omite a ascensão financeira dos asiáticos, que também seria um grupo minoritário:

> Mesmo quando os dados são mostrados contemplando todos esses grupos, os asiáticos tendem a ser censurados das "notícias", as quais são, na verdade, editoriais cujo compromisso é mostrar o quanto o racismo branco é a razão principal para os baixos salários ou a baixa mão de obra, além de outros infortúnios que os grupos de não brancos sofrem. (SOWELL, 2011, p. 190).

Além da manipulação de dados, Sowell chama atenção para a manipulação de números e dados estatísticos em benefício de uma dada visão. Segundo o autor, são omitidos dados aos quais as pessoas em geral jamais teriam acesso. A supressão de dados estatísticos leva as pessoas a acreditarem em uma parcialidade que compromete seu juízo de valor, fazendo-as ficar do lado dos intelectuais ungidos, sem oportunidade de confrontar e questionar fatos diversos. Sowell exemplifica a manipulação da mídia por meio dos números, citando o exemplo do porte de armas. Pesquisas mostraram que, na Grã-Bretanha, onde há um controle rígido do uso de armamentos, o número de homicídios é menor do que nos EUA, onde o porte de armas é permitido. A partir desses resultados, a mídia se deu por satisfeita e, grande parte dela, como sustentadora da *intelligentsia*, não se preocupa em verificar outros resultados. Não menciona, por exemplo, que a Rússia, o México e o Brasil, países com controles rigorosos do porte de armas, apresentam números mais alarmantes de homicídios que os Estados Unidos.

O perigo da manipulação por meio da mídia reside na facilidade de que ela dispõe para controlar as massas, através de seus filtros:

> Não é necessário que indivíduos particulares ou quadrilhas inteiras concebam planos de falsificação deliberada a fim de produzir um retrato distorcido da realidade que se encaixe na visão do intelectual ungido e descarte a realidade do mundo. É necessário somente que aqueles que têm o poder de filtrar as informações, seja no papel de jornalistas, editores, professores, acadêmicos ou produtores e diretores de filmes, decidam que há certos aspectos da realidade que as massas "não compreenderiam corretamente" e que um senso de responsabilidade social clama, por parte dos que detêm o poder de filtragem, pela supressão de alguns dados (SOWELL, 2011, p. 200).

Aspectos que possam pesar negativamente em relação aos homossexuais sempre são higienizados pela mídia e no mundo acadêmico, entretanto qualquer imagem que mostre o homossexual como vítima é divulgada incessantemente.

O uso tendencioso de informações, além de produzir fatos fictícios, também produz, aos olhos de Sowell, pessoas fictícias. De acordo com o autor, o exemplo mais notável a ser citado é a figura de Herbert Hoover (1874-1964), ex-presidente dos EUA, que, embora tenha arriscado sua fortuna para ajudar pessoas que passavam fome na Europa, durante a Primeira Guerra Mundial, ficou conhecido como um homem frio e insensível, quando na verdade foi um dos homens mais humanitários do século. Isso ocorreu porque a *intelligentsia* divulgou apenas sua imagem como um presidente sem ação, porque queria que o mundo comprasse a ideia de que o governo deveria permitir que a economia se desenvolvesse por si mesma. Por isso, resolveram veicular que Hoover só se importava com os ricos:

> O Hoover fictício era insensível aos destinos do trabalhador comum, mas o Hoover real foi elogiado pelo líder da Federação Americana do Trabalho por seus esforços em evitar que o setor industrial reduzisse os salários dos empregados durante a depressão (SOWELL, 2011, p. 210).

O verdadeiro Hoover só foi resgatado no governo de Truman, quando ele o chamou para ajudá-lo a organizar o envio de alimentos para a Europa, que estava arrasada pela Segunda Guerra Mundial. Posteriormente, Hoover foi chamado para coordenar uma comissão de investigação da eficiência das agências do governo. Somente após ser regatado por Truman, Hoover se livrou, ainda que de forma insuficiente, do papel que a *intelligentsia* lhe havia atribuído propositalmente.

Um conceito caro a Sowell, relacionado com a questão da manipulação de informações é o de eugenia verbal, entendido como a limpeza étnica que se efetiva pelos filtros impostos pela mídia e pelo mundo acadêmico ao eliminarem os elementos indesejáveis aos seus propósitos. A eugenia verbal ocorre, por exemplo, quando

> Palavras que adquirem conotações particulares ao longo dos anos a partir das experiências acumuladas de milhões de pessoas,

atravessando sucessivas gerações, passam a ter seu significado corrompido por um número relativamente pequeno de intelectuais contemporâneos, os quais simplesmente suprimem o antigo termo, substituindo-o por outro para designar coisas iguais, até que novas palavras substituam as antigas. Portanto, "mendigo" foi substituído por "sem-teto", "pântano" por "paraíso das águas" e "prostitutas" por "profissionais do sexo" (SOWELL, 2011, p. 223).

A eugenia verbal parece ocorrer em função da agenda do politicamente correto. No Brasil, expressões como "ovelha negra" e a palavra "doméstica" têm sido condenadas por estarem relacionadas a uma visão que, aos olhos da *intelligentsia*, é depreciativa.

Sobre a objetividade e a imparcialidade na mídia e por parte dos intelectuais, Sowell condena aqueles que usam seus discursos para justificar a manipulação e a seleção que fazem dos fatos, acusando-os de desonestidade. Quem manipula fatos em benefício próprio tira das pessoas o direito que têm de conhecer o mundo como ele é e de tirar suas próprias conclusões sobre os fatos.

Para Sowell, os intelectuais, como todas as pessoas, até mesmo os cientistas não são totalmente objetivos e imparciais, mas não podem usar o discurso para manipular ou fraudar os fatos:

> [...] um cientista que manipulasse os fatos a fim de favorecer uma teoria de sua preferência sobre o câncer seria considerado uma aberração e ficaria completamente desacreditado, assim como um engenheiro que fizesse o mesmo ao construir uma ponte (SOWELL, 2011, p. 228).

Um último ponto, necessário de se comentar, trazido por Sowell, é a problematização do conceito de verdade. Esse conceito vem sendo solapado, quando se vende a ideia de que a verdade de um pode não ser a de outro: *"como se a verdade pudesse ser transformada em propriedade privada, quando seu significado está, na realidade, todo alicerçado na comunicação interpessoal"* (Sowell, 2011, p. 230).

A ideia de que toda realidade é construída socialmente, consoante Sowell, é superficial, já que não tem uma validação da experiência, baseando-se apenas no consenso entre os que acreditam em uma determinada visão que os favorecem.

As considerações de Sowell são uma pequena amostra da vasta contribuição que o economista apresenta em torno de assuntos bastante relevantes para a contemporaneidade, assuntos importantes que permitem o questionamento da *intelligentsia* e seus mecanismos de manipulação para manter viva sua agenda. Ler Sowell é ter a oportunidade de conhecer novas perspectivas e refletir sobre caminhos diversos, livres das amarras da mídia tendenciosa e da academia dominada pelos intelectuais ungidos. Espera-se, então, que os temas apresentados nesse texto sirvam como ponto de partida para a leitura desse pensador e façam germinar as sementes de novas perspectivas.

BIBLIOGRAFIA

SOWELL, Thomas. *Os intelectuais e a sociedade*. São Paulo: É Realizações, 2011.

SOWELL, Thomas. *The Vision of the Anointed: Self-Congratulation as a Basis for Social Policy*. New York: BasicBooks, A Division of HarperCollins, Inc., 1995.

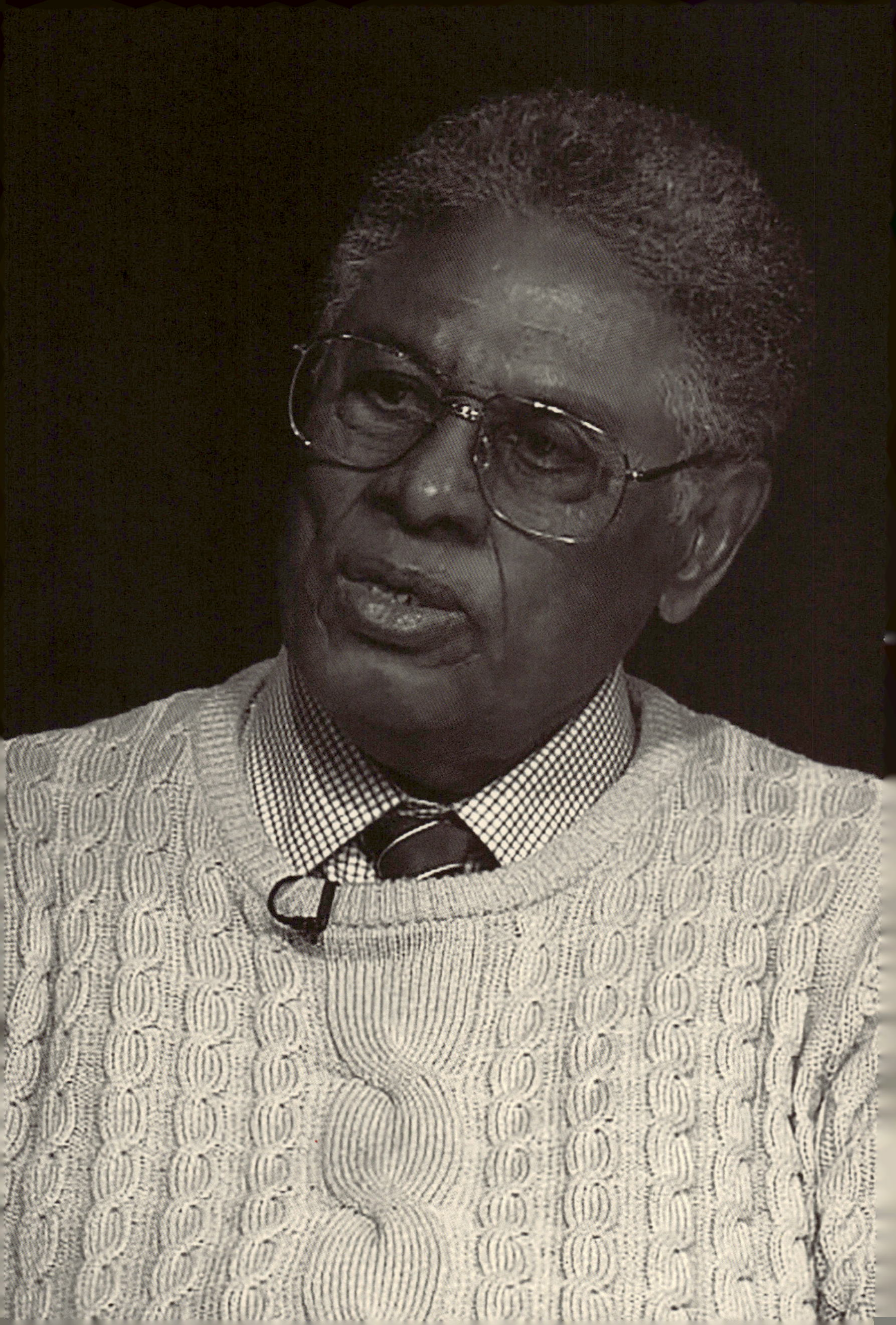

CAPÍTULO 6

A SEGURANÇA COMO VIRTUDE E A INSEGURANÇA CRIADA PELOS VIRTUOSOS

Francisco Ilídio Ferreira Rocha

1. ATIVISMO JUDICIAL

Não é incomum nas Ciências Humanas e Sociais Aplicadas, a enunciação de que o Direito é o mais conservador dos âmbitos institucionalizados de controle social. A própria natureza do ordenamento jurídico e os primados do Estado de Direito – especialmente o princípio da legalidade, garantindo que ninguém será obrigado a fazer ou deixar de fazer algo senão em virtude de uma lei prévia –, pressupõem a segurança jurídica e, por conseguinte, a conservação das condições jurídicas, como condição essencial para a liberdade individual. Daí que a estabilidade dos valores jurídicos fundamentais para a configuração de um Estado de Direito é tornada eficiente através de cláusulas que dificultam sua modificação, tornando-os resistentes à demagogia e ao populismo. No Brasil, por exemplo, o art. 60, §4º da Constituição Federal elege como cláusulas pétreas, e, portanto, insuscetíveis de emendas tendentes a abolir: a forma federativa de Estado; o voto direto, secreto, universal e periódico; a separação dos Poderes; e os direitos e garantias individuais. Ademais, o texto constitucional, considerando como Lei Maior, também tem regras diferenciadas para a modificação de seu texto, tornando-o, deliberada e consideravelmente mais resistente quanto a sua alteração do que seria o caso de uma lei ordinária.

Se por um lado tais mecanismos de resistência à mudança estão intimamente relacionados à preservação da identidade e dos valores sobre os quais foi fundado um determinado Estado e sejam salvaguardas da segurança jurídica que é essencial à liberdade pessoal, tais salvaguardas do ordenamento jurídico podem ser compreendidas sob uma luz desfavorável quando percebidas por outros que, ansiosos pela fluidez e rapidez dos câmbios socioculturais, sentem-se frustrados pela suposta lentidão do Direito em adequar-se aos paradigmas que julgam ser indispensáveis. Thomas Sowell pontifica que "*por vezes, a 'dificuldade' em se mudar as leis e especialmente a dificuldade em se criar emendas constitucionais é invocada como razão para justificar por que os juízes devem se tornar os agentes que aceleram as mudanças*" (SOWELL, 2011, p. 256).

Muitos magistrados, sentindo que o Direito estaria resistindo ao espírito dos novos tempos (*zeitgeist*), resolvem atuar como agentes da mudança que eles querem para mundo. Sendo difícil mudar a letra da lei, contorna-se o problema forçando a interpretação para além da literalidade possível para concretizar seus paradigmas pessoais de Justiça Social. Tornam-se, pois, ativistas judiciais.

> Louis D. Brandeis vaticinava que a magistratura, rotulada por ele como uma instância conservadora, era essencialmente surda e cega para as necessidades sociais que exigiam mudanças revolucionárias. Segundo ele, na realização de suas competências, os magistrados deveriam orientar suas decisões pelo desejo de justiça social, ainda que às custas dos primados formais da justiça legal (SOWELL, 2011, p. 261).

O ministro Luiz Roberto Barroso, notório defensor do ativismo judicial, define esta orientação como:

> [...] uma atitude, a escolha de um modo específico e proativo de interpretar a Constituição, expandindo seu sentido e seu alcance. Normalmente, ele se instala – e este é o caso do Brasil – em situações de retração do Poder Legislativo, de um certo descolamento entre a classe política e a sociedade civil, impedindo que determinadas demandas sociais sejam atendidas de forma efetiva. O oposto do ativismo é a autocontenção judicial, conduta pela qual o Judiciário procura reduzir sua interferência nas ações dos outros Poderes (BARROSO, 2015, p. 442).

A justificação do ativismo judicial está, portanto, intimamente vinculada a um voluntarismo judicial, na medida que aqueles que o advogam partem da premissa que os procedimentos legislativos formais para o estabelecimento ou modificação de textos normativos e/ou uma suposta inação/ilegitimidade dos representantes eleitos para a composição do Poder Legislativo constituem-se em entraves para a realização da Justiça Social. Para o magistrado ativista, colocados na balança, num prato a segurança jurídica e noutro a Justiça Social, esta deverá prevalecer, justificando neste jaez a ampliação ou restrição do sentido literal das normas jurídicas estabelecidas. Noutras palavras, o ativismo judicial justifica a si mesmo prometendo que a segurança subtraída será compensada pela justiça social incrementada. Quem poderia ser contrário a uma sociedade justa?

O problema emerge quando as impressões ligeiras são analisadas de forma mais detida e criteriosa. Se estabilidade das normas jurídicas deve ser sacrificada pela Justiça Social, o que é isto a Justiça Social? O fato é que, abandonada a literalidade do texto legal, não existem parâmetros indubitáveis para restringir o que viria ser socialmente justo, de tal modo que, dissolvendo-se os marcos textuais limítrofes, o que daí decorre é a afirmação do solipsismo do magistrado que, julgando de acordo com sua consciência, dá como justo o que arbitrariamente considera como justo. Assim:

> Mesmo ao se admitir que a nebulosa expressão "justiça social" possa ter um significado discernível, ela parece indicar, contudo, que a mera justiça formal não é o suficiente, mas precisa ser suplementada e sobreposta por um tipo de justiça baseada em resultados sociais desejados. De qualquer forma, o regime das leis, "um governo baseado nas leis e não na vontade dos

homens", apresenta-se como antítese da política jurídica "socialmente engajada", pois nessa última os resultados sociais serão determinados segundo as preferências de indivíduos particulares, os quais receberão poder para selecionar e apanhar os resultados desejáveis, em vez de se guiarem pelas regras conhecidas as quais se aplicam tanto aos cidadãos quanto aos juízes (SOWELL, 2011. p. 282).

Afastado a ingenuidade romântica daqueles que piamente acreditam conhecer o que é melhor para a sociedade do que ela própria, o ativismo judicial pode ser resumido àquela concepção pessoal através da qual postula-se como admissível superar a garantia individual do princípio da legalidade desde que os resultados da decisão sejam congruentes com a concepção pessoal do magistrado sobre justiça. Da mesma forma que o Barão de Münchausen – que diz ter fugido do pântano puxando-se pelos próprios cabelos –, o ativista judicial foge da aplicação do texto legal elevando-se para além da norma por suas próprias convicções. No final, o que se observa é que a virtude da segurança jurídica é aniquilada pela virtude do magistrado que atropela o texto legal.

Por certo, não se defende que o juiz seja reduzido a *bouche de lois*, vez que o texto legal, por mais precisa que seja sua redação, precisa ser interpretado segundo a boa técnica hermenêutica. Porém, por mais que se reconheça que a atividade interpretativa não se resume à paráfrase das palavras gravadas em lei, não se pode conceber que o intérprete seja completamente livre do texto. Assim fosse, não existiria restrição para o arbítrio do magistrado restando completamente livre para atropelar a separação de poderes. Partindo desta premissa, o ativista judicial que vai para além dos limites possíveis da literalidade do texto é um usurpador do mandato legislativo dos representantes do povo. Afinal, existe uma diferença brutal entre interpretar e criar uma norma jurídica.

Todo ativista presume que os representantes do povo, formal e legalmente escolhidos, não são suficientemente inteligentes ou honestos para realizar a Justiça. Todo ativista judicial, em certa medida, é tributário da ditadura dos sábios de Platão, olhando para a sociedade com perigoso paternalismo. Nos idos do século XVIII, Adam Smith escreveu sobre o teórico doutrinário que é "inteligente na própria presunção" e que "parece imaginar que possa dispor os diferentes membros de uma grande sociedade com tanta facilidade quanto a mão dispõe as diferentes peças por um tabuleiro de xadrez". Esses teóricos são pelo menos tão comuns atualmente e têm pelo menos tanta influência em moldarem leis e políticas quanto naquela época (Cf. SOWELL, 2017, p. 19). O ativista judicial é a face judicial de tais teóricos, uma vez que partem do pressuposto que seu sentimento de justiça permite que ele vislumbre as necessidades sociais com mais propriedade que a sociedade e seus representantes legislativos, de tal modo que esta pretensa superioridade moral é justificação bastante para afirmar, através dos poderes jurisdicionais que lhe foram confiados, uma suposta faculdade – quando não uma obrigação – de ampliar ou restringir o alcance do texto legal para além ou aquém da sua literalidade, para conformá-lo àquilo que supõe deveria ser.

2. AS CONSEQUÊNCIAS DO ATIVISMO JUDICIAL SEGUNDO SOWELL

A primeira e mais evidente consequência do ativismo judicial é a progressiva incerteza sobre a interpretação do texto legal. Se o juiz está autorizado a suprimir, modificar ou ampliar o significado literal do texto legal fora das hipóteses jurídicas reconhecidas pela dogmática jurídica[38], com a desculpa de concretizar um ideal subjetivo de justiça social, todas as decisões passam a ser regidas por um grau zero de sentido, no qual a vontade pessoal do magistrado, em detrimento da lei, passa a ser o parâmetro fundamental para qualquer julgado. Utilizando de exemplos da história brasileira recente – como é o imbróglio no Supremo Tribunal Federal sobre a possibilidade de prisão após sentença condenatória de segundo grau – tornou-se terrivelmente constrangedor emitir um parecer sobre a interpretação ou abrangência de texto normativo. Por honestidade, o causídico deverá responder ao

---

38 De forma sintética: *"Assim, um juiz somente pode deixar de aplicar uma lei em seis hipóteses: (i) quando a lei for inconstitucional, ocasião em que deve ser aplicada a jurisdição constitucional difusa ou concentrada; (ii) quando estiver em face do critérios de antinomias; (iii) quando estiver em face de uma interpretação conforme a Constituição; (iv) quando estiver em face de uma nulidade parcial com redução de texto; (v) quando estiver em face da inconstitucionalidade com redução de texto; (vi) quando estiver em face de uma regra que se confronte com um princípio, ocasião em que a regra perde sua normatividade em face de um princípio constitucional, entendido este como um padrão, do modo como explicitado em Verdade e Consenso. Fora dessas hipóteses, o juiz tem a obrigação de aplicar, passando a ser um dever fundamental"* (STRECK, 2017, pp. 258-259).

seu cliente: a lei é igual para todos, mas dependendo do juiz a resposta poderá ser afirmativa, negativa ou indeterminada.

> Não pode haver qualquer estrutura judiciária confiável toda vez que os juízes forem livres o suficiente para impor, como lei, suas próprias noções individuais sobre o que é justo, caridoso ou está mais de acordo com a justiça social. Sejam quais forem os méritos ou os deméritos das concepções particulares de alguns juízes em relação a esses termos, não é possível que eles sejam conhecidos antes por terceiros, nem que se apresentem de modo uniforme entre os juízes e, portanto, não se configuram com lei no sentido completo do termo, como um conjunto de regras que são previamente conhecidas por todos aqueles que estão sujeitos a elas (SOWELL, 2011, p. 248).

Neste ambiente de incerteza quântica, uma conduta é simultaneamente lícita e ilícita até o momento em que se abre a cabeça do magistrado. Tal grau de insegurança, conforme incrementado, coloca a pique a garantia da legalidade pelo naufrágio da segurança jurídica. Do que vale o direito de não ser obrigado a fazer ou deixar de fazer algo, senão em virtude de lei se, em última instância, o magistrado pode decidir calcado numa interpretação descolada do próprio texto legal. Sendo evidente a nocividade da incerteza, restaria a pergunta: porque, então, a tendência é pela ampliação do ativismo judicial? A resposta de Sowell é certeira:

> Os que defendem um ampliado raio de ação para as "interpretações" dos juízes a fim de se adequarem às supostas necessidades ou ao "espírito" da época, em vez de se manterem presos ao significado estrito da lei promulgada, parecem, implicitamente, supor que os juízes ativistas inclinarão o sentido das leis na direção favorecida por seus defensores, ou seja, orientarão a justiça na direção da visão do intelectual ungido. Mas o ativismo judicial é, contudo, um cheque em branco no qual se pode explorar qualquer direção, em qualquer questão, dependendo das predileções de cada juiz em particular (SOWELL, 2011, p. 262).

Muitos não percebem o canto da sereia contido na proposição: "os juízes devem ser justos, mesmo que para isso devam se distanciar da lei". Aqueles que navegam por estas águas perigosas não divisam que aquilo que se dá como justo desde sua própria perspectiva pessoal, não raras vezes, será incongruente com a concepção de justo aportado na mente do magistrado. Da mesma forma que René DESCARTES sustentava que "*o bom senso é a coisa do mundo mais bem distribuída: todos pensamos tê-lo em tal medida que até os mais difíceis de contentar nas outras coisas não costumam desejar mais bom senso do que aquele que têm*" (DESCARTES, 2001, p. 5), todos se acham suficientes justos dentro de suas respectivas mentes. Entretanto, os justos ensimesmados não conseguem observar que do outro lado também se nutre a mesma convicção, ainda mais no âmbito do Direito que é baseado justamente na dialética ancorada no princípio do contraditório para a solução das lides. Aqueles que sacrificam a lei pela justiça devem estar preparados para decepção de receber, tão somente, a arbitrariedade.

Partindo da premissa que todo poder corrompe e que o poder absoluto corrompe absolutamente, o ativismo judicial – enquanto uma licença para que o magistrado despreze as garantias constitucionais que limitam a arbitrariedade judicial através da literalidade do texto legal –, especialmente o "*que se presencia no Brasil não é o judicial em sua versão clássica, mas sim um de perfil jurisdicional, que não objetiva a concretização de direitos, mas sim busca firmar o alargamento da sua competência institucional, bem como seu protagonismo entre os poderes*" (SANTANO, 2016, p. 41). Daí que o ativismo judicial, em regra, é acompanhado por um incremento substancial de interferências indevidas do Poder Judiciário nos Poderes Executivo e Legislativo.

O Judiciário, para além de restringir sua atuação à verificação da constitucionalidade e da legalidade dos atos praticados pelo Executivo e pelo Legislativo, cada vez mais amplia o seu raio de atuação, interferindo cada vez mais na realização de atividades que são peculiares de outros Poderes. O Judiciário, sem as amarras da Legalidade, não se confina a atividade de julgar, pretendendo cada vez mais, participar da administração executiva dos negócios estatais e da própria produção legislativa.

Tal ingerência que extrapola os marcos garantidores da separação dos Poderes é ainda agravada pela falta de responsabilidade dos magistrados pelas consequências decorrentes de suas decisões. Ayn Rand já pontuava que "se um homem de negócios comete um erro, ele sofre as consequências. Se um burocrata comete um erro, você sofre as consequências". Por certo, as consequências das políticas públicas recaem de forma mais inclemente sobre as pessoas do que sobre os governantes. Porém, cumpre perceber que, os governantes responsáveis pela administração estatal e os incumbidos da posição de representantes do povo no Poder Legislativo, são periodicamente avaliados pelas urnas. Nalguma medida, portanto, são responsabilizados pelos resultados de suas ações. Com o Poder Judiciário, noutro rumo, a situação é particularmente diferente.

Deve-se notar que existe uma grande distinção de *accountability* entre os representantes eleitos do povo (Executivo e Legislativo) e o Poder Judiciário. Acaso um presidente tome medidas desastrosas, o colégio eleitoral poderá apeá-lo do cargo nas próximas eleições; se um deputado ou senador desvincula-se da base de eleitores que prometeu representar, provavelmente verá os votos que recebeu migrarem para outro candidato. O magistrado, por outro lado, cercado de garantias que são peculiares ao seu posto, são consideravelmente imunes às consequências de suas decisões. Salvo demonstrado que atuaram de má-fé, como se dá em casos de corrupção, um juiz não pode ser responsabilizado pelas consequências de uma decisão desastrosa. Daí que o ativismo judicial se torna ainda mais perigoso quando levando em conta que, salvo em casos de manifesta má-fé, o juiz-ativista está completamente imune de quaisquer consequências decorrentes de sua decisão. Ora,

> [...] ninguém gosta de admitir que esteja errado. No entanto, em muitos tipos de esforços, os custos de não reconhecer o próprio erro são altos demais para serem ignorados. Estes custos obrigam as pessoas a encararem a realidade, por mais dolorosa que seja (SOWELL, 2017, p. 13).

Entretanto, quando não existem custos ou consequências que recaiam sobre o tomador de decisão, ele é livre não só para perseverar no erro, mas também para dobrar a aposta.

Enquanto o Poder Judiciário amplia seu âmbito de atuação e desvincula-se do princípio da legalidade e dos paradigmas de autocontenção, a incerteza incrementa-se exponencialmente, tornando a jurisdição numa espécie de loteria que, ao final, todos perdem.

> A autocontenção judicial não envolve apenas a preservação das cláusulas constitucionais e das cláusulas da legislação que estão sob a autoridade do Congresso ou dos estados, mas

> compreende também a relutância em anular decisões judiciais anteriores. Sem tal relutância, as leis se tornariam tão maleáveis com a mudança dos quadros dos tribunais que os cidadãos encontrariam grandes dificuldades em planejar suas relações econômicas, dentre outras atividades que tomam tempo, até alcançarem resultados positivos, pois se tornaria impossível predizer como se comportariam os novos membros da magistratura e quais seriam suas preferências na condução das leis (SOWELL, 2011, p. 279).

A lei que deveria funcionar como parâmetro para decisões individuais sobre o âmbito de autodeterminação em sociedade, dissolve-se quando abandonada a autocontenção judicial em prol do ativismo. Quando a arbitrariedade do magistrado persevera sobre a legalidade e o solipsismo passa a ser o fundamento da decisão judicial em detrimento do texto legal, a incerteza reduzirá a jurisdição a uma loteria.

> A crescente penumbra de incertezas que se cria em torno de todas as leis sempre que os juízes se entregam às suas próprias noções, encoraja a criação de crescentes litígios por parte daqueles que não teriam um caso real válido sob a lei escrita, mas que podem, contudo, se tornar capazes de extorquir concessões dos que eles processam, os quais, por sua vez, nem sempre estão dispostos a arriscar uma engenhosa interpretação da lei, dada por determinado juiz (SOWELL, 2011, p. 249).

Talvez não exista melhor metáfora para demonstrar as consequências da insegurança jurídica do que aquela brilhantemente apresentada por Luiz Alberto Warat ao enunciar a história do jogo de Katchanga:

> Pois bem. Chegou um forasteiro e desafiou o *croupier* do cassino, propondo-lhe o jogo da Katchanga. Como o croupier não poderia ignorar esse tipo de jogo – porque, afinal, ali se jogavam todos os jogos (lembremos da vedação *de non liquet*) – aceitou, ciente de que "o jogo se joga jogando", até porque não há lacunas no "sistema jogo". Veja-se que o dono do cassino, também desempenhando as funções de *croupier*, sequer sabia que Katchanga se jogava com cartas... Por isso, desafiou o desafiante a iniciar o jogo, fazendo com que este tirasse

do bolso um baralho. Mais: o desafiado (Grundcassinero) também não sabia com quantas cartas se jogava a Katchanga... Por isso, novamente instou o desafiante a começar o jogo. O desafiante, então, distribuiu 10 cartas para cada um e começou "comprando" duas cartas. O desafiado, com isso, já aprendera duas regras: 1) Katchanga se joga com cartas; 2) é possível iniciar "comprando" duas cartas. Na sequência, o desafiante pegou cinco cartas, devolveu três; o desafiado (*croupier* ou Grundcassinero) fez o mesmo. Eram as regras seguintes. Mas o "Grund" (passemos a chamá-lo assim) não entendia o que fazer na sequência. O que fazer com as cartas? Eis que, de repente, o desafiante colocou suas cartas na mesa, dizendo Katchanga... e, ato contínuo, puxou o dinheiro, limpando a mesa. Grund, vendo as cartas, "captou" que havia uma sequência de três cartas e as demais estavam desconexas. Logo, achou que ali estava uma nova regra. Dobraram a aposta e... tudo de novo. Quando Grund conseguiu fazer uma sequência igual à que dera a vitória ao desafiante na jogada primeira, nem deu tempo para mais nada, porque o desafiante atirou as cartas na mesa, dizendo Katchanga... Tinha, desta vez, duas sequências...! Dobraram novamente a aposta e tudo se repetiu, com pequenas variações na "formação" do carteado. Grund já havia perdido quase todo o dinheiro, quando se deu conta do óbvio: a regra do jogo estava no enunciado "ganha quem disser Katchanga primeiro". Bingo! Pronto. Grund desafiou o forasteiro ao jogo final: tudo ou nada. O Armagedom! Todo o dinheiro contra o que lhe restava: o cassino. E lá se foram. O desafiante pegava três cartas, devolvia seis, buscava mais três, fazia cara de preocupado; jogava até com o ombro... Grund, agora, estava tranquilo. Fazia a sua performance. Sabia que sabia! Ou pensava que sabia que sabia...! Quando percebeu que o desafiante jogaria as cartas para dizer Katchanga, adiantou-se e, abrindo largo sorriso, conclamou: Katchanga... e foi puxar o dinheiro. O desafiante fez cara de "pena", jogando a cabeça de um lado para outro e, com os lábios semicerrados, deixou escapar várias onomatopeias (tsk, tsk, tsk)... Atirou as cartas na mesa e disse: Katchanga Real! (STRECK, 2012).

O Direito tornado Katchanga torna-se um jogo no qual o respeito das regras é opcional a critério do árbitro. Acaso das regras decorram um resultado de acordo com a concepção de Justiça Social do árbitro, as regras serão aplicadas. Acaso as regras obstem a concretização das concepções de justiça do árbitro, elas serão abandonadas. E quem se submete voluntariamente a um jogo que nega as próprias regras?

3. CONSIDERAÇÕES FINAIS

O ativismo judicial, inclusive e especialmente no caso brasileiro, constitui-se numa atitude voluntarista através da qual o magistrado afasta-se da literalidade do texto legal para a realização de sua concepção de Justiça Social. As decorrências de tal atitude são (a) o incremento da jurisdicionalização da vida social; e (b) o progressivo aniquilamento do princípio da legalidade e da segurança jurídica. A destruição do ambiente de segurança jurídica e da confiança nas regras jurídicas para o estabelecimento de parâmetros adequados para a atuação em sociedade destrói, por conseguinte, a própria confiança no Direito.

BIBLIOGRAFIA

BARROSO, Luís Roberto. *Curso de direito constitucional contemporâneo: Os conceitos fundamentais e a constituição do novo modelo*. 5 e. São Paulo: Saraiva, 2015.

DESCARTES, René. *Discurso do método*. São Paulo: Martins Fontes, 2001.

GORGA, Maria Luiza. "Segurança jurídica e ativismo judicial: consequências na aplicação do princípio da vedação ao retrocesso". *Revista Jurídica da Escola Superior do Ministério Público de São Paulo*. Volume 6. 2014. Pp. 17-34.

HART, Hebert L. A. *O conceito de Direito*. 3 e. Lisboa: Fundação Calouste Gulbenkian, 2001.

SANTANO, Ana Claudia. "Entre a (in)segurança jurídica, os direitos fundamentais políticos e o ativismo judicial: as deficiências da Justiça Eleitoral e seus efeitos sobre a democracia brasileira". *Direito Público*, [S.l.], v. 12, n. 66, dez. 2016. ISSN 2236-1766. Disponível em: <https://www.portaldeperiodicos.idp.edu.br/direitopublico/article/view/2513>. Acesso em 28/jan/2019.

SOWELL, Thomas. *Fatos e falácias da economia*. Rio de Janeiro: Record, 2017.

SOWELL, Thomas. *Os intelectuais e a sociedade*. São Paulo: É Realizações, 2011.

STRECK, Lenio Luiz. *Verdade e consenso: Constituição, hermenêutica e teorias discursivas: da possibilidade à necessidade de respostas*. 3 e. Rio de Janeiro: Lumen Juris, 2009.

_____. "Resposta adequada à Constituição (resposta correta)". *Dicionário de Hermenêutica: Quarenta temas fundamentais da teoria do Direito à luz da Crítica Hermenêutica do Direito*. Belo Horizonte: Casa do Direito, 2017.

_____. "A katchanga e o bullying interpretativo no Brasil". *Consultor Jurídico*, [S.l.], 28/jun/2012. Disponível em: <http://www.conjur.com.br/2012-jun-28/senso-incomum-katchanga-bullying-interpretativo-brasil>. Acesso em 14/fev/2019.

TRUBEK, David M. "Max Weber sobre o Direito e a ascensão do capitalismo". *Revista Direito FGV*. v. 3. n. 1. pp. 151-186. Jan-Jun, 2007.

CAPÍTULO 7

AS FALÁCIAS DA SUPERIORIDADE MORAL ANTE A TRAGÉDIA HUMANA

Anamaria Camargo

1. Introdução

Uma visão é a expressão de como pessoas veem o mundo. Não é um sonho, uma esperança, uma profecia ou um imperativo moral. É um sentimento de causalidade. Visões de mundo diferentes explicam de maneiras diferentes as causas do mundo ser como é. Thomas Sowell dedicou muito de sua obra a comparar visões de mundo conflitantes. Em um de seus livros, *A Conflict of Visions: Ideological Origins of Political Struggles*, de 1987 (reeditado em 2007), ele contrasta de maneira profunda, mas bastante equidistante, duas visões – a "restrita" (*constrained*) e a "irrestrita" (*unconstrained*) – sobre o mundo. Apesar da neutralidade adotada nesta obra, já havia indícios de que Sowell era partidário de uma visão "restrita" sobre o funcionamento do mundo. Isto se evidenciou no seu livro, *The Vision of the Anointed: Self-Congratulation as a Basis for Social Policy* (1995), em que o autor disseca as falácias da visão prevalente em nosso tempo, aquela que não é a sua, a visão "irrestrita", que ele chamou neste livro de a *Visão dos Ungidos*. Mais do que descrever o mundo tal qual é visto pelos ungidos, Sowell analisa de que maneiras esta visão afeta o mundo real e seus fenômenos concretos, como a criminalidade e a desintegração familiar, assim como os riscos futuros que tal visão impõe.

2. A VISÃO DOS UNGIDOS

Segundo Sowell, a visão dos ungidos está tão entranhada na mídia e na academia que muitos chegam à idade adulta sem se darem conta de que há outras maneiras, que não esta, de se enxergar o mundo:

> Em algumas eras, uma visão se torna tão predominante sobre todas as outras que pode-se considerá-la a visão prevalente daquele tempo e lugar. Esta é a situação atual entre a *intelligentsia* dos Estados Unidos e grande parte do mundo ocidental, por mais que sua visão divirja das visões da maioria das outras pessoas. Variações individuais ao aplicar essa visão subjacente não alteram fato fundamental de que existe uma estrutura de suposições dentro da qual a maior parte do discurso social e político contemporâneos têm lugar na mídia, na academia e na política (SOWELL, 1995, p. 9).[39]

Mas quem afinal são os ungidos – *anointed* é o termo usado por Sowell – e qual é sua visão sobre o mundo? Segundo o dicionário *Houaiss*, dentre outros significados, "ungir" significa investir de autoridade por meio de unção ou sagração; sagrar. No sentido figurado, é mudar (algo ou alguém) para melhor; tornar mais puro; corrigir. Tais significados estão de acordo com a descrição de Sowell sobre os ungidos.

Trata-se de uma elite política e intelectual – a *intelligentsia* – que, auto-investida de autoridade, acredita que sabe o que é melhor para a sociedade e que defende que as soluções que ela propõe para os problemas que julga urgentes devem ser impostas pelo Estado. Dentre seus precursores estão Jean-Jacques Rousseau e William Godwin, que também acreditavam ser capazes de conceber uma humanidade nova

---

[39] Todos os trechos citados do original foram traduzidos pela autora deste capítulo.

e melhorada. Aqueles que, por quaisquer razões, não compartilham da visão dos ungidos são, nos termos de Sowell, os *benighted* – os "sem luz", a quem me referirei neste capítulo como *ignorantes*. Respectivamente, são os mesmos que defendem a visão "irrestrita" e a "restrita".

De maneira geral, os ungidos são aqueles genericamente chamados *liberals*, que não são os liberais no sentido clássico, mas no sentido formado nos Estados Unidos: pessoas normalmente à esquerda no espectro ideológico, que defendem a intervenção estatal para garantir liberdades civis e apoiar o que eles definem como "justiça social". Nos Estados Unidos e em boa parte do mundo ocidental, eles compõem grande parte da mídia, das universidades e escolas públicas, da igreja progressista, dos advogados e juízes. Estão no comando de grupos responsáveis pelo planejamento e implementação de políticas sociais e econômicas e pela "educação moral". De maneira geral, exercem poder através do uso das palavras e buscam manipular informações de modo a inspirar atitudes e disposições que pressionem pelas mudanças que desejam ver impostas através do Estado.

Seria de se esperar que grupos que exercem seu poder através de palavras, como intelectuais e jornalistas, por exemplo, dominassem discussões com argumentos embasados em fatos. Sowell, no entanto demonstra ao longo desta obra que as ações dos ungidos não apenas não se baseiam na realidade concreta como ponto de partida, como também são imunes a contra-argumentos lógicos. Estes são prontamente substituídos por mais palavras direcionadas a subrepticiamente contornar a realidade.

Nesse sentido, não é possível dizer que a visão dos ungidos seja um ferramenta intelectual a ser usada como ciência. Como Sowell justifica, uma teoria social, para ser cientificamente aceitável, deve permitir ajustes quando confrontada com evidências que a contradizem. No entanto, quando se tratam de dogmas, ao invés de teorias baseadas em ciência social, como é a ideologia dos ungidos[40], não é possível contradizê-los. Eles não se ajustam à realidade; é a realidade que deve se adaptar a eles.

---

40 Tal ideologia está presente no que Roger Scruton se refere como *"fake subjects"* — disciplinas que, por serem baseadas em dogmas, não podem ser contestadas. Exemplos dessas áreas de estudo que, segundo Scruton, invadiram a Academia são os Estudos da Mulher e Estudos de Gênero (https://www.youtube.com/watch?v=98tWAHAv2BI&fbclid=IwAR2ZiGH1s7kes0BHeYgVoP_W6RbLrTjZi7hTEQe5wjimDkrHZ_p49K7cjLY).

Por outro lado, em contraste com a falta de embasamento da visão dos ungidos, há abundantes evidências empíricas, acumuladas ao longo dos anos, que mostram que a fé na eficácia do Estado não se traduz em benefícios concretos e que a desconfiança em relação ao livre mercado é injustificada. Normalmente, o *feedback* dado pela realidade tende a acionar mecanismos de mudança de percurso, mas não neste caso. A engenharia social proposta e levada a cabo pelos ungidos, apesar de suas desastrosas consequências, parece imune às críticas. Poucos são convencidos de que há algo estruturalmente errado nas "teorias" que a apoiam.

Como um economista defensor do livre mercado e dos incentivos que nele atuam, Sowell tem interesse em identificar as razões por trás desse fenômeno. Que incentivos levam pessoas inteligentes a se satisfazerem e reproduzirem uma visão que não encontra suporte na realidade? O que esta visão oferece que a realidade não oferece? Sua resposta sugere que o incentivo está relacionado à disposição moral relacionada a essa visão. O que ela oferece é um estado de graça para aqueles que nela acreditam. Os ungidos não se veem apenas como factualmente corretos; estão em um plano moral mais elevado e os que deles discordam são vistos não apenas como errados, mas como "pecadores". Isto significa que uma discussão baseada nas regras comuns da lógica e das evidências entre os ungidos e os ignorantes não é possível: simplesmente estes dois grupos estão situados em planos morais diferentes; as regras de lógica de uns não se aplicam aos outros.

Sowell destaca que esta assimetria, que inviabiliza a argumentação, já existe há bastante tempo e exemplifica:

> Quando em 1944, Friedrich Hayek, em *O Caminho da Servidão*, atacou o estado de bem-estar social e o socialismo, ele caracterizou seus adversários como "idealistas honestos" e "autores cuja sinceridade e desinteresse estão acima da suspeita". No entanto, seu próprio livro foi tratado como algo imoral, que alguns editores americanos se recusaram a publicar, apesar de já ter demonstrado impacto na Inglaterra. Da mesma forma, um livro de 1993, apesar de altamente crítico a respeito de políticas sociais liberais, creditou os proponentes daquelas políticas como sendo pessoas que "querem ajudar" levadas por "motivos decentes e generosos", apesar de concluir que o resultado final foi o de "manter os pobres em sua pobreza". Por outro lado, um *bestseller* de 1992, escrito por um proponente de tais políticas

sociais declarou que "conservadores realmente não se importam se negros americanos são felizes ou infelizes". E a demonização de adversários da visão dos ungidos não está limitada aos Estados Unidos ou às questões raciais. O importante escritor francês Jean-François Revel, que se opôs a muitos aspectos da prevalente visão dos ungidos, afirma ter sido tratado, mesmo em ambientes sociais, como alguém com apenas "vestígios residuais de *homo sapiens* (SOWELL, 1995, p. 4).

A estratégia de demonizar o oponente se explica na lógica de que, se ambos os lados do debate forem admitidos como bem-intencionados e igualmente interessados no bem-estar da sociedade, o que diferenciaria os dois lados seriam os argumentos concretos e evidências empíricas – ausentes na visão dos ungidos. Por esta razão, se as evidências empíricas trazidas à luz não forem consistentes com a "lógica" da visão dos ungidos, em si mesmas já são consideradas suspeitas.

3. TÁTICAS DE ARGUMENTAÇÃO

Além de desqualificar moral ou intelectualmente o oponente para o debate, os ungidos usam de outras táticas para evitar o confronto com a realidade. Como dito acima, eles estão bem representados dentre aqueles que exercem seu poder através de palavras, mas não de maneira que possam ser racionalmente questionados. Ao invés de argumentação lógica, que poderia ser refutada com base em evidências, usam de falácias de modo a inviabilizar qualquer análise ou contestação. Segundo Sowell, estes não são meros erros intelectuais; são táticas deliberadas, usadas para permitir aos ungidos evitar o constrangimento de contra-argumentos, de evidências que desmascaram seus erros e, principalmente, da realidade que teima em não cooperar.

Exemplos dessas táticas, que frequentemente se sobrepõem, são (1) a dicotomia "complexo" x "simplista", (2) a retórica do "tudo" ou "nada", (3) detalhes controversos encobertos por generalidades inócuas, (4) a terceirização de pontos de vista, (5) o ritual dos novos direitos e (6) a afirmação de platitudes com ar de certeza e sofisticação. Tais táticas serão apresentadas a seguir, seguindo as explicações de Sowell (1995).

3.1 A dicotomia "complexo" x "simplista"

O objetivo de atribuir complexidade impenetrável à situação para a qual os ungidos propõem soluções é basicamente o de rejeitar *a priori* qualquer tentativa de questionar tais propostas. É também uma maneira de demonstrar uma pretensa superioridade de sabedoria e de virtude, algo que está no cerne da visão dos ungidos.

Como a análise sobre a efetiva complexidade de situações controversas exige a apreciação de visões opostas, esta não poderia prescindir ou ignorar, como de fato faz, de discussão intelectual. No entanto, qualquer tentativa de um *ignorante* de pôr em questão propostas dos ungidos é simplesmente descartada sob a justificativa de que lhe falta a profundidade necessária de compreensão do problema. Sua avaliação seria, obviamente simplista, como de resto, tudo que parte de alguém *ignorante*. No entanto, os ungidos jamais evidenciam claramente aquilo que alegam escapar à visão "simplista" dos *ignorantes*.

> Uma descrição verdadeiramente completa seria interminável; por isso, a todo tempo, nós necessariamente aceitamos descrições menos completas. O que é verdadeiramente simplista é usar este fato seletivamente para evitar conclusões desagradáveis, sem ter que oferecer evidências ou lógica. Nada além da afirmação vazia de que essas conclusões são "simplistas" no geral ou, mais especificamente, de que deixaram de considerar algum elemento específico. A tarefa real é a de demonstrar que o elemento omitido altera a conclusão relevante de forma fundamental. Tal tarefa é frequentemente evitada apenas usando a palavra "simplista".
>
> A visão dos ungidos é imposta de forma dogmática para garantir que nenhuma das "generosas" intervenções propostas pelos ungidos seja entendida como responsável por quaisquer consequências ruins (SOWELL, 1995, p. 88).

3.2 A retórica do "tudo ou nada"

Na vida real, a maioria das diferenças que realmente importam se dá no grau, no quão próximos ou distantes estão entre si, os objetos da comparação. A tática do "tudo ou nada" consiste em descartar qualquer coisa que não seja verdadeira 100% do tempo. Um exemplo que Sowell cita para ilustrar esta falácia é o de se contestar que o céu é azul. A se levar à frente a retórica do "tudo ou nada", a afirmação de que o céu é azul é falsa já que a cor do céu muda a depender do horário e das condições climáticas.

Esta tática é usada seletivamente sempre que os ungidos desejam negar o crescimento de algo que lhes seja inconveniente. Para isto, simplesmente ignoram o grau de crescimento, já que o que vale é se algo existe ou não existe 100% do tempo. Por exemplo, quando se acusa o uso crescente da academia como ambiente de doutrinação, a resposta dos ungidos é a de que este sempre foi um espaço de discussão política; nunca foi neutro. Qualquer crescimento entre o "nada", que nunca existiu, e o "muito", que hoje há, é convenientemente ignorado. Outro exemplo é o crescimento de crimes juvenis à medida que aumenta o número de famílias sem a figura paterna. Afinal, dizem os ungidos, nem todos os jovens sem a figura paterna cometem crimes.

Essa tática serve igualmente para negar algo amplamente reconhecido como verdadeiro pelo senso comum ou mesmo por estudos empíricos. Basta focar nas exceções. Qualquer proposta que não esteja de acordo com a visão dos ungidos é rapidamente contestada por não ser uma "panaceia". Como verdadeiramente nada é uma panaceia, o "argumento" dos ungidos é em si verdadeiro. No entanto, ao se ignorar o grau de melhora que tal proposta possa trazer e a intensidade com que os efeitos negativos são evitados, todos os méritos da proposta em relação às alternativas existentes são invalidados.

A mesma falácia é seletivamente usada em comparações e analogias. Obviamente, não existem duas situações completamente iguais; sempre haverá discrepâncias entre elas. A depender do interesse dos ungidos, essas situações poderão ou não ser comparáveis, enfatizando-se suas semelhanças ou suas diferenças respectivamente. Uma analogia bastante razoável que tiver como objetivo embasar um argumento *contra* a visão dos ungidos será respondida com a afirmação de que as conjunturas que estão sendo comparadas "não são exatamente a mesma coisa"; logo, a analogia não se sustenta. Por outro lado, uma analogia, mesmo que forçada, se for favorável à visão dos ungidos, será válida: as coisas comparadas terão os "mesmos princípios subjacentes". Da mesma maneira, ao seletivamente desprezar o grau de falha ou de sucesso de alguma política, os ungidos determinam aquelas que funcionaram ou falharam.

3.3 Detalhes controversos encobertos por generalidade inócuas

Outra tática de "argumentação" comum entre os ungidos é a de proferir platitudes genéricas que escondem suas verdadeiras intenções. Como a generalidade proferida é completamente inócua ou, por ser um termo muito genérico, seu significado difere de pessoa para pessoa, ninguém pode efetivamente opor-se a ela.

Sowell exemplifica: uma prática comum entre os ungidos é a de se declararem enfaticamente a favor de "mudanças". Logo, pessoas que se oponham a alguma de suas propostas de mudanças em particular são mostradas como pessoas contra mudanças de maneira geral. É como se alguém que dissesse que não concorda com 2 + 2 = 7 fosse mostrado como sendo contra a matemática.

Outro exemplo é o de se definirem como progressistas. Ora, todo mundo é progressista nos seus próprios termos, mas os ungidos acreditam que este termo – genérico e aplicável a todos os que defendem o progresso – os diferencia e distingue. Este é mais um sintoma de seu narcisismo.

O mesmo acontece com termos genéricos como "diversidade", "inovativo" e "fazer a diferença" – que os ungidos tomam para si – mas que significam coisas diferentes para pessoas diferentes, a depender das dimensões particulares que cada um tenha em contextos específicos.

> "Inovador" é outra das generalidades usadas no lugar de argumentos, e "fazer a diferença" é igualmente empurrado como algo desejável, sem argumentos específicos. No entanto, o Holocausto foi "inovador" e Hitler "fez a diferença". Os ungidos, claro, querem dizer que suas inovações específicas serão benéficas e que suas políticas significarão diferenças para melhor. Mas é precisamente isso que precisa ser discutido, em vez de fugir da responsabilidade de apresentar evidências ou lógica, recorrendo antecipadamente a palavras para se prevenir (SOWELL, 1995, p. 96).

3.4 A terceirização de pontos de vista

Esta é mais uma maneira de aparentar argumentar, mas sem efetivamente o fazer. Ao transferir para terceiros um argumento, o ungido transforma um indivíduo ou uma minoria ruidosa em porta-voz daquilo que ele, ungido, quer defender, e evita ter que sustentar sua visão de maneira lógica e responsável. Além de espúria, porque representa a fuga da responsabilidade por aquilo que se defende, a tática é duplamente ilegítima quando atribui a terceiros um ponto de vista que não representa o que esses terceiros efetivamente pensam. Por exemplo, na esteira dos tumultos sociais em Los Angeles em 1992, muitos ungidos afirmaram que a destruição e a violência ocorridas foram justificadas. Segundo eles, este era o ponto de vista da comunidade negra. Na verdade, 58% dos negros entrevistados caracterizaram os eventos como "totalmente injustificados".

Esta "coletivização" do posicionamento de indivíduos, tem consequências mais relevantes quando são propostas políticas ou ordenamentos jurídicos que beneficiam uns poucos, mas afetam negativamente a sociedade como um todo. É que se chama de falácia da composição. Por exemplo, é verdade que se uma pessoa ficar de pé em um estádio, ele terá uma melhor visão do jogo. No entanto, não é verdade que se todos ficarem de pé, todos terão uma melhor visão. As consequências de ações baseadas nesta falácia são os efeitos negativos causados à coletividade em favor dos poucos escolhidos cujas demandas são atendidas.

3.5 O ritual dos novos direitos

Tática das mais recorrentes entre os ungidos é a de "argumentar" que alguém ou algum grupo tem o direito a algo que eles, os ungidos, propõem. Para "vencer" discussões sem ter que se ater à realidade posta, basta transformar em direito legítimo aquilo que determina a visão dos ungidos. Mais uma vez, a hábil manipulação de palavras, amparada pela interpretação de juristas, obrigará o Estado a agir e garantir que esta visão seja adotada na prática.

Por exemplo, "Todos os americanos têm direito à moradia digna". Ainda que esta demanda seja mais modesta do que uma por palácios para todos, para que ela seja garantida para cada americano, alguém precisa construir todas as "moradias dignas". Isto obviamente envolve trabalho, habilidades e recursos materiais. Logo, afirmar-se que alguém tem o direito a uma casa implica necessariamente que outros têm a obrigação de despender todos esses esforços para concretizá-lo. E, como se trata de uma obrigação, não há qualquer expectativa de que os esforços empreendidos sejam recompensados. Ou seja, não se está falando de direitos iguais, mas sim de privilégios: uns pagam para que outros tenham.

A este respeito, Sowell comentou:

> Aqui a linguagem de direitos iguais é usada a serviço da defesa de privilégios discriminatórios. Mais importante, na nossa perspectiva atual, tudo isso é feito sem argumentos, meramente usando a palavra "direitos", que arbitrariamente se concentram no beneficiário e ignoram aqueles cujo tempo e cujos recursos foram previstos (SOWELL, 1995, p. 100).

A demanda por tais "direitos" – privilégios – se estende a outras áreas que envolvem altos custos, como assistência médica e educação superior e, até mesmo a áreas que não envolvem bens materiais:

> Alguns ampliaram esse raciocínio (ou falta de raciocínio) para além dos bens materiais, como o direito ao "igual respeito". Ou seja, trata-se da abolição do respeito, que por sua própria natureza, é um *ranking* discriminatório de indivíduos de acordo com algum conjunto de valores. Dizer que nós igualmente respeitamos Adolf Hitler e Madre Teresa é dizer que o termo "respeito" perdeu seu significado (SOWELL, 1995, p. 101).

3.6 A afirmação de platitudes

Para Sowell, a forma mais pura de "argumentação" sem argumentos dos ungidos é a tática de proclamar platitudes. Típico, por exemplo, é dizer que algo é inevitável. Claro que tal "argumento" só poderia ser totalmente refutado no fim dos tempos, pois enquanto a vida segue seu rumo ainda é possível que aquilo que os ungidos declaram como inevitável poderá efetivamente acontecer. Outras platitudes comuns são "Chegou para ficar" – para se referir a algo que os ungidos consideram desejável (assim como o inevitável); e ultrapassado ou irreal, para algo que eles consideram não desejável.

Todas essas expressões, genéricas, vagas, são usadas no lugar de argumentos e, como apoiam a visão dos ungidos, são amplamente aceitas como se argumentos fossem.

4. A VISÃO TRÁGICA (OU RESTRITA)

Tais estratégias certamente não encontram fácil aceitação por parte daqueles que, como Sowell, não têm a visão dos ungidos. Uma das importantes influências intelectuais de Sowell foi Edmund Burke, que, em seu tempo, igualmente se contrapôs aos radicais que julgavam saber o suficiente sobre a sociedade a ponto de quererem moldá-la de acordo com seus desejos. Com Burke, Sowell compartilha uma "visão trágica" ou restrita da sociedade.

Trágica, aqui, tem o sentido dado na Grécia Antiga, que se refere à inescapabilidade do nosso destino, inerente à natureza humana e suas limitações. É trágica porque admite que nossas opções são restringidas por recursos limitados e tais limitações causam sofrimento. Para os ungidos, no entanto, o sofrimento é causado por instituições e políticas sociais mal construídas, e, como se julgam capazes de interferir eficientemente na ordem social existente, eles acreditam ter a solução para esse sofrimento.

> A visão restrita é uma visão trágica da condição humana. A visão irrestrita é uma visão moral das intenções humanas, que são vistas como decisivas. A visão irrestrita promove a busca dos mais altos ideais e as melhores soluções. Em contraste, a visão restrita enxerga o melhor como o inimigo do bom – uma tentativa vã de alcançar o inatingível visto não apenas como fútil, mas muitas vezes contraproducente, enquanto os mesmos esforços poderiam ter produzido uma relação de perdas e ganhos mais viável e benéfica (SOWELL, 2007, p. 27).

São precisamente as divergências de percepção quanto à natureza humana e quanto às causas do que vivemos que originam todas as diferenças entre as duas visões. Pela visão trágica (ou restrita), a causalidade dos fenômenos humanos é sistêmica e esta é, para Sowell, a contraposição mais fundamental entre as duas visões:

> A causalidade sistêmica assume muitas formas. Tradições legais, laços familiares, costumes sociais, e flutuações de preços em uma economia são meios sistêmicos através dos quais as experiências e preferências de milhões de pessoas influenciam poderosamente as decisões de milhões de outras pessoas. O ponto onde a visão trágica e a visão dos ungidos difere mais fundamentalmente é sobre a realidade e validade de tais processos sistêmicos, que utilizam as experiências de muitos, em vez da racionalidade articulada de uns poucos talentosos. Relacionado a esta diferença está uma diferença acentuada no papel de disposições, intenções ou objetivos nas duas visões (SOWELL, 1995, p. 125).

Sowell destaca no entanto que, embora os resultados dessas interações sistêmicas não sejam controlados diretamente por uma pessoa ou grupo específico de pessoas (os ungidos, por exemplo), já que resultam da interação de milhões de pessoas, eles não são completamente aleatórios. Existem padrões de sistemas de interação, normalmente determinados por incentivos e restrições inerentes às circunstâncias em que essas interações se desenvolvem. Tais incentivos e restrições estão muito mais relacionados à causalidade dos fenômenos sociais do que quaisquer propósitos ou disposições de quem planeja políticas, por melhor intencionadas que sejam. E exemplifica:

> Depois de pesquisar centenas de empregadores através de questionários, perguntando se eles demitiriam trabalhadores se houvesse um aumento nos salários, imposto externamente, e descobrindo que a maioria dos empregadores não disse que sim, o professor Richard A. Lester da Universidade de Princeton concluiu que a análise econômica predominante estava errada. Entretanto, a análise econômica que ele estava invalidando não fala sobre as intenções do empregador, mas sobre consequências sistêmicas. Pode bem ser que todos os empregadores nas indústrias afetadas pretendessem manter seus empregados, mas as restrições inerentes à demanda do consumidor pelos produtos poderiam facilmente tornar impossível para todos os empregadores fazerem isso, já que suas tentativas de repassar seus custos salariais mais elevados reduziriam as compras de seus produtos (SOWELL, 1995, p. 127).

Porém, embora seja possível verificar algumas características desses padrões de interação, esta é uma tarefa exigente e trabalhosa, raramente levada adiante pelos ungidos no planejamento ou avaliação das políticas que propõem. Como veremos a seguir, Sowell mostra que as "cruzadas" dos ungidos por um mundo "socialmente justo" tendem a seguir um padrão que simplesmente ignora dados e evidências disponíveis para pesquisas. Tal comportamento se apoia na visão segundo a qual a causalidade está nas intenções e disposições de quem propõe.

Além disso, desdenham de quaisquer conhecimentos técnicos especializados que se contraponham às suas propostas. Para os os ungidos, a proposição de políticas sociais depende apenas da articulação das evidentes virtudes morais de uma elite educada. Logo, não há necessidade de mais estudos para levá-las à frente.

> Percorre a tradição da visão irrestrita, a convicção de que escolhas tolas ou imorais explicam os males do mundo – e que políticas sociais mais sábias ou mais morais e humanas são a solução. [...] Em contraste, a visão restrita vê os males do mundo como resultado de escolhas limitadas e infelizes que nos são disponíveis, dadas as limitações morais e intelectuais inerentes aos seres humanos (SOWELL, 2007, p. 32).

Os ungidos acusam que aqueles que têm a visão trágica, que julgam necessárias respostas sobre as perdas e ganhos dessas políticas, apenas impedem – por ignorância ou má-fé – o progresso pelo qual eles, ungidos, lutam.

Sowell reflete sobre os riscos de dotar de poder um grupo de pessoas dispostas a agir a partir de intenções sem o respaldo da lógica ou evidências a partir de estudos especializados:

> Todas essas diferenças específicas entre as duas visões acabam se transformando em diferenças sobre as limitações humanas e seus corolários. Na visão dos ungidos, as definições mais ambiciosas de liberdade e de justiça, por exemplo, são consistentes com o extenso alcance da capacidades humanas que eles presumem. Do mesmo jeito, a ênfase na especialização por aqueles com a visão trágica reflete seu senso das limitações inerentes da mente humana e do perigos correspondentes na tentativa de morder mais do que se pode mastigar. Não é apenas que o engenheiro

não pode realizar cirurgias. O juiz, em suas decisões, não pode se aventurar muito além da sua estreita especialidade na lei sem precipitar desastres, como o que acontece quando ele tenta se tornar um filósofo social que pode fazer da lei o instrumento de alguma visão grandiosa do mundo (SOWELL, 1995, p. 106).

Sowell destaca que os ungidos veem as políticas sociais que eles propõem como soluções para problemas, enquanto que os que têm a visão trágica sabem que se tratam de processos de ganhos e perdas. Nunca haverá tantos recursos disponíveis quanto seriam necessários para satisfazer os desejos de todos. Por isso, é necessário prudência com tais políticas, que precisam ser medidas em sua realidade concreta para garantir que haja mais ganhos do que danos para a sociedade como um todo.

5. O PADRÃO NAS "CRUZADAS" DOS UNGIDOS

Segundo Sowell, a maneira como são postas e acompanhadas as propostas de políticas sociais dos ungidos segue um padrão. Sejam elas das mais diversas áreas, como educação, meio-ambiente, economia, e segurança automotiva, por exemplo, as "cruzadas" dos ungidos passam pelas quatro fases descritas abaixo:

Fase 1 – A Crise:

Segundo os ungidos, há um grave risco para toda a sociedade; um risco que as massas, os ignorantes desconhecem. Não há evidências, no entanto, de que a situação para a qual os ungidos desejam uma solução estatal seja de fato mais grave do que outras. Às vezes, tal situação apontada, está inclusive em processo de melhora sem qualquer interferência.

Fase 2 – A Solução:

Os ungidos propõem uma política de ações estatais urgentes para evitar a catástrofe iminente. Segundo eles, a adoção de tal ação trará o resultado benéfico X. Críticos indicam que a adoção de tal política causará o efeito colateral indesejado Y. Os ungidos rejeitam a crítica por considerarem-na absurda, simplista ou mesmo desonesta.

Fase 3 – Os resultados:

A política é adotada, levando ao previsto efeito colateral Y.

Fase 4 – A Reação:

Os ungidos tratam as críticas como simplistas. Alegam que muitos fatores afetaram o resultado de modo a causar o efeito colateral Y (que no entanto já havia sido previsto). O ônus da prova é passado aos críticos, a quem cabe demonstrar que quaisquer efeitos colaterais indesejados foram causados pela adoção da política. Os ungidos não se veem absolutamente na obrigação de demonstrar que o resultado benéfico X que eles haviam previsto foi efetivamente alcançado.

Sowell (1995) apresenta detalhadamente três exemplos de "cruzadas" dos ungidos, para demonstrar esse padrão: as políticas de bem-estar social, chamadas genericamente como de "combate à pobreza", iniciadas no governo do presidente Lyndon Johnson em 1964; as políticas de educação sexual, com o objetivo de reduzir gravidez na adolescência e a incidência de doenças venéreas; e as políticas de redução de crimes, através da adoção de modelos menos punitivos, mais preventivos e voltados para os direitos dos criminosos. Por uma questão de escopo, será tratado aqui apenas do primeiro cenário: o combate à pobreza através de ações sociais estatais.

Diferentemente de muitos outros programas desse tipo, este tinha como objetivo estabelecido pelos proponentes o de combater a pobreza através de políticas que levassem à redução da dependência dos mais pobres em relação ao Estado.

> A ideia principal para justificar o aumento atual do gastos nesse esforço foi o de "fortalecer e ampliar os serviços de reabilitação e prevenção" oferecidos a "pessoas dependentes ou que de outra forma se tornariam dependentes" deles, de modo que, no longo prazo, eram esperados poupança nos gastos do governo e declínio na dependência (SOWELL, 1995, p. 9).

A ideia era a de "quebrar o ciclo da pobreza", ponto igualmente destacado pela mídia na época, como mostra este trecho de um editorial do *The New York Times*[41]:

---
41 "Relief is No Solution", *New York Times*, February 2, 1962, p. 28.

O custo inicial será realmente maior do que a mera continuação de subsídios (*handouts*). Os lucros virão na recuperação da dignidade individual e no longo prazo na redução da necessidade de ajuda governamental (*NYT in* SOWELL, 1995, p. 10).

Outra promessa dos ungidos era a de que a adoção dessas medidas de combate à pobreza reduziria a incidência de episódios de violência e desobediência civil.

A importância de deixar claros os objetivos iniciais do programa, segundo Sowell, é a de poder contrapor uma das evasivas mais comuns dos ungidos: uma vez constatado o fracasso das políticas propostas, eles simplesmente redefinem seus objetivos e assim, "transformam" o fracasso em sucesso.

Neste exemplo específico, os críticos dos programas sociais alegaram que eles "encorajariam" a pobreza por motivarem mais e mais pessoas a depender do governo. Além disso, tais programas tenderiam a criar uma sociedade menos harmoniosa por serem baseados em uma filosofia de divisão de classes entre os americanos.

Claramente, havia duas hipóteses conflitantes: a dos ungidos, que propunham os programas sociais de combate à pobreza e a de seus críticos. Análises poderiam ser conduzidas cientificamente para testar a validade de cada uma dessas visões. No entanto, pouquíssimo foi efetivamente testado empiricamente: como vimos anteriormente, as hipóteses baseadas na visão dos ungidos são axiomáticas. Por estarem em um patamar moral superior, sua lógica é diferente; não cabe pô-las em dúvida.

Sowell nos apresenta o padrão aplicado a esta questão:

Fase 1 – A Crise:

Já que o objetivo era o de reduzir a dependência dos pobres em relação ao governo, era necessário verificar, para fins de controle e comparação, qual era a situação de dependência e sua tendência antes da aplicação dos programas. Sowell traz dados que mostram que, quando o "combate à pobreza" começou, o número de dependentes do governo para permanecer acima da linha da pobreza vinha caindo continuamente. Portanto, não havia propriamente uma crise.

Fase 2 – A Solução:

A solução proposta e adotada foi a criação de uma agência estatal – o Office of Economic Opportunity – que atuava coordenando vários programas de "combate à pobreza".

Fase 3 – Os resultados:

O percentual de pessoas dependentes de ajuda governamental para se manterem acima da linha de pobreza aumentou. Embora o objetivo dos programas tenha sido o de diminuir a dependência e os gastos do governo com assistência social, ao longo do tempo, o oposto ocorreu. Os gastos federais aumentaram muito, já que as regras de elegibilidade para participar dos programas foram afrouxadas, o valor dos benefícios foi aumentado e o seguro-desemprego foi disponibilizado para mais pessoas e por um período mais longo.

Quanto à ordem social que os programas supostamente estimulariam, não foi diferente. Eventos de desordem social urbana se espalharam pelo país nesta época. Por outro lado, foi justamente no governo do presidente Reagan, supostamente o ápice da negligência social, que tais eventos de desordem tornaram-se praticamente extintos.

Fase 4 – A Reação:

O total fracasso dos programas de combate à pobreza como meio de reduzir a dependência dos mais pobres em relação ao governo foi inteiramente ignorado. Todas as avaliações feitas nos anos e décadas seguintes descrevem tais programas como um sucesso. Como? Simplesmente o objetivo original de reduzir dependência foi redefinido como o de reduzir a pobreza através de transferência de recursos.

> Como o ex-assessor da Casa Branca do presidente Johnson, Hodding Carter III disse: "durante o período, milhões de pessoas foram retiradas da pobreza ou tiveram sua situação de dificuldade consideravelmente aliviada por programas governamentais e despesas públicas". Um membro do Gabinete do presidente Johnson sugeriu um critério alternativo para

medir o sucesso: "Pergunte aos 11 milhões de estudantes que receberam empréstimos para a sua educação universitária se o Higher Education Act falhou". Perguntas similares foram sugeridas sobre aqueles que usaram a ampla gama de programas governamentais. Em suma, o teste para saber se um programa social era bom para o país como um todo era saber se aqueles que se beneficiaram pessoalmente dele o acharam benéfico. Ainda uma terceira linha de defesa das políticas fracassadas dos ungidos é a de reivindicar mérito moral pelas boas intenções. Hodding Carter III foi apenas um dos muitos a usar essa defesa quando escreveu sobre a "guerra contra pobreza" como "uma tendência clara e constante de distanciamento da longa e vergonhosa desconsideração da maioria pela outra América, a que ninguém vê, a do núcleo duro da desesperança" (SOWELL, 1995, p. 14).

Outra linha de resposta foi a de que se tais programas não tivessem sido postos em ação, a situação de pobreza seria ainda pior. Nenhuma referência é feita ao fato de que a pobreza já vinha diminuindo antes dos programas existirem.

Em suma, não importa o que aconteça, a visão dos ungidos sempre tem sucesso, se não pelos critérios originais, então por critérios improvisados depois – e, se não por critérios empíricos, então por critérios suficientemente subjetivos para que possam escapar até mesmo da possibilidade de serem refutados. Evidências se tornam irrelevantes (SOWELL, 1995, p. 15).

6. INTENÇÃO VIRTUOSA E SUPERIORIDADE MORAL

Diante deste amontoado de falácias do discurso dos ungidos, tão claramente descritas por Sowell, pode-se indagar como elas podem passar despercebidas e mesmo justificadas por aqueles que as empregam. Estariam todos eles agindo de má-fé? O próprio Sowell responde: *"As pessoas sempre são sinceras quando acreditam em sua superioridade moral"* (SOWELL, 1995, p. 3). Ou seja, quem sinceramente se enxerga como movido pela virtude das boas intenções – como é o caso da maioria dos ungidos – não se vê jamais como alguém insincero. Pessoas tão genuinamente bem intencionadas e virtuosas não podem ser vistas como manipuladoras.

A cada nova "cruzada", inicialmente, cabe aos ungidos "conscientizar" os ignorantes sobre o acerto de suas propostas de políticas sociais, através da exposição de suas virtuosas intenções. Tais propostas são tratadas como soluções para alguma "crise iminente" – sobre a qual, como exposto, frequentemente não existem dados. Se, no entanto, houver resistência a essa conscientização, os ungidos devem expor as verdadeiras razões pelas quais os ignorantes resistiram. Aquilo que era uma discussão política sobre uma realidade concreta se transforma em uma questão moral. Ou melhor, na falha moral de quem é incapaz de perceber a justeza do que a visão dos ungidos aponta. Tal incapacidade de assim perceber será atribuída à visão simplista ou perversa de alguém desprovido de compaixão ou empatia. Alguém provavelmente aliado às "forças da ganância". Sowell nota ironicamente que a acusação de ganância é sempre direcionada àqueles que pagam impostos e nunca aos bancados por eles.

Em entrevista a Richard Heffner em 1975[42], o economista Milton Friedman explica que um dos piores erros que se pode cometer é julgar políticas e programas por suas intenções, ao invés de seus resultados. Ele exemplifica com a política que estabelece um salário mínimo. Aqueles que aprovam tal política acreditam na sua intenção de ajudar os mais pobres. Ocorre que o resultado é exatamente o oposto: a imposição de um salário mínimo é a garantia de que aqueles cujas habilidades e experiência não justificam o valor mínimo estabelecido acabam ficando de fora do mercado de trabalho. Os mais pobres, os mais jovens, os que tiveram menos acesso à educação têm mais dificuldade de conseguir e de manter um emprego; são, portanto, os mais prejudicados.

> Palavras e conceitos que giram em torno da intenção – "sinceridade", "comprometimento", "dedicação" – têm sido centrais em discussões dentro da estrutura da visão irrestrita por séculos, e as políticas buscadas por essa visão têm sido frequentemente descritas em termos de seus objetivos pretendidos: "Liberdade, igualdade, fraternidade", "acabar com a exploração do homem pelo homem" ou "justiça social", por exemplo. Mas, na visão restrita, em que a capacidade do homem

---

42 https://www.youtube.com/watch?v=HTHj5RAGHTo.

de consumar diretamente suas intenções é muito limitada, intenções pouco significam (SOWELL, 2007, p. 31).

Sowell retoma esta crítica de Friedman, destacando uma das principais táticas usadas pelos ungidos como substitutos para argumentos: as políticas propostas pelos ungidos não precisam funcionar no sentido de trazer melhoras concretas. Elas se justificam por sua motivação, pelas intenções associadas à compaixão, à humanidade, à virtude moral. Desta maneira, mesmo que os resultados de uma dada política sejam desastrosos, opor-se a ela significa ser impiedoso, desumano, egoísta.

> Apesar da advertência de Hamlet contra o auto-enaltecimento, a visão dos ungidos não é simplesmente uma visão do mundo e do seu funcionamento num sentido causal. É também uma visão de si mesmos e do seu papel moral nesse mundo. É uma visão de uma retidão diferenciada. Não é uma visão da tragédia da condição humana: os problemas existem porque os outros não são tão sábios ou tão virtuosos quanto eles, os ungidos (SOWELL, 1995, p. 5).

BIBLIOGRAFIA:

SOWELL, Thomas. *A Conflict of Visions: Ideological Origins of Political Struggles*. New York: BasicBooks, A Division of HarperCollins, Inc., 2007.

SOWELL, Thomas. *The Vision of the Anointed: Self-Congratulation as a Basis for Social Policy*. New York: BasicBooks, A Division of HarperCollins, Inc., 1995.

CAPÍTULO 8

THOMAS SOWELL CONTRA A "INEBRIANTE MISTURA DE NÚMEROS E RETÓRICA"

Paulo Cruz

> *"Quando eu uso uma palavra", disse Humpty Dumpty num tom bastante desdenhoso, "ela significa exatamente o que quero que signifique: nem mais nem menos".*
>
> *"A questão é", disse Alice, "se pode fazer as palavras significarem tantas coisas diferentes".*
>
> *"A questão", disse Humpty Dumpty, "é saber quem vai mandar – só isto". (CARROLL, Lewis. Através do espelho e o que Alice encontrou por lá, Zahar).*

Em seu livro *Como mentir com estatísticas* (2016), publicado na década de 1950, Darrell Heff nos diz que a melhor maneira de desmascararmos estatísticas fraudulentas é recorrermos a cinco perguntas básicas sobre elas: 1) "quem está dizendo?" – ou seja, quem está produzindo esse número tem algum interesse nele? Geralmente, quem produz estatísticas com a conclusão pronta – ou seja, para provar um ponto previamente estabelecido – tende a manipular os dados para fazê-los chegar ao resultado pretendido. Outra pergunta é 2) "como ele sabe?" – ou seja, o resultado foi obtido de que maneira? Houve um número suficiente de evidências? A amostra é grande o suficiente? Devemos ter "*cuidado com as evidências de uma amostra tendenciosa, que foi selecionada de maneira imprópria ou [...] selecionou-se por si mesma*" (HEFF, 2016, p. 183), diz Heff. A próxima questão é 3) "o que está faltando?" Há maneiras de obter resultados desejados não inflando os números, mas escamoteando dados: "*nem sempre você saberá quantos casos foram considerados. A ausência desse dado, em particular quando a fonte é uma parte interessada, é suficiente para lançar suspeitas sobre a pesquisa toda*" (HEFF, 2016, pp. 184-185). Outra artimanha muito comum é a "*troca entre o número bruto e a conclusão*" (HEFF, 2016, p. 189), ou seja: 4) "alguém mudou de assunto?" E, por último, a pergunta que não quer calar: 5) "isso faz sentido?" Diz muito acertadamente Heff: "*Muitas estatísticas se mostram falsas logo de cara. Só passam porque a magia dos números provoca uma suspensão do bom senso*" (HEFF, 2016, p. 199).

Lembrei-me do espirituoso "manual" de Heff ao ler o último livro publicado por Thomas Sowell e – felizmente! – publicado no Brasil pela editora Record: *Discriminação e disparidades*. Nele, o economista americano investe, com sua costumeira destreza, contra as aborrecidas – e quase sempre manipuladas – estatísticas da desigualdade social, e mostra que, ao contrário do que pregam os profetas do apocalipse numérico, a realidade é muito mais complexa do que seu desejo por um mundo igualitário.

Sowell é um dos maiores intelectuais vivos, foi aluno do grande Milton Friedman e é, de certo modo, um propagador de suas ideias. Toda sua obra é o resultado de sua incansável honestidade intelectual e de seu compromisso com a verdade dos fatos; e isso mais uma vez fica evidente no livro em questão, pois vai desmontando, uma a uma, as estatísticas enviesadas mais utilizada por aqueles que amam botar o infortúnio de uns na conta de outros, como se o sucesso ou o fracasso fosse um jogo de soma-zero – para que uns ganhem, outros devem, necessariamente, perder[43]. A economia, como diria Ludwig von Mises, depende, fundamentalmente, da ação humana, o seja, a riqueza não

---

43 Ver: https://www.mises.org.br/Article.aspx?id=1751.

é algo já existente na natureza, da qual uns se apropriam e, com isso, mantém os demais pobres e submissos. É preciso que o ser humano, como diz Mises em *Ação Humana*, esteja "*ansioso para substituir uma situação menos satisfatória, por outra mais satisfatória*"; que sua mente imagine

> [...] "situações que lhe são mais propícias" para que "sua ação" procure "realizar esta situação desejada. O incentivo que impele o homem à ação é sempre algum desconforto. Um homem perfeitamente satisfeito com a sua situação não teria incentivo para mudar as coisas. Não teria nem aspirações nem desejos; seria perfeitamente feliz. Não agiria; viveria simplesmente livre de preocupações (MISES, 2010, pp. 37-38).

Desse modo, não é tão simples tirar conclusões sobre a pobreza de um grupo de pessoas sem levar em conta seu histórico pessoal, que Sowell chama de pré-requisitos. Exemplifica ele, de maneira incontestável:

> Se um empreendimento apresenta cinco pré-requisitos para o sucesso, então, por definição, as chances de sucesso desse empreendimento dependem das chances de se ter os cinco pré-requisitos simultaneamente. Mesmo que nenhum deles seja raro – por exemplo, mesmo que sejam tão comuns que as chances de alguém ter um deles sejam de duas em três –, as probabilidades de se ter os cinco são baixas. Se as chances de se ter qualquer um deles são de duas em três, as chances de se ter todos são de dois terços multiplicados por si mesmos cinco vezes. Isso dá 32/243, ou cerca de uma chance em oito. Em outras palavras, as chances de fracasso são de aproximadamente sete em oito. Obviamente, essa é uma distribuição muito assimétrica de sucesso, nada parecida com a curva em sino da distribuição normal de resultados que, de outro modo, poderíamos esperar (SOWELL, 2019, p. 10).

Nesse sentido, adverte, de modo absolutamente necessário, a qualquer um que não queira fazer com os números o que Humpty Dumpty fez com as palavras: "*não devemos esperar que o sucesso seja uniforme ou aleatoriamente distribuído entre indivíduos, grupos, instituições ou nações em empreendimentos com múltiplos pré-requisitos, que são a maioria dos empreendimentos significativos"* (SOWELL, 2019, p. 10). Há que se levar em consideração que

> [...] se você não está preparado para se submeter ao longo período de trabalho duro e sacrificante que um empreendimento pode exigir, então, a despeito de ter todo o potencial inato para obter grande sucesso e mesmo com todas as portas da oportunidade bem abertas, pode se tornar um fracasso absoluto (SOWELL, 2019, p. 11).

Imaginar que, diante de algo como a chamada *igualdade de oportunidades*, toda e qualquer pessoa alcançaria resultados parecidos (para ser otimista), é negar a individualidade e tratar o ser humano como um autômato. Isso não é, em absoluto, negar que a desigualdade social seja uma realidade, mas tão somente de confrontá-la com a dura realidade da individualidade humana. Diz Sowell:

> Considerando os múltiplos pré-requisitos de muitos empreendimentos humanos, não deveríamos ficar surpresos com o fato de avanços econômicos ou sociais não serem uniforme ou aleatoriamente distribuídos entre indivíduos, grupos, instituições ou nações em qualquer momento dado. Nem com o fato de retardatários em um século partirem na frente em algum século posterior ou líderes mundiais de uma era se tornarem retardatários em outra. Quando o ganho ou a perda de apenas um pré-requisito pode transformar o fracasso em sucesso ou o sucesso em fracasso, não deveria ser surpresa, em um mundo mutável, que líderes e retardatários de um século ou milênio troquem de lugar em outro século ou milênio (SOWELL, 2019, pp. 13-14).

Os pré-requisitos são indispensáveis para uma avaliação do desempenho de indivíduos, pois mantém nossos olhos na complexa realidade humana. Evocar discriminação diante de uma situação social, sem analisar os pré-requisitos e as escolhas pessoais é um caminho fácil para quem deseja, em vez dos fatos, uma narrativa, em vez da verdade, uma ideologia. Vale lembrar que o termo *ideologia*, aplicado aqui em contraposição à verdade, tem sentido filosófico, e não sociológico. Ideologia é, como diz Lewis S. Feuer (1912-2002) em seu *Ideology and Ideologists*, *"um mito escrito em linguagem filosófica e científica"* (FEUER, 2010, p. 17), e cuja principal finalidade *"é, precisamente, a de suspender considerações éticas comuns, e substituí-las pelas prerrogativas da missão histórica*" (FEUER, 2010, p. 83). Russell Kirk vai na mesma direção, e aponta ideologia como "*qualquer teoria política dogmática que consista no esforço de colocar objetivos e doutrinas seculares no lugar de doutrinas e objetivos religiosos; e que prometa derrubar dominações para que os oprimidos possam ser libertados*". E arremata: "*a ideologia, em suma, é uma fórmula política que promete um paraíso terreno à humanidade; mas, de fato, o que a ideologia criou foi uma série de infernos na Terra*" (KIRK, 2013, pp. 94-95).

Thomas Sowell, com os pés fincados na realidade, diz que se deixou seduzir pela ideologia marxista apenas por um tempo – até conseguir um emprego no governo e perceber, como ele diz numa entrevista a Fred Barnes, para a *Fox News*, em 2005 [disponível no *Youtube*[44]], que "o governo não estava nem perto de conseguir fazer aquilo que a esquerda queria que ele fizesse". Ou seja, as pretensões de promover o bem-estar social de todos não correspondem às possibilidades reais. Muito pelo contrário; como diz Sowell, "*padrões muito assimétricos de distribuição de sucesso há muito são comuns no mundo real e contradizem algumas hipóteses fundamentais da esquerda e da direita políticas*" (SOWELL, 2019, p. 14).

Os exemplos sobejam. Sowell mesmo elenca vários casos de disparidades que se alteraram completamente de uma geração para outra, frutos das mais variadas circunstâncias, e que nenhuma ideologia de justiça social poderia alcançar. Há, por exemplo, o caso da Escócia, que passou de "uma das nações mais pobres e econômica e educacionalmente atrasadas das bordas externas da civilização europeia" até meados do século XVII; para, entre os séculos XVIII e XIX, produzir "um número desproporcional de importantes figuras intelectuais da Grã-Bretanha [...], incluindo James Watt na engenharia, Adam Smith na economia, David Hume na filosofia, Joseph Black na química, *Sir* Walter Scott na literatura e James Mill e John Stuart Mill nos textos econômicos e políticos". Um dos motivos foi a Reforma Protestante, cujo incentivo para que as pessoas lessem a Bíblia, aumentou o esforço de alfabetização do povo escocês; outro foi a "*cruzada para aprender a língua inglesa, que substituiu o gaélico nativo entre os escoceses das terras baixas e, consequentemente, abriu muito mais campos de conhecimento escrito*" (SOWELL, 2019, pp. 19-20). Há ainda o exemplo das instituições, como a Eastman Kodak, que após mais de

---

44 Ver: https://www.youtube.com/watch?v=-FD57ycST84.

cem anos dominando o mercado de câmeras fotográficas, faliu após ver sua tecnologia ultrapassada, em poucos anos, pela invenção das câmeras digitais. Como diz Sowell: "Sua maestria dos pré-requisitos para o sucesso nada significou quando apenas um desses pré-requisitos mudou". Ou seja, julgar que as disparidades encontradas na sociedade sejam apenas fruto de discriminação, pode "ter apelo emocional para muitas pessoas", mas está longe de ser a realidade dos fatos.

O psiquiatra Anthony Daniels, mais conhecido por seu pseudônimo Theodore Dalrymple, escreveu um livro interessantíssimo chamado *Em defesa do preconceito* (É Realizações), que nos fala sobre a necessidade de termos ideias preconcebidas que nos permitam emitir julgamentos. Como ele diz, discriminação:

> Em meus primeiros anos escolares, significava fazer um julgamento apropriado – estético, moral e intelectual – e os meus professores foram possivelmente a última geração de pedagogos que acreditou na inculcação dos poderes discriminativos, aos quais se atribuía a parte mais nobre do trabalho docente, de modo que alguns pupilos, ao menos, pudessem apreciar, e caso possível adicionar, as tradições e realizações mais refinadas de nossa civilização (DALRYMPLE, 2007, p. 89).

Thomas Sowell, no entanto, dá um passo além em seu livro. Ele diz que, ao mesmo tempo que discriminação é a mera capacidade de fazer distinções, por exemplo, entre um vinho bom e um ruim, "*a palavra também é usada, no sentido quase oposto, para se referir a diferenças arbitrárias de comportamento em relação às pessoas com base em suas identidades grupais, quaisquer que sejam suas qualidades reais como indivíduos*" (SOWELL, 2019, p. 31). Os dois tipos de julgamentos podem causar resultados diferentes, a depender de quem e o que julga: "*É comum, em países de todo o mundo, que alguns grupos apresentem resultados muito diferentes quando são julgados por outros em contextos profissionais e estudantis*" (SOWELL, 2019, p. 31). Isso, certamente, gerará resultados diferentes de emprego, renda, taxa de admissão em colégios e outras disparidades relativas a grupos específicos. Mas Sowell adverte:

> A pergunta fundamental é: que tipo de discriminação levou a tais resultados díspares? As diferenças de qualidade entre indivíduos ou grupos foram corretamente discernidas pelos

> outros ou eles tomaram suas decisões com base em aversões pessoais ou suposições arbitrárias sobre membros de grupos particulares? No fim das contas, essa é uma pergunta empírica, mesmo que as tentativas de respondê-la evoquem sentimentos e certezas passionais em observadores que chegam a conclusões opostas.
>
> Em outras palavras: as disparidades de resultados por grupos são produto de diferenças *internas* de comportamento e capacidades, acuradamente avaliadas por *outsiders*, ou se devem a imposições *externas* baseadas em julgamentos errôneos e preconceituosos ou no antagonismo de *outsiders*? (SOWELL, 2019, p. 31).

Aqui, Sowell aplica uma distinção muito feliz entre o que ele chama de Discriminação I e Discriminação II. Assim ele coloca a questão:

> No mínimo, precisamos saber o que queremos dizer quando usamos a palavra "discriminação", especialmente porque ela tem significados conflitantes. O sentido mais amplo – a habilidade de discernir diferenças de qualidade em pessoas e coisas e escolher de acordo – pode ser chamado de Discriminação I, que faz distinções baseadas em fatos. O significado mais estrito, mas mais comumente empregado – tratar as pessoas de maneira negativa, com base em suposições arbitrárias ou aversão a indivíduos de uma raça ou sexo particular, por exemplo – pode ser chamado de Discriminação II, o tipo que levou a leis e políticas antidiscriminatórias. Idealmente, a Discriminação I, quando aplicada a pessoas, significaria julgar cada uma delas como indivíduo, independentemente do grupo a que pertença. Mas aqui, como em outros contextos, o ideal raramente é encontrado entre seres humanos do mundo real, nem mesmo entre os que esposam esse ideal (SOWELL, 2019, p. 32).

Nesse sentido, Sowell dá um exemplo que sempre uso com meus alunos quando estou tratando de preconceito: um homem desconhecido, à noite, vindo ao seu encontro numa rua escura, é um suspeito – ainda que, depois, você se certifique tratar-se do padre da paróquia mais próxima. Ou seja, a circunstância é que lhe fez julgar a pessoa e, digamos, desconfiar dela. Esse julgamento carrega uma série de pressupostos que temos a respeito de ruas escuras e desertas, homens solitários à noite, criminalidade etc. Não é um prejulgamento fortuito. Portanto, ainda que seja mais adequado julgar cada qual como se deve, individualmente, as circunstâncias são limitadoras; e isso, diz Sowell, é um indício de que "as pessoas já foram implicitamente pré-selecionadas e somente então julgadas como indivíduos. Por exemplo, um professor que entra na sala no primeiro dia de aula pode julgar e tratar cada estudante como indivíduo. Mas o mesmo professor, caminhando por uma rua deserta à noite, pode não julgar e reagir a cada estranho que encontra como indivíduo" (SOWELL, 2019, p. 33).

De acordo com Sowell, em situações que envolvem custo, é muito complicado aplicar a Discriminação I e analisar cada situação individualmente. Por exemplo, empresas de transporte que não fazem entregas em determinadas áreas por terem histórico de assaltos, o fazem de acordo com a Discriminação II, prejudicando as muitas pessoas de bem que moram nessas regiões. No entanto, diante da possibilidade de sofrerem assaltos, ou aceitariam correr o risco de perder mercadorias com frequência ou contratar uma escolta armada. Ou seja, arcariam com o custo do prejuízo ou da prevenção. Mas não é preciso maniqueísmo, Sowell oferece alternativas; diz ele que é possível *"pesar as evidências empíricas sobre os grupos como um todo ou sobre as interações de diferentes grupos entre si"*. E completa:

> Isso ainda é Discriminação I, pois baseia decisões em evidências empíricas. Mas a distinção entre a versão ideal da Discriminação I – julgar cada indivíduo como indivíduo – e as decisões baseadas em evidências empíricas sobre o grupo ao qual o indivíduo pertence é importante. Podemos chamar a versão ideal (basear as decisões em evidências sobre os indivíduos) de Discriminação Ia, e a versão menos ideal (basear decisões individuais em evidências grupais) de Discriminação Ib. Ambas diferentes da Discriminação II, que decide com base em noções insubstanciais ou animosidades (SOWELL, 2019, p. 34).

É possível, desse modo, basear-se em evidências do grupo a qual o indivíduo pertence, e, assim, minimizar os custos da Discriminação I sem cair na injustiça da Discriminação II. Um exemplo interessante que Sowell apresenta é que muitas empresas americanas evitam contratar negros, pois uma parcela substancial desse grupo tem antecedentes criminais (Discriminação Ib); no entanto, todas as empresas que decidem verificar os antecedentes criminais de *todos* os candidatos (Discriminação Ia), os negros se tornam mais empregáveis e mais negros são contratados.

Tais situações e o modo como Sowell as apresenta, nos fazem compreender que a discriminação não é tão somente, com diz um *site* engajado, uma atitude que "resulta na destruição ou comprometimento dos direitos fundamentais do ser humano, prejudicando um indivíduo no seu contexto social, cultural, político ou econômico"[45]; é também um mecanismo de equilíbrio socioeconômico e de segurança. Não é possível, numa mera avaliação sentimentalista, concluir que a discriminação é somente fruto da maldade e da desumanização. Uma análise de mercados competitivos, como diz Sowell, "*não pode ser realizada como se não houvesse outros fatores envolvidos além das preferências individuais*" (SOWELL, 2019, p. 46). Por outro lado, onde não existe mercado – países totalitários, por exemplo –, os custos da Discriminação II são muito baixos ou inexistentes, tais como: "*1) monopólios de serviços públicos em que preços e taxas de lucro são controlados diretamente pelo governo, 2) organizações sem fins lucrativos e, é claro, 3) empregos no governo*" (SOWELL, 2019, p. 50).

Outro aspecto interessante é que algumas leis governamentais podem ter consequências involuntárias de discriminação contra grupos que deveriam ser seus beneficiados. As leis de salário mínimo são um exemplo basilar. Diz Thomas Sowell: "Quando os níveis de remuneração são determinados não pela oferta e demanda em um mercado livre, mas por leis de salário mínimo, isso pode afetar o custo da Discriminação II para o discriminador". Trabalhadores negros jovens, que, em geral, têm menos formação educacional, passam a ter dificuldade de conseguir emprego por conta da faixa salarial determinada pelo governo. Sowell explica:

> Um índice salarial acima de onde estaria pela lei de oferta e demanda em um mercado livremente competitivo tende a ter ao menos duas consequências: 1) aumento do número de candidatos devido à remuneração mais alta e 2) diminuição do número de contratados devido ao custo mais alto do trabalho. Nessa situação, o resultante excedente crônico de candidatos qualificados reduz o custo de recusar candidatos de grupos particulares, desde que o número de candidatos recusados não seja maior que o número de candidatos excedentes.

---

45 Ver: https://www.geledes.org.br/significado-de-discriminacao/.

Quando, por exemplo, os candidatos negros que são recusados podem facilmente ser substituídos por candidatos brancos que, de outra maneira, seriam excedentes, isso reduz o custo de Discriminação II para o empregador a praticamente zero. De acordo com os princípios econômicos mais básicos, tal situação torna a discriminação, racial ou de outra natureza, muito mais acessível, e consequentemente mais sustentável, para os empregadores que uma situação na qual os salários são determinados pela oferta e demanda em um mercado livre e competitivo (SOWELL, 2019, p. 58).

O sistema de cotas em empresa e universidades também tem consequências parecidas. Criados para favorecer grupos prejudicados por circunstâncias histórias de adversidade – como a escravidão – as cotas acabam por não beneficiar os que realmente precisam, mas os "já bafejados pela sorte". Em sua obra *Ação afirmativa ao redor do mundo*, Sowell dá muitos exemplos de como isso ocorreu em diversos lugares do mundo; mas, nos EUA a situação é particularmente interessante:

Um estudo com base em amostragem aleatória das minorias beneficiárias dos contratos do governo reservados pela Administração dos Pequenos Negócios mostrou que mais de dois terços desses beneficiários realizavam, cada um deles, lucros superiores a um milhão de dólares. Entre eles, um negociante negro com capacidade para administrar a compra de todas as ações da multibilionária empresa Viacom do ramo da mídia. Este empresário fora antes um funcionário público da Comissão Federal de Comunicações (FCC) e tinha conhecimento minucioso de como funcionavam na mídia os programas reservados para minorias. Tais programas beneficiaram igualmente ricos atletas negros como Lou Brock, Julius Erving e O. J. Simpson. Ainda assim, quando alguns membros do Congresso se opuseram publicamente a esses programas, o congressista Charles Rangel, do Harlem, comparou-os a Hitler e considerou qualquer tentativa de redução da ação afirmativa um ataque a todos os negros (SOWELL, 2016, p. 159).

Mesmo as leis antidiscriminação tiveram consequências não previstas pelos burocratas governamentais. O famoso caso *Brown v. Conselho de Educação*, de 1954, cuja decisão unânime da suprema corte determinou que as leis estaduais de segregação nas escolas eram inconstitucionais – pois feriam a 14.ª Emenda da Constituição norte-americana, que diz: "Nenhum estado poderá fazer ou executar leis que restrinjam os privilégios ou as imunidades dos cidadãos dos Estados Unidos" – causou comoção nacional. A foto icônica da garotinha Ruby Bridges (1954-), sendo escoltada por agentes federais à escola William Frantz Elementary School, em Nova Orleans, ganhou o mundo. No entanto, a decisão teve desdobramentos práticos bastante controversos. Sowell nos conta que "*a apenas 1.600 metros da Suprema Corte, havia um colégio público somente para negros cuja história, que retrocedia ao século XIX, contradizia as principais declarações do juiz presidente sobre os fatos empíricos*". A história é surpreendente:

> Embora a maioria de seus alunos fosse para faculdades locais, alguns começaram a entrar nas principais faculdades do país no fim do século XIX, sendo aceitos na Phi Beta Kappa. No período entre 1892 e 1954, 34% foram admitidos na Faculdade Amherst. Desses, 74% se formaram e 28% se tornaram membros da Phi Beta Kappa.59 Entre outras faculdades de elite nas quais estudantes desse colégio eram membros da Phi Beta Kappa ao se formar estavam Harvard, Yale, Williams, Cornell e Dartmouth. Alunos desse colégio – conhecido por vários nomes desde sua fundação em 1870, incluindo Colégio Dunbar a partir de 1916 – foram os "primeiros negros" em uma variedade de realizações profissionais. Essas realizações incluíam a primeira mulher negra a obter Ph.D. em uma universidade americana, o primeiro juiz federal negro, o primeiro general negro, o primeiro membro do Gabinete negro, o primeiro professor negro com estabilidade em uma grande universidade nacional e o dr. Charles Drew, que recebeu reconhecimento internacional como pioneiro no uso do plasma sanguíneo. Claramente, escolas racialmente segregadas não eram inerentemente inferiores (SOWELL, 2019, p. 82).

No entanto, "a cruzada para integrar racialmente as escolas públicas, durante décadas após a decisão *Brown v. Conselho de Educação*, gerou muito tumulto social, polarização racial e amargas reações, mas nenhuma melhoria educacional". A integração fez com que o colégio não mais pudesse aceitar alunos de todas as regiões da cidade, selecionando os melhores candidatos, mas somente da sua própria vizinhança; isso fez com que "*em 1993, a porcentagem de alunos de Dunbar que entraram na faculdade foi menor que a de todos os sessenta anos anteriores*" (SOWELL, 2019, p. 83).

A integração forçada em bairros americanos também trouxe resultados catastróficos. Foram criados programas de integração social cuja finalidade era construir, em bairros de classe média, casas acessíveis a pessoas de baixa renda. "A suposição", diz Sowell, "por trás de tais programas era de que o isolamento social era a causa de muitas das patologias sociais nos guetos, de modo que pôr fim ao isolamento levaria à melhoria de comportamento e desempenho de crianças e adultos pertencentes às minorias. O problema é que houve uma "guetificação" de muitos locais antes tranquilos e ordeiros. E, curiosamente, quem mais reclamou dessa integração, foram os negros que já moravam nesses locais antes da "integração", pois todo o esforço que fizeram para melhorarem suas vidas e saírem dos guetos em que nasceram, foi colocado em risco quando o gueto foi até eles.

O ponto central do livro de Sowell é o capítulo sobre as estatísticas propriamente ditas. Os números de pesquisas estatísticas são bastante úteis para medir disparidades, no entanto, como já nos indicou Darrell Heff, todo cuidado é pouco. Sowell aponta que, apesar de serem úteis, *"os números também podem ser enganosos não por causa de quaisquer defeitos intrínsecos neles mesmos ou nas palavras que os descrevem, mas por causa de suposições implícitas sobre os padrões com os quais estão sendo comparados"* (SOWELL, 2019, p. 95). Desse modo, apresenta alguns erros de omissão e comissão que são importantes para compreensão das disparidades – e das fraudes – estatísticas. Em relação erros de omissão, os mais flagrantes são as omissões de tempo e rotatividade. Por exemplo: grupos apontados como os 2% mais ricos ou os 20% mais pobres não levam em consideração que, internamente, a mobilidade social faz com que, mesmo que a porcentagem se mantenha, os indivíduos podem mudar. Sowell exemplifica:

> Um estudo da Universidade de Michigan que acompanhou um conjunto de trabalhadores americanos de 1975 a 1991 descobriu que 95% das pessoas inicialmente na faixa inferior de 20% já não pertenciam a ela no fim do período. Além disso, 29% daqueles inicialmente no quintil inferior percorreram todo o caminho até o quintil superior, e somente 5% permaneceram na faixa inferior de 20%. Como 5% de 20% é 1%, somente 1% da população total da amostra constituiu "os pobres" durante os anos do estudo. Declarações sobre como a renda "dos pobres" se comportou durante esses anos só se aplicariam a esse 1% de pessoas (SOWELL, 2019, p. 101).

É sempre muito curioso quando esses dados aparecem em jornais por aí, dizendo coisas como: *"No Brasil, 10% mais ricos ganham cerca de 17,6 vezes mais que os 40% mais pobres"*[46]. Sowell explica:

> Classificar as pessoas em faixas particulares de renda como "os pobres" ou "os ricos" significa implicitamente assumir que são residentes permanentes dessas faixas, quando, na verdade, a maioria dos americanos não permanece no mesmo quintil de renda de uma década para a seguinte (SOWELL, 2019, p. 102).

O caso do brasileiro Eike Batista (1956-) é um exemplo emblemático. Até 2012, o empresário incensado pelos governos petistas, ocupava, no *ranking* da revista *Forbes*, a 7ª posição, com uma fortuna avaliada em US$ 30 bilhões. No ano seguinte apareceu na 100ª posição, com patrimônio estimado em US$ 10,6 bilhões[47].

As estatísticas de criminais também são sempre controversas com seus erros de omissão. Diz Sowell: *"As estatísticas citadas para embasar alegações de que a polícia prende mais negros geralmente não vão além de mostrar que a proporção de negros presos excede em muito os cerca de 13% de negros na população americana"*. No Brasil também é comum dizer que as maiores vítimas de assassinatos são jovens negros[48], sem apontar – pois, com menos de 10% dos crimes de assassinato solucionados[49], esse número é praticamente impossível – que quem os mata, são, provavelmente, outros jovens negros. Como diz uma pesquisa do IPEA: *"os jovens aparecem nos dois lados da equação de crime, como vítimas e como perpetradores"*[50]. Nos EUA, o motivo da omissão nas estatísticas de criminalidade parece ser evidente: o politicamente correto: *"Como explicou um professor de criminologia da Carolina do Norte, "os bons estatísticos estavam erguendo as mãos e dizendo: 'Essa é uma batalha impossível de vencer. Não quero ser chamado de racista'"* (SOWELL, 2019, p. 105).

---

46 Ver: https://g1.globo.com/economia/noticia/2018/12/05/no-brasil-10-mais-ricos-ganham-cerca-de-176-vezes-mais-que-os-40-mais-pobres-aponta-ibge.ghtml.
47 Ver: https://epocanegocios.globo.com/Informacao/Acao/noticia/2013/03/eike-batista-cai-93-posicoes-no-ranking-dos-mais-ricos-do-mundo.html.
48 Ver: https://brasil.estadao.com.br/noticias/geral,75-das-vitimas-de-homicidio-no-pais-sao-negras-aponta-atlas-da-violencia,70002856665.
49 Ver: https://www.gazetadopovo.com.br/ideias/brasil-nao-soluciona-nem-10-dos-seus-homicidios-d726kw8ykpwh6xm41zakgzoue/.
50 Ver:http://www.ipea.gov.br/portal/images/stories/PDFs/nota_tecnica/150921_nt_diest_14_imputabilidade_penal.pdf.

Os *erros de comissão* passam por, por exemplo, "unir dados sobre coisas fundamentalmente diferentes, como salários e ganhos de capital, produzindo números que são chamados simplesmente de 'renda'".

> Também incluem discutir faixas estatísticas como se representassem um conjunto de seres humanos de carne e osso chamados de "os ricos", "os pobres" e "o 1% do topo", por exemplo, e usar pesquisas para tratar de questões reais que as limitações inerentes à pesquisa a tornam incapaz de resolver (SOWELL, 2019, p. 105).

Ou seja, os erros de omissão ou de comissão, como diz Sowell, "*parecem apoiar uma visão social particular. Isso sugere a possibilidade de que a defesa de uma causa social possa afetar a maneira como a causalidade é percebida ou apresentada*" (SOWELL, 2019, p. 118).

Sowell ainda aponta o que chama de "falácia invencível": no cerne de muitas discussões sobre as disparidades entre indivíduos, grupos e nações está a aparentemente invencível falácia de que os resultados dos empreendimentos humanos seriam iguais, ou ao menos comparáveis e aleatórios, se não houvesse intervenções tendenciosas, por um lado, ou deficiências genéticas, por outro. Essa preconcepção, que se estende por todo o espectro ideológico, desafia profundamente tanto a lógica quanto as evidências empíricas encontradas no mundo durante milênios da história registrada.

No entanto, como apontado anteriormente, os pré-requisitos individuais devem, sempre, ser levados em consideração, pois, ainda que tenham uma distribuição mais ou menos uniforme, "como uma curva em sino", há diferenças substanciais entre a quantidade de pré-requisitos exigidos para o sucesso de um empreendimento. Usar de idealismos utópicos não resolve o problema, afinal de contas "*nossas respostas emocionais nada dizem sobre o peso causal de diferentes fatores, por mais que possam modelar cruzadas políticas e iniciativas governamentais*" (SOWELL, 2019, p. 125).

Mas Sowell nos propõe algumas "soluções" – *individuais* e *governamentais*, que podem nos orientar. No nível individual, é importante não condescender com o erro e com as facilitações que tendem a reforçar um comportamento reprovável em vez de corrigi-lo. É preciso adequar-se à realidade, estabelecendo uma relação entre o esforço de adaptação e temperança na correção. A condescendência pode ser muito prejudicial, principalmente a um jovem promissor. Como diz Sowell,

> [...] afrouxar os padrões comportamentais no caso de uma criança que cresceu sem qualquer estrutura consistente de disciplina, em casa ou na escola, pode fazer com que quaisquer habilidades ou potencialidades que ela tenha se tornem inúteis em uma ampla variedade de empreendimentos com múltiplos pré-requisitos que serão encontrados na vida adulta, se não antes (SOWELL, 2019, p. 139).

E arremata: *"ser 'compreensivo' ou 'não julgar' um jovem com um background culturalmente limitado talvez pareça humano, mas pode ser o beijo da morte no que se refere a seu futuro"*.

Sobre as soluções governamentais, Sowell, como um bom liberal, demonstra certo ceticismo. Diz ele que as soluções governamentais *"podem ser o maior problema de uma sociedade, porque o governo é essencialmente uma instituição categórica em um mundo incremental"* (SOWELL, 2019, p. 142). No nível macro, os problemas, como as análises supracitadas podem demonstrar, são muito mais complexos. Entretanto, as *"decisões governamentais [...] tendem a ser categóricas: as coisas são legais ou ilegais e as pessoas são elegíveis ou inelegíveis para os benefícios fornecidos"* (SOWELL, 2019, p. 142). Nesse caso, mais uma vez é a "política da prudência", como diz Russell Kirk (KIRK, 2013), que pode ajudar:

> Considerando-se que todos os seres humanos tendem a cometer erros em todos os tipos de instituição, uma das características mais importantes de qualquer processo decisório é a habilidade de reconhecer e corrigir os próprios erros. Negócios que não reconhecem seus próprios erros e não mudam de curso a tempo podem enfrentar a falência mesmo tendo sido muito bem-sucedidos no passado. Indivíduos que sofrem as dolorosas consequências de suas próprias decisões ruins frequentemente são obrigados a mudar de curso para evitar uma catástrofe iminente e, em muitos casos, terminam com maior realização pessoal e *insight* para seguir em frente. Várias instituições governamentais, todavia, têm grandes barreiras internas à mudança de curso em resposta ao *feedback*. Para um representante eleito, admitir que tomou uma decisão errada em função da qual milhões de eleitores estão sofrendo é enfrentar

a possibilidade de encerrar a própria carreira em desgraça. Os tribunais estão sujeitos a precedentes legais que não podem ser revertidos indiscriminadamente sem prejudicar a efetividade de toda a estrutura legal (SOWELL, 2019, p. 143).

Desse modo, admitindo a inevitabilidade das falhas humanas, as variações nas capacidades de realização, reconhecendo os erros e mantendo os pés (e o cérebro) na realidade, erros e acertos humanos devem ser resolvidos humanamente, de acordo com nossas limitações naturais. Os desmandos, horrores e tristezas do passado nem sempre podem ser corrigidos, mas podem nos servir de guia para evitarmos os mesmos erros no futuro. "*O passado*", diz Sowell,

> [...] deve ser entendido em seu próprio contexto. Ele não pode ser visto como se seu contexto fosse o do presente, com os eventos simplesmente ocorrendo em uma época anterior. Isso seria um erro tão grande quanto falhar em compreender as implicações do fato de que o passado é irrevogável. Como os seres humanos só podem fazer escolhas entre as opções realmente disponíveis, os eventos do passado só podem ser entendidos e julgados no interior dos limites inerentes a seus locais e épocas (SOWELL, 2019, p. 151).

E, ao fim e ao cabo, "as únicas épocas sobre as quais temos qualquer grau de influência são o presente e o futuro, e ambos podem ser piorados pelas tentativas de restituição simbólica entre os vivos por algo que aconteceu entre os mortos, que estão muito além de nosso poder de ajudar, punir ou vingar" (SOWELL, 2019, p. 151).

E assim, pautados pela sabedoria, sabendo que, como disse Bernardo de Chartres (1070-1130), podemos enxergar mais longe por estarmos sobre os ombros de gigantes, jamais nos esqueçamos, diante de qualquer solução apresentada para os complexos problemas humanos, de fazer as três perguntas sugeridas por Sowell na entrevista a Fred Barnes: 1) Comparado com o quê? 2) A que custo? 3) Que prova concreta você tem?

BIBLIOGRAFIA

DALRYMPLE, Theodore. *Em defesa do preconceito – a necessidade de se ter ideias preconcebidas*. São Paulo: É Realizações, 2007.

FEUER, Lewis S. *Ideology and Ideologists*. New Brunswick: Transaction Publishers, 2010.

HEFF, Darrell. *Como mentir com estatística*. Rio de Janeiro: Intrínseca, 2016 (*e-book*).

KIRK, Russell. *A política da prudência*. São Paulo: É Realizações, 2013.

MISES, Ludwig von. *Ação Humana*. São Paulo: Instituto Mises Brasil, 2010.

SOWELL, Thomas. *Ação afirmativa ao redor do mundo*. São Paulo: É Realizações, 2016.

_____. *Discriminação e disparidades*. Rio de Janeiro: Record, 2019.

Sites:

BARNES, Fred; SOWELL, Thomas. "In The Right Direction". *Fox News*. Disponível em: https://www.youtube.com/watch?v=-FD57ycST84.

BRUM, Maurício; KANITZ, Henrique. "Brasil não soluciona nem 10% dos seus homicídios". *Gazeta do Povo*, Curitiba, 17/set/2018. Disponível em: https://www.gazetadopovo.com.br/ideias/brasil-nao-soluciona-nem-10-dos-seus-homicidios-d726kw8ykpwh6xm41zakgzoue/.

ÉPOCA NEGÓCIOS. "Eike Batista cai 93 posições no ranking dos mais ricos do mundo". *Época*. Rio de Janeiro, 04/mar/2013. Disponível em: https://epocanegocios.globo.com/Informacao/Acao/noticia/2013/03/eike-batista-cai-93-posicoes-no-ranking-dos-mais-ricos-do-mundo.html.

ESTADÃO BRASIL. "75% das vítimas de homicídio no País são negras, aponta Atlas da Violência". *O Estado de S. Paulo*, São Paulo, 05/jun/2019. Disponível em: https://brasil.estadao.com.br/noticias/geral,75-das-vitimas-de-homicidio-no-pais-sao-negras-aponta-atlas-da-violencia,70002856665.

G1 ECONOMIA. "No Brasil, 10% mais ricos ganham cerca de 17,6 vezes mais que os 40% mais pobres, aponta IBGE". *G1*, Rio de Janeiro, 05/dez/2018. Disponível em: https://g1.globo.com/economia/noticia/2018/12/05/no-brasil-10-mais-ricos-ganham-cerca-de-176-vezes-mais-que-os-40-mais-pobres-aponta-ibge.ghtml

GELEDÉS. "Significado de Discriminação". *Geledés*, São Paulo, 24/nov/2015. Disponível em: https://www.geledes.org.br/significado-de-discriminacao/.

IPEA. *Redução da Idade de Imputabilidade Penal, Educação e Criminalidade*. IPEA, Distrito Federal, set/2015. Disponível em: http://www.ipea.gov.br/portal/images/stories/PDFs/nota_tecnica/150921_nt_diest_14_imputabilidade_penal.pdf.

RALLO, Ruan Ramón. "Por que a economia não é um jogo de soma zero?" Instituto Mises Brasil, São Paulo, 01/fev/2018. Disponível em: https://www.mises.org.br/Article.aspx?id=1751.

CAPÍTULO 9

QUANDO O "POLITICAMENTE CORRETO" É O MAIOR INIMIGO

Rosane Viola
Dennys Garcia Xavier

Os temas relativos à guerra são, para Sowell, alguns dos mais complexos e polêmicos, principalmente por envolver motivações, estratégias, sofrimento e dor de diversos agentes. Cada conflito guarda em si mesmo particularidades relacionadas ao povo, território, hábitos, religião, quase irredutíveis a uma única fórmula resolutiva. Todos estes detalhes singulares devem ser levados em consideração e só a partir de uma análise pormenorizada dos fatos é possível cogitar a melhor solução ou saída para evitar o conflito. Mas não é bem neste sentido que os intelectuais atuam, diz Sowell, ao menos não em sua maioria.

De fato, os termos das questões se impõem: como a opinião pública reage em tempos de conflitos e crises e como se dá a influência dos intelectuais – formadores de opinião – sobre esta reação e ainda como seus discursos moldam as políticas públicas governamentais? A investigação do nosso autor, por evidente, se restringe aos intelectuais no mundo ocidental contemporâneo e de tempos recentes (o que não exclui a possibilidade de que o mesmo quadro se desdobre ao longo da história em outros contextos e civilizações).

Intelectuais, observa Sowell, em certos momentos defenderam com grande entusiasmo os conflitos armados e, em outros, delinearam com relação a eles uma forte oposição: em todos os casos conseguindo exibir uma visão "consistente" das opções consideradas como ideais. Entretanto, uma apurada análise deste comportamento por assim dizer, variante, é capaz de revelar algo inusitado: que a posição dos intelectuais, a favor ou contra determinado conflito, acaba por sofrer uma influência temporal importante, no qual o evento está inserido.

> Por vezes, a posição dos intelectuais, contrária ou a favor de determinada guerra, parece envolver uma questão temporal, ou seja, se a época referida foi precedida por um longo período de paz ou se, ao contrário, foi uma época cujos horrores de uma guerra recente marcaram indelevelmente a memória das pessoas (SOWELL, 2011, p. 317).

Sim, os horrores de uma guerra recente que deixaram fortes marcas na memória da população ou um período de paz que afasta da consciência cotidiana a dura concretude de um conflito armado influenciam a maneira como os formadores de opinião se manifestam sobre o fenômeno. Quando distante no tempo,

> [...] foi fácil para muitos intelectuais e outros grupos pensarem na guerra de forma abstrata, encontrando em seu apelo de coesão social e de propósito nacional valores contagiantes e virtudes positivas, ao mesmo tempo que seu devastador custo humano era deixado de lado, esquecido nos recessos mais profundos do pensamento (SOWELL, 2011, p. 317).

Os intelectuais, mesmo conscientes dos horrores de uma guerra, talvez inspirados por William James (1842-1910), filósofo e um dos fundadores da psicologia moderna, adotaram, aqui e ali, o discurso sobre a necessidade de um "equivalente moral para a guerra" que tinha como objetivo fundamental a mobilização da sociedade com vistas às aspirações e propósito comuns. Uma bela argumentação que tem como finalidade, diz Sowell, a pura e simples dominação das massas, segundo um claro projeto de cooptação de consciências.

THOMAS SOWELL E A ANIQUILAÇÃO DE FALÁCIAS IDEOLÓGICAS

A ideia, já há muito tempo consagrada nos meios defensores de um altruísmo a qualquer custo, é a de disseminar o pensamento de que o sentido da vida é dado por terceiros e que, então, não pertence ao próprio indivíduo. Cabendo então, ao intelectual "ungido" a tarefa de tomar as decisões no lugar dos diretamente interessados, retirando, especialmente do Homem comum, o poder decisório sobre a própria vida; uma verdadeira apropriação do direito de escolha.

Eis que Sowell denuncia os membros da elite intelectual exatamente por fomentarem a imposição de propósitos sociais supostamente comuns, aqui travestidos de coisa importante e necessariamente compartilhável: por evidente, uma verdadeira usurpação do poder de decisão e dos direitos individuais. Num contexto assim planejado, os conflitos acabam por ser responsáveis pelo estabelecimento das condições necessárias para o surgimento e desenvolvimento de um sentimento de identidade e união social que fazem prosperar a terceirização do significado da vida, tudo devidamente temperado com visão idílica do conflito, marcada pelo seu afastamento histórico da experiência de cada um dos direta ou indiretamente envolvidos.

No início do século XX, com a eclosão da Primeira Guerra Mundial, a visão de mundo do chamado "intelectual ungido" floresceu e ganhou força. Ao mesmo tempo, no entanto, o período revelou os horrores da guerra ignorados ou subestimados por aqueles que lavaram as mãos e delegaram a terceiros as próprias decisões. A guerra e todo o seu terror acabaram por colocar em andamento outra visão radicalmente oposta sobre conflitos; foi a vez dos intelectuais atuarem na disseminação de uma onda de ideias pacifistas.

O que Sowell põe em debate, portanto, não é o grau de correção da análise dos intelectuais, ora a defender a necessidade de conflitos, ora a criticá-los, mas, isso sim, a razão de ser de um pano de fundo praticamente inalterável: a posição assumida e defendida com rigor pelos intelectuais "ungidos" como guias das massas. É com base em tal constatação que o nosso autor empreende uma análise minuciosa, caso a caso, de cada período envolvendo conflitos e que recebe dos intelectuais ora opiniões favoráveis ora críticas ferrenhas, como modo de compreender o seu (dos intelectuais) peculiar papel na sociedade.

Inicialmente, a visão filosófica do autor sobre o que aconteceu no continente europeu na época da Primeira Guerra Mundial, elucida bem o que ocorria nos bastidores e que influenciou de maneira contundente a situação de conflito a ponto de não contribuir para evitá-lo, mas, quiçá, para fomentá-lo. O relato histórico é surpreendente e explica como uma trégua de quase cem anos sem a ocorrência de grandes conflitos ou situação de convulsão social fez com que as pessoas acreditassem que estavam livres dos horrores da guerra. Havia a ilusão de que a Europa havia finalmente superado esta parte da história, relegando as guerras a um passado sombrio. Reinava, naquele momento, uma sensação de confiança e aqueles pensadores ligados à extrema esquerda tinham na solidariedade internacional entre as classes operárias, a garantia ilusória de que os trabalhadores dos diferentes países não lutariam entre si para o favorecimento de seus "exploradores".

No fim das contas, gerações que não haviam experimentado os horrores de uma guerra, marcharam envoltas num clima de alegria e exaltação pública, acreditando que a vitória poria um fim definitivo à guerra num tempo relativamente curto. A realidade seria diferente e cruel, bem mais dolorosa do que a propaganda fazia crer. O que a população presenciou estarrecida foi a tecnologia à mercê dos interesses político-econômicos dos países envolvidos, promovendo a guerra mais letal que o mundo já vira.

O término da guerra, com todo o seu poder de destruição, ainda gerou um novo fenômeno que poucos puderam prever; o surgimento do totalitarismo que despontou no momento caótico do fim da guerra.

Entretanto, o problema começou a se desenhar bem antes, quando, no início do século XX, o assim denominado "imperialismo norte-americano" tornou-se missão internacional; suas atividades levariam a democracia para outros lugares (evidentemente, então, apoiadas por muitos intelectuais ditos progressistas). Nesta época, o editor da *New Republic*, Herbert Croly (1869-1930), defendia a intervenção norte-americana e dizia que sem o comando das democracias ocidentais, os pobres países asiáticos e africanos não teriam a menor chance de se tornarem nações democráticas modernas. Com o *The Promise of American Life*, Croly argumentava que uma tutela preliminar era necessária como fundamento de um bom início político com vistas a um genuíno avanço nacional. Segundo Croly, a guerra se justificaria a partir de um propósito louvável, como a melhoria humana, sendo melhor inclusive que uma mera paz artificial. Foi esse tipo de argumentação que envolveu a sociedade no período que antecedeu a grande guerra: um desfavor promovido por intelectuais com grande penetração popular.

A parcialidade explícita dos intelectuais já seria motivo suficiente para que eles fizessem a *mea-culpa* perante a sociedade, tendo em vista os efeitos nefastos de suas ações. E Sowell deixa bem claro que os intelectuais progressistas que apoiaram intervenções militares norte-americanas em países pobres, na verdade defendiam o imperialismo como uma simples extensão de políticas nacionais para além das fronteiras dos EUA. O autor relata em detalhes que Willard D. Straight (1880-1918), financiador e um dos fundadores da revista *New Republic*, e Herbert Croly, seu primeiro editor, apoiaram as aventuras imperialistas de Theodore Roosevelt (1858-1919) sem restrições.

> Woodrow Wilson não apenas acreditava no acerto da intervenção de McKinley sobre as colônias espanholas, mas, como presidente, ordenou a execução de um bom número de intervenções militares na América Latina antes de executar sua maior e mais fatídica intervenção, a entrada dos EUA na Primeira Guerra Mundial, que assolava a Europa – diz Sowell (SOWELL, 2011, p. 323).

Sowell apresenta provas históricas robustas de como os intelectuais ligados à *intelligentsia*, em geral, acolhiam de forma festiva, ideias e ações ditas democráticas mas que, na verdade, escondiam sua vocação totalitária. O *modus operandi* ontem e hoje é o mesmo: os intelectuais lançam incessantes e pesadas críticas sobre governos existentes e fazem uma oposição militante para que ocorram mudanças – implicitamente consideradas melhores do que o modelo atual – mas que, muitas vezes, se concretizam em resultados perniciosos e até mesmo trágicos, regimes que se vendem democráticos e acabam por se tornar totalitários, brutais e repressivos.

Sowell relata que durante o período relativamente curto do envolvimento militar norte-americano na Primeira Guerra Mundial – pouco mais de um ano e meio – a vida dos americanos passou a ser controlada por um pacote expressivo de regulamentações federais. Os intelectuais progressistas viam na guerra uma oportunidade valiosa, o momento certo para substituir os processos tradicionais de tomada de decisões, que eram baseados nos mecanismos socioeconômicos individuais, pela implantação de formas coletivistas de controle e principalmente doutrinação. O governo americano criou, então, assembleias, comissões e comitês que foram rapidamente colocados sob a direção do Conselho da Indústria de Guerra, que passou a governar boa parte da economia, estabelecendo racionamentos e fixando preços.

Paralelamente, o Comitê de Informação Pública, descrito de forma correta como o "primeiro ministério moderno de propaganda do Ocidente", diz o autor, era criado e administrado pelo progressista George Creel (1876-1953), que adotou como meta principal tornar a opinião pública uma única e compacta *massa quente* de apoio aos esforços de guerra em nome de *"100% de americanismo"*, rotulando todo aquele que *"se recusasse a apoiar o presidente durante essa crise"* como *"pior que um traidor"* (SOWELL, 2011, p. 332).

Resta evidente que a maior arma de regimes totalitários é a propaganda e seus discursos falaciosos. Estão em todos os cantos, penetram todos os lugares, principalmente as universidades, responsáveis pela disseminação do conhecimento. A visão dirigista dos intelectuais "ungidos" materializa-se em operações de controle de massas; a justificação surge sob o manto da defesa da democracia que corre perigo quando não se permite a busca de objetivos coletivos. As decisões individuais, ao passarem pelo crivo dos intelectuais progressistas, que as veem como caóticas, dão ensejo aos discursos favoráveis à repressão econômica, política e social.

As ações militares norte-americanas continuaram repercutindo mesmo após o fim da guerra e as políticas domésticas de Wilson também; as tentativas de controle governamental sobre a economia não cessaram.

John Dewey defendia que este controle do Estado sobre a coisa privada, ou seja, a regulamentação governamental sobre negócios privados era de fácil implantação, de tão fácil, era considerada ridícula. A intervenção governamental com o controle da economia em tempos de guerra influenciou o pensamento de muitas pessoas que mais tarde seriam apoiadores desta doutrina, mas o povo americano repudiou finalmente a linha progressista de Wilson e elegeu novos administradores conservadores durante toda a década de 1920.

A Primeira Guerra Mundial foi uma faca de dois gumes. Se, por um lado, favoreceu a tendência intervencionista da *intelligentsia*, por outro, derrubou as antigas noções dos intelectuais, que atribuíam à guerra o poder de tonificar a sociedade permitindo a disseminação de políticas progressistas no âmbito internacional. Os intelectuais apoiaram com fervor as políticas militares intervencionistas de Wilson, mas o preço a pagar foi alto demais. Os horrores e as devastações sem precedentes da Primeira Guerra Mundial obrigaram uma reorientação completa de quase toda a comunidade intelectual do mundo ocidental, que se alinhou na direção contrária, em direção ao pacifismo militante.

A tendência pacifista após o evento da primeira grande guerra, foi uma decorrência direta dos efeitos nefastos do conflito. Entretanto, os intelectuais que se viram obrigados a uma mudança drástica de pensamento continuaram convencidos de que suas visões sobre os assuntos de paz e guerra eram muitas vezes superiores àquelas do público em geral. O discurso pacifista serviria de antídoto para as trágicas consequências da guerra, pelo menos no que diz respeito ao sentimento de impotência e descrença que se apoderou da população no pós-guerra. Como bem diz Sowell, as experiências sombrias e chocantes da Primeira Guerra Mundial fragilizaram a sociedade de tal forma que o remédio obrigatoriamente teria que dar conta dos efeitos trágicos que assolaram a Europa, principalmente a França – um dos países mais afetados pelos horrores da guerra entre as democracias ocidentais.

A década de 20 vivenciou um dos movimentos intelectuais mais notáveis. Os gurus da opinião pública lançaram a ideia de que os países deveriam renunciar aos conflitos armados conjuntamente, em reunião pública. O proeminente intelectual britânico Harold Laski (1893-1950) colocava a questão da seguinte maneira:

> [...] a experiência sobre as terríveis dimensões de um conflito mundial parece ter convencido a melhor parte dessa geração que o efetivo banimento da guerra se apresenta como única alternativa razoável contra o suicídio em massa (LASKI, 1925, p. 587).

Sowell, citando mais uma vez John Dewey, conta que ele defendeu ferrenhamente o movimento pacifista com a renúncia internacional da guerra. As pessoas que se posicionavam contrárias ao pacifismo, eram indivíduos escravizados por velhos hábitos; Dewey defendia também que os argumentos contra o movimento pela paz eram apresentados apenas por aqueles que acreditavam no sistema da guerra. Naquele momento, assumir o pacifismo como uma doutrina superior a qualquer outra já pensada, era motivo de prestígio e gerava elogios e honra. A adoção de tal posicionamento facilitava a vida dos seus defensores no seio da elite e engrandecia a fama de intelectuais. A doutrina pacifista assumiu também o papel de salvadora de almas, na medida em que um de seus objetivos seria o da regeneração humana; papel que iria muito além daquele anteriormente apresentado de prevenção da guerra. Novamente, os intelectuais tiveram um campo fértil para as suas ideias, o pacifismo teria o condão de resolver a questão concreta dos conflitos internacionais e também salvar almas. Nada mais atraente e politicamente correto do que uma doutrina que exaltava a paz como a única solução dos problemas entre nações, propondo a regeneração do indivíduo como a cura de todos os males.

Em 1926, intelectuais de diversos países assinaram uma petição em defesa do passo definitivo para a garantia da paz, ou seja, pediam o completo desarmamento das nações civilizadas. Assinaram a petição internacionalmente divulgada, H. G. Wells (1866-1946), B. Russell (1872-1970) na Inglaterra e Romain Rolland (1866-1944) e Georges Duhamel (1884-1966) na França. Os intelectuais exortavam o banimento do serviço militar como forma de livrar o mundo do militarismo. Eles defendiam, como uma garantia da paz duradoura, o desarmamento físico e moral dos seres humanos. Os pacifistas não consideravam que outras nações que não adotassem os mesmos métodos de prevenção à guerra poderiam ser inimigos potenciais e colocar em risco exatamente o que eles mais intencionavam proteger; os adeptos do pacifismo enxergavam que o único inimigo a ser debelado era a guerra em si. Podemos observar como o discurso ancorado em bases racionais-hipotéticas e, então, totalmente desprovido de vínculos com a experiência, se revela perigoso, na medida em que é livre de amarras e pode alçar voos inimagináveis colocando em risco o próprio interesse humano que ele busca preservar. Os pacifistas não conseguiam enxergar a necessidade de forças militares nacionais como agentes de dissuasão diante das forças militares de outras nações, mas sim como influências malignas em si mesmas (SOWELL, 2011, p. 341).

A grande questão que se coloca é: o que poderia ser mais irracional do que desconsiderar a agressividade humana? Os pacifistas britânicos geralmente retratavam as guerras como resultado de atitudes ou de emoções nacionais, em vez de vê-las como resultado de maquinações egoístas de governantes agressivos, afirma Sowell.

O patriotismo era considerado um mal e devia ser sepultado; os pacifistas da década de 30 se deixaram levar por uma manipulação retórica que fora usada para minimizar os perigos de sua postura pacifista. Ao mesmo tempo, a Alemanha de Hitler promovia um rearmamento massivo e a exacerbação do patriotismo entre os alemães era incentivada; na contramão, a *intelligentsia* tentava a todo custo sepultá-lo definitivamente.

Após a derrota francesa para os alemães, no início da Segunda Guerra Mundial, a escritora Simone Weil (1909-1943), uma reconhecida pacifista de ascendência judaica, mas cristã praticante, fugindo dos perigos do governo nazista na França, foi para a Inglaterra, onde morreu ainda durante a guerra. Outro personagem importante, Georges Lapierre (1886-1945), que encabeçava antes o movimento contra os textos escolares "belicosos" na França e tornou-se membro da resistência subterrânea ao domínio nazista, foi capturado e enviado ao campo de concentração de Dachau, onde morreu. Estes dois, Weil e Lapierre são exemplos de estratégias e discursos mal-sucedidos refletidos em seus próprios autores. Infelizmente, o aprendizado veio tarde demais para que os poupasse, assim como a diversas nações, das consequências desastrosas de suas posições, diz Sowell.

Sim, diz o nosso autor, o pensamento racionalista pode gerar ideias equivocadas bastante contundentes. O movimento antimilitarista e as políticas anti-armamentistas eram comuns entre os membros da *intelligentsia* dos Estados Unidos. Muitos norte-americanos de destaque assinaram o manifesto de 1930, contrário ao treinamento militar para os jovens. Em 1934, o jornalista e ativista Oswald Garrison Villard (1872-1949) registrava "*o decréscimo de um terço no contingente do exército dos Estados Unidos e a dispensa de 50% dos oficiais da reserva como sinal de nossa boa-fé*" (SOWELL, 2011, p. 356).

A insistência dos intelectuais em discursos pacifistas influenciava também líderes políticos, que certamente prezavam por suas imagens perante a opinião pública. A administração Roosevelt decidiu cortar o orçamento do exército e o chefe do Estado Maior, general Douglas MacArthur (1880-1964), colocou seu cargo à disposição após uma tórrida discussão com o presidente.

No período entre a Primeira e a Segunda Guerra Mundial, as ideias pacifistas tomaram conta do cenário social e político das democracias ocidentais; conferências internacionais de desarmamento e acordos para que as nações renunciassem à guerra avolumavam-se e tomavam conta do imaginário popular.

A defesa da paz é uma questão revestida de méritos, mas até que ponto os tratados de não-proliferação de armas têm a capacidade de evitar a guerra entre os países? No âmbito internacional, o respeito às leis ou a própria adesão aos tratados são matérias muito controvertidas e especialistas em relações internacionais não conseguem muitas das vezes estabelecer consensos. Japão e Alemanha violaram os acordos assinados para limitar seus arsenais e produziram navios de guerra melhores e com maior poder de destruição que os navios britânicos e norte-americanos. Estas violações não podem ser consideradas fatalidades, isto porque os acordos são inerentemente unilaterais e os líderes das nações democráticas são pressionados para assiná-los e respeitá-los. O contrário geralmente acontece com líderes de ditaduras que controlam, suprimem ou mesmo ignoram a opinião pública. Portanto, estão livres das pressões populares.

Os intelectuais da mídia e acadêmicos geralmente desconhecem os detalhes e as especificidades de acordos e tratados internacionais, estas são matérias de especialistas em direito internacional e afins. Portanto, a *intelligentsia* está limitada intelectualmente à propaganda dos acordos de desarmamento e à celebração do arrefecimento de tensões que tais documentos podem ensejar. A história revela que a mera formalização de pactos internacionais pela paz, não é suficiente para conter governos militarmente agressivos que nutrem objetivos de dominação e opressão.

> [...] intelectuais como John Dewey felicitaram os Acordos Navais de Washington de 1921-1922 e o *The Times* de Londres elogiou o acordo naval anglo-germânico de 1935, como "um fato formidável nas relações anglo-germânicas", uma demonstração "enfática de renúncia de propósitos hostis contra este país" pela Alemanha, e uma "decisão lúcida do SENHOR HITLER em pessoa". Ao mesmo tempo, os defensores da visão pacifista condenavam, sem reservas, os líderes de seus próprios países sempre que se recusassem a fazer concessões que selariam tais acordos" (SOWELL, 2011, p. 357).

THOMAS SOWELL E A ANIQUILAÇÃO DE FALÁCIAS IDEOLÓGICAS

As estratégias de manipulação tornam-se explícitas para um observador atento, visto que a *intelligentsia* não precisa converter os líderes políticos para suas causas pacifistas a fim de influenciar a condução das políticas de governo. Os líderes das nações democráticas são sempre obrigados a fazer o que a opinião pública aponta como o caminho correto a seguir. Neste caso, a opinião pública reproduz o pensamento da *intelligentsia*. Líderes de nações democráticas têm sempre à sua frente o desafio de uma eleição, logo não estão totalmente livres para decidir os rumos de seus países.

Inversamente, países sob comandos de governos não-democráticos, nem sempre estão fadados a sucumbir após a tomada de decisões equivocadas com base em apoio popular. O rearmamento alemão, por exemplo, ocorreu de forma clandestina antes mesmo de Hitler chegar ao poder em 1933. O fato era "segredo" apenas porque o governo alemão não o reconhecia publicamente, mas não era totalmente desconhecido para os líderes das nações democráticas que recebiam os relatórios dos serviços de inteligência.

O que verdadeiramente determina as decisões políticas em uma nação democrática, na maioria das vezes, é o impacto que as decisões A ou B podem ter nas urnas, elegendo ou depondo o governante responsável; muito menos importância têm as reais consequências de decisões políticas equivocadas e posteriormente desastrosas. A influência da *intelligentsia* sobre o curso dos eventos independe de uma intervenção direta sobre os donos do poder, as evidências são por demais comprometedoras. A opinião pública tem uma característica que muito agrada e serve à *intelligentsia*: a sociedade é extremamente receptiva a opiniões que tragam em seu bojo mensagens de bondade e harmonia, mesmo que estas mensagens sejam falaciosas ou retóricas. Portanto, a principal característica da opinião pública é a sua "maleabilidade".

Tudo que a *intelligentsia* precisou fazer em momentos de tensão foi trabalhar no convencimento de grande parte da população a favor do pacifismo, de modo que, ao pressionar os donos do poder que temiam perder seus votos não se colocaram contrários ao movimento pela paz – antimilitarismo e antiarmamentista. Para Sowell, portanto, sobram evidências de que aos formadores de opinião interessa mais ter razão junto às massas (por eles manipuladas) do que buscar o efetivo bem comum.

A imprensa utiliza de sua pretensa superioridade intelectual, muitas vezes compactuando com governantes mal-intencionados, bombardeando o público com informações alarmantes ou ainda omitindo notícias que podem prejudicar figuras públicas importantes. De qualquer forma, a manipulação midiática se revela perniciosa quando retira da sociedade o direito à verdade dos fatos. Tanto a sonegação de informação quanto o excesso podem pôr em risco a estabilidade de uma nação; informações fantasiosas podem acarretar mais danos do que suas prováveis consequências. A exaltação do Pacto Kellogg-Briand de 1928 é um exemplo citado por Sowell da influência perniciosa da *intelligentsia* que, alardeando banir a guerra com a simples assinatura de documentos formais – como se isso fosse realmente possível –, expôs o povo aos perigos da violência externa.

> Aqui, como em outros contextos, o dano provocado pela *intelligentsia* parece assumir grandes proporções, uma vez que eles saíram dos limites de competência de suas especialidades (nesse caso, colher e relatar as notícias) em busca de um papel mais amplo e significativo na determinação dos eventos (nesse caso, manipulando as notícias para que se encaixem em sua visão) (SOWELL, 2011, p. 364).

O papel da *intelligentsia*, entre as duas guerras mundiais, não poderia passar despercebido, pois obteve grande repercussão por toda a sociedade e, de fato, na história do mundo. As ideias disseminadas pela *intelligentsia* influenciaram uma série de crises internacionais; pode-se sem restrições atribuir à *intelligentsia* parte da responsabilidade pelos eventos que desembocaram na Segunda Guerra Mundial, entre eles, a remilitarização da Renânia e o Tratado de Versalhes que buscou sufocar o gigantesco potencial militar alemão.

Para Sowell, as questões de vida e morte não devem ser subordinadas a princípios abstratos, como pretendem pensadores racionalistas, e as nações não podem ser encaradas como entes abstratos. A Alemanha foi tratada como se fosse Portugal ou a Dinamarca, muito embora as restrições determinadas pelo Tratado de Versalhes fossem resultado do fato de a Alemanha não se comportar como estes dois países.

A obra de Sowell revela o perfil nada imparcial da intelectualidade. Os ditos intelectuais têm no discurso a habilidade de convencimento bastante desenvolvida, por isso conseguem, por meio da manipulação da opinião pública, intimidar quem se opõe aos seus interesses. A *intelligentsia* age como se a sua função legítima fosse mesmo a de manipular e moldar as mentes, quase nunca realizando a nobre função de informar e revelar a verdade. Os intelectuais "ungidos" informam o que lhes interessa no momento e com o único objetivo de favorecer líderes políticos cujas decisões estão de acordo com as suas próprias visões.

> Os intelectuais tiveram um papel fundamental na criação do ambiente de fraqueza militar e de irresolução política que dominou as nações democráticas, o que fez, para os líderes das ditaduras do Eixo, uma guerra contra essas nações parecer vantajosa e de provável sucesso. Além de ajudar a provocar a guerra mais devastadora da história da humanidade, os intelectuais também impediram a formação e a modernização das forças armadas nas nações democráticas nos anos que antecederam a guerra, demonizando os fabricantes de armamentos, tidos como "mercadores da morte", uma expressão que se tornou clássica, mas que fez as Forças Armadas norte-americanas e britânicas ficarem frequentemente em desvantagem nas batalhas, até que esforços desesperados e atrasados tanto na indústria de guerra quanto nos campos de batalha evitaram por pouco a derrota total e mais tarde viraram o jogo que levou finalmente à vitória (SOWELL, 2011, p. 374).

A manipulação retórica, como bem destaca Sowell, é *"capaz de fazer perguntas de uma forma que torna a resposta desejada quase inevitável, quaisquer que sejam os méritos ou os deméritos concretos da questão"* (SOWELL, 2011, p. 370).

BIBLIOGRAFIA:

POWELL, Jim. *Wilson's War: How Woodrow Wilson's Great Blunder Led to Hitler, Lenin, Stalin, and World War II*. New York: Crown Publishing Group, 2005.

GOLDBERG, J. *Liberal Fascism. The totalitarian temptation from Mussolini to Hillary Clinton*. New York: Doubleday, 2007.

SMITH, D.C., WELLS, H.G. *Desperately Mortal*. New Haven: Yale University Press, 1986.

LASKI, H.J. *A Grammar of Politics*. Londres: George Allen & Unwin Ltd., 1925.
RUSSELL, B. *Which Way to Peace?* Londres: Michael Jmeph Ltd., 1937.

CAPÍTULO 10

AÇÃO AFIRMATIVA: AFIRMATIVA NA PERSPECTIVA DE QUEM?

Pedro Caldeira

Introdução

Dissociar as análises desenvolvidas por Thomas Sowell sobre os impactos de políticas locais e de políticas públicas nas vidas familiares e escolares dos negros norte-americanos e a ações desenvolvidas pelo reverendo Martin Luther King Jr. (1929-1968) pelos Direitos Civis (1964) e pelo Direito de Voto (1965) dessa mesma população negra é uma tarefa impossível, pois as análises feitas pelo primeiro são diretamente impactadas pelas ações do segundo.

Na comemoração dos 50 anos do discurso *"I Have a Dream"*, Sowell (2013) faz uma análise dos impactos positivos e negativos desse discurso, esclarecendo que as ações afirmativas dirigidas à população negra entretanto desenvolvidas nos Estados Unidos vão contra as premissas em que se baseava o discurso de Martin Luther King Jr.

No centro do discurso do dr. King estava o seu sonho de um mundo em que as pessoas não seriam julgadas pela cor de sua pele, mas pelo "seu carácter". Julgar os indivíduos pelo seu carácter individual está no polo oposto de julgar como os grupos estão estatisticamente representados entre empregados, estudantes universitários ou figuras políticas (SOWELL, 2013).

Então as políticas de discriminação positiva da população negra, criando preferências para os negros foi um fracasso? Os argumentos de Thomas Sowell deverão, no mínimo, fazer-nos pensar. O primeiro deles compara os 20 anos antes e os 20 anos depois da publicação da legislação que favoreceu os Direitos Civis e o Direito de Voto da população negra, e a demais legislação que a discriminou positivamente, nomeadamente na percentagem de negros que deixou de ser pobre: esse percentual foi mais elevado nos 20 anos antes dessa legislação do que nos 20 anos após essa legislação.

O segundo é a taxa de desintegração e desagregação da família negra nos Estados Unidos, que permaneceu extremamente baixa no período de discriminação e que basicamente era nula mesmo durante o período da escravatura, mas que cresceu vertiginosamente após a publicação dessa legislação e da introdução de medidas de proteção da população negra. Os dados, segundo Sowell (2013) são evidentes, mas nenhum político se quer responsabilizar ou quer tentar explicar as causas dessa desagregação.

O terceiro prende-se com a lentidão da diminuição das disparidades sociais entre brancos e negros norte-americanos. As disparidades sociais entre grupos em outras populações diminuem reconhecidamente em ritmo bem lento, pois baseiam-se em fenômenos que estão fortemente enraizados e que naturalmente tornam lentos esses processos. O ritmo da diminuição das disparidades sociais entre brancos e negros nos Estados Unidos, mesmo sendo mais acelerada, é sempre considerado estranho e é mesmo considerado como exemplo da forma insidiosa e acobertada como atua o racismo (SOWELL, 2013), o que impossibilita uma análise objetiva do fenômeno.

Políticas públicas visando a discriminação positiva, ou ações afirmativas (SOWELL, 2017), como a Lei de Cotas para a entrada em universidades federais no Brasil ou de um percentual mínimo de mulheres candidatas a cargos políticos, são relativamente comuns ao redor do globo. E, sempre que essas ações começam a ser discutidas, há um coro de vozes concordantes e outro discordante.

O que se pretende com essas ações afirmativas? Conceitualmente, criar condições para que grupos que no passado foram discriminados (do serviço público, de cargos políticos, de contratos governamentais, do Ensino Superior...) sejam favorecidos de modo a atenuar diferenças que facilmente se conseguem detectar entre grupos sociais (de uma etnia relativamente a outra, de mulheres relativamente a homens ou de negros relativamente a brancos são os exemplos mais comuns).

No entanto, apesar das particularidades sociais de cada território, país ou nação, os resultados dessas ações são bem semelhantes e, em muitas circunstâncias, opostos aos inicialmente traçados.

Para melhor se entender as causas que sistematicamente estão na base do fracasso das ações afirmativas, escolheu-se explorar as políticas de ações afirmativas de dois países, um subdesenvolvido ou em vias de desenvolvimento (Índia) e outro desenvolvido (Estados Unidos), de forma a tornar mais evidentes essas causas. E a análise dessas ações afirmativas será feita tendo em consideração critérios de análise desenvolvidas por Thomas Sowell (2017) em estudo desenvolvidos durante dois anos que abrangeu diversas ações espalhadas pelo mundo: os contextos históricos que deram origem às ações afirmativas e os resultados paradoxais e perversos dessas ações, como a classificação e reclassificação dos indivíduos nos grupos discriminados, impacto das ações no esforço e atitudes individuais e ressentimento gerado pelas ações em indivíduos de grupos não preferenciais.

Há vários pontos em comum quando se analisam ações afirmativas para além da criação de grupos preferenciais, como por exemplo o caráter permanente dessas ações (SOWELL, 2017): mesmo quando inicialmente se propunha que elas tivessem uma aplicação temporal limitada (como as ações estabelecidas em 1949 que tinham como horizonte temporal cinco ou dez anos para a entrada de bengalis nos negócios e na administração pública no Paquistão Oriental ou a dez anos para a entrada de Intocáveis nas universidades na Índia por exemplo), mas que se prolongaram por décadas (a primeira durou até 1971, até à independência do Bangladesh) ou ainda persistem (no exemplo indiano – completando agora 70 anos).

O caráter "temporário" das ações afirmativas é sistematicamente desrespeitado, uma vez que as condições econômicas e sociais que se pretendem eliminar coexistem há séculos e contrariá-las não é tarefa para uma ou duas décadas. Para além disso, há alguns grupos sociais minoritários que têm uma elevada representação em funções, cargos ou profissões específicas. Por exemplo, em determinado momento, mais de metade dos pilotos da Força Aérea da Malásia provinha da minoria chinesa, 40% dos generais russos tinham origem na pequena minoria de 1% de alemães, empresários judeus estão ligados à indústria têxtil desde o século XVI em diversas partes do mundo ou empresários alemães abriram cervejeiras em três continentes (SOWELL, 2017).

Pretender normalizar a representação igualitária de grupos pode ser idealmente estabelecida, contudo

> [...] é difícil ou impossível de ser encontrada em qualquer lugar, enquanto a desigual, que é vista como desvio a ser corrigido, permeia as mais distintas sociedades. As pessoas são diferentes – e isso ocorre há séculos. É difícil imaginar como elas poderiam não ser diferentes, uma vez que uma gama enorme de distintos fatores históricos, culturais, geográficos, demográficos e outros dá forma a habilitações, hábitos e atitudes particulares a grupos diferentes (SOWELL, 2017, p. 17).

Assim, não é de admirar que pretender eliminar a desigualdade econômica e social através de ações afirmativas tenha obtido resultados tão pífios em todo o mundo. Esses resultados podem ser explicados pelas reações dos indivíduos pertencentes a grupos preferenciais e não preferenciais a essas mesmas ações. E essas reações incluem a reclassificação dos indivíduos em termos de pertença a um grupo social, a alteração no esforço e na atitude dos indivíduos pertencentes aos grupos preferencial e não preferencial em função das conquistas dos indivíduos que pertencem ao grupo preferencial, e à mudança de postura em relação aos membros de outros grupos.

Vejamos exemplos desses três fatores. Um bom exemplo de reclassificação é o de negros de pele clara nos Estados Unidos que, no final do século XIX, classificaram-se como brancos quando isso lhes trouxe vantagens e, em meados do século XX, norte-americanos louros e olhos azuis foram em busca de antepassados negros quando se aplicaram ações afirmativas que beneficiaram a população negra. Outros exemplos se conseguem encontrar na Austrália, na Índia ou na China, com aumentos impossíveis nas populações de aborígenes,

Intocáveis ou "outras classes atrasadas" e populações chinesas minoritárias (SOWELL, 2017).

As alterações em processos de seleção derivados de ações afirmativas têm, também, consequências nos esforços e nas atitudes individuais para concretizar conquistas. E os indicadores são claros, as ações afirmativas geram sempre alguns graus de indolência, pois os indivíduos reagem às políticas preferenciais e à sua lógica:

> O desenvolvimento de habilitações para o emprego, por exemplo, pode perder ênfase. Como o líder de uma campanha por políticas preferenciais no estado indiano de Hyderabad ressaltou: "Será que não temos direito a empregos só porque não somos qualificados?" Um nigeriano, da mesma forma, escreveu sobre a "tirania das habilitações". Na Malásia, onde grupos preferenciais existem para a população majoritária, "os estudantes malaios que se consideram com o futuro assegurado não são pressionados pelo bom desempenho". Nos Estados Unidos, um estudo das universidades de negros revelou que mesmo os estudantes que planejavam fazer pós-graduação mostraram pouca preocupação com a necessidade de se prepararem "porque acreditavam que certas regras seriam simplesmente reservadas para eles" (SOWELL, 2017, p. 24).

Mas a indolência tanto afeta os indivíduos dos grupos preferenciais como os dos grupos não preferenciais: os primeiros porque têm os seus "direitos" assegurados e assim não necessitam de se esforçar muito, os segundos porque sentem que um nível de engajamento elevado pode ser inútil (SOWELL, 2017). Deste modo e por consequência, uma ação afirmativa pode trazer resultados paradoxais se tanto os indivíduos do grupo preferencial como os do grupo não preferencial a encararem como transferência de benefícios dos segundos para os primeiros, diminuindo os benefícios totais ao não darem o melhor de si E são muitos os exemplos históricos que demonstram resultados globalmente prejudiciais induzidos por ações afirmativas ou por processos fortemente discriminativos de determinados grupos sociais, como por exemplo a saída de chineses da Malásia, a de indianos das Ilhas Fiji, a de russos da Ásia Central ou a de judeus na Europa pré-guerra (SOWELL, 2017).

Já relativamente às relações intergrupo, as ações afirmativas geram elevados níveis de ressentimento nos indivíduos dos grupos não preferenciais relativamente aos indivíduos dos grupos preferenciais, pois os primeiros consideram que são prejudicados. E a diminuição abrupta de brancos em cargos de prestígio em universidades e empresas privadas, especialmente na área científica e tecnológica, é um bom exemplo de como o sentimento de injustiça é gerado nos que se sentem prejudicados pela ação afirmativa que dá preferência aos negros (SOWELL, 2017): foram perdidos muitos mais cargos para asiáticos que para negros. Em relação aos primeiros, isso não gerou sentimento de injustiça, mas em relação aos segundos gerou. Por quê? Porque o acesso a cargos de prestígio nas áreas científicas e tecnológicas por asiáticos se considera que foi por mérito. Já no caso dos negros se considera que foi em detrimento dos brancos, não por mérito, mas por critérios legalmente e injustamente estabelecidos.

No caso concreto das ações afirmativas que têm como alvo os negros norte-americanos, elas entram em contradição com a luta contra a segregação racial, tão bem ilustrada pelas palavras do

> [...] reverendo Martin Luther King Jr., no Memorial de Lincoln, em 1963, que expressaram seu sonho de um país onde as pessoas fossem julgadas "não pela cor da pele, mas pela firmeza do caráter".
>
> Foi depois que o próprio movimento dos direitos civis começou a se afastar desse conceito de tratamento igual para todos os indivíduos, na direção do outro conceito dos resultados equalizados para grupos, que o antagonismo contra a ação afirmativa se estabeleceu e cresceu com os anos (SOWELL, 2017, p. 27).

Mas para se ter uma ideia dos níveis de ressentimentos gerados por algumas ações afirmativas ao redor do globo, tem, em primeiro lugar, de se entender como uma cota de 1, de 5 ou de 10 indivíduos gera sentimento de injustiça em dezenas, centenas ou por vezes em milhares de pessoas pertencentes ao grupo não preferencial. Em um processo seletivo para o preenchimento de dez lugares concorrem 258 pessoas. O décimo lugar está reservado para um grupo específico. Os nove primeiros são preenchidos pelos nove melhores candidatos. Para o preenchimento do décimo lugar tem de se percorrer a lista de candidatos até se encontrar o candidato do grupo preferencial com melhores resultados. Se ele tiver sido classificado em 198º lugar, os posicionados entre o 10º e o 197º lugares (188 pessoas) irão se sentir prejudicadas[51]. Deste modo, mesmo quando apenas uma pessoa do grupo preferencial é beneficiada o processo gera 188 descontentes.

E o ressentimento, com origem nesse descontentamento derivado dos sentimentos de injustiça, gerou especialmente em países asiáticos (Índia, por exemplo) tumultos com centenas ou milhares de mortos, tendo mesmo estado na origem de uma guerra civil (Sri Lanka), quando o grupo não preferencial (o Tamil) decidiu pegar em armas para lutar pelos seus interesses.

AÇÃO AFIRMATIVA NA ÍNDIA

Contexto histórico

Se há país no mundo onde as desigualdades sociais são bem marcantes é a Índia: centenas de nacionalidades, dezenas de línguas, sobretudo duas religiões antagônicas e beligerantes, quatro castas que se dividem em estruturas extremamente hierarquizadas envolvendo dezenas de subcastas, dezenas de "outras classes atrasadas" (como os Intocáveis – classes tabeladas, como os ingleses as designaram – ou "*dalits*" – e as tribos tabeladas – SOWELL, 2017). E foi precisamente na Índia que se desenvolveram as primeiras políticas de ação afirmativa no século XX (ou de discriminação positiva, como por lá são designadas – SOWELL, 2017), com alguns ensaios ainda durante a época colonial inglesa, mas com maior vigor após 1948, ano da independência.

Qual o objetivo dessas políticas? Eliminar as desigualdades sociais pré-existentes por séculos e, em alguns casos, por milênios. E eliminar rapidamente: por um período de 20 anos que consecutivamente vai sendo prolongado, com ou sem prazo dependendo dos casos:

> Mas quantas pessoas podem ser abrangidas pelas diversas políticas de ação afirmativa na Índia? Os Intocáveis calculam-se que sejam cerca de 16% da população e as tribos atrasadas contam com mais 8% da população. A que acrescem mais cerca de 52% da população, que foram discriminadas ao longo dos séculos nos mais diversos contextos (alguns relacionados com

---

51 Exemplo adaptado de caso relatado em SOWELL (2017).

a língua, outros relacionados com características populacionais bem vincadas – maior diligência ou indolência, por exemplo). Em suma, políticas afirmativas locais ou nacionais que abrangem mais de 75% da população indiana:

> Em síntese, nos dias de hoje existem dois tipos de políticas de preferências na Índia: para minorias nacionais consideradas desvalidas e para vários grupos locais em seus respectivos estados (SOWELL, 2017, p. 34).

Algumas ações afirmativas e seus resultados

Dado que as políticas afirmativas se contam às centenas na Índia (discriminação positiva nos empregos, nas admissões à Universidade, na representação parlamentar, por exemplo – SOWELL, 2017), abordamos aqui apenas duas como exemplos: cotas nas universidades e cotas em empregos públicos.

Cotas universitárias

Em 1948, rastreadas em políticas da época colonial, foram criadas cotas nas universidades especialmente dirigidas para os jovens *dalits* (oprimidos) e das tribos tabeladas. Estudos desenvolvidos nos anos 1960 e 1970 mostraram que menos de metade das vagas para os cotistas foram preenchidas. Pior: algumas universidades não tiveram uma única entrada das castas ou das tribos tabeladas. E, segundo Thomas Sowell (2017), esse cenário persistia em 1997. Finalmente, em 2001

> [...] o governo central solicitou às universidades e às escolas de medicina "a garantia de que a cota total de vagas reservadas seria preenchida" e sugeriu a organização de "treinamento especial" para estudantes com origens em castas e tribos tabeladas (SOWELL, 2017, p. 41).

Apesar das políticas de cotas beneficiarem apenas cerca de 6% das famílias de castas tabeladas, há superestimação do alcance dessas políticas por parte dos jovens e suas famílias das castas superiores. Deste modo, o sistema de cotas vem progressivamente a ser criticado pelas castas superiores e a boa vontade destas relativamente às castas tabeladas tem diminuído significativamente. Paradoxalmente, o objetivo das cotas na educação está longe de ser alcançado. Como Sowell (2017) explica, nos anos 1990 os índices de alfabetização eram de 37% entre as pessoas das castas tabeladas e de 30% entra as das tribos tabeladas.

E quais foram as consequências da forma como as cotas universitárias foram implementadas na Índia? Podem-se listar as seguintes:

> (1) muitas vagas reservadas que não foram preenchidas, (2) vagas preenchidas que o foram, desproporcionalmente, pelos membros mais afortunados dos grupos mais desvalidos, e (3) membros desses grupos que frequentaram o ensino superior, normalmente tendo optado por instituições menos exigentes, especializadas em cursos mais fáceis (e de menor remuneração), levaram mais tempo para se formar e desistiram muito mais que os outros estudantes. As cotas ou reservas não utilizadas têm sido uma realidade comum por muito tempo, especialmente impressionante nos níveis universitário e de pós-graduação (SOWELL, 2017, pp. 40-41).

Poder-se-ia argumentar que as cotas não preenchidas são resultado de critérios apertados de admissão. No entanto, essa explicação não é suficiente, dado que em muitas circunstâncias os jovens de castas e tribos tabeladas são avaliados através de critérios de aprovação explicitamente menos rigorosos. O que agrava ainda mais as estatísticas relativas aos estudantes e egressos dos estudantes que foram admitidos através de cotas preferenciais: em seis escolas de engenharia altamente seletivas, nenhum estudante que entrou através de cota conseguiu acompanhar os estudos e a maioria não conseguiu alcançar conceitos médios suficientes para prosseguimento de estudos (SOWELL, 2017).

> Para o país como um todo, integrantes das castas e tribos tabeladas – combinados – não chegaram a alcançar 3% das graduações em engenharia e em medicina, embora, juntos, perfizessem cerca de um quarto da população da Índia (Cf. SOWELL, 2017, p. 41).

Cotas no emprego público

À semelhança das cotas universitárias, também as cotas para empregos governamentais nunca são totalmente preenchidas (não o eram ainda nos anos 1990, mesmo após mais de 40 anos passados sobre a sua implementação – SOWELL, 2017), nomeadamente pela dificuldade nas provas de acesso.

Políticas afirmativas visando dar preferência aos "filhos da terra" têm sido uma constante em muitos estados indianos, particularmente naqueles *"onde os forasteiros têm claramente suplantado os locais na competição [... na] admissão nos empregos governamentais"* (SOWELL, 2017, p. 45). Em todos esses casos estudados, ficou evidente que os grupos nativos preteridos simplesmente não tinham

> [...] as habilitações, a experiência ou as posturas que permitissem que se apresentassem e suplantassem os competidores. Em Maharashtra, por exemplo, os próprios maharashtrianeses prefeririam comprar dos comerciantes indianos do Sul do que com seus coestaduanos [pois os consideravam mais qualificados para a função] (SOWELL, 2017, p. 45[52]).

Que propostas foram apresentadas para resolver essa situação? Fazer processos seletivos diferenciados para cotistas, como nas universidades?

Em Andhra Pradesh, o líder local que pleiteava as preferências fez a seguinte sugestão, partindo do pressuposto que o seu grupo tinha qualificações inferiores (SOWELL, 2017, p. 46):

> Sim, é verdade que eles também são mais qualificados que nós para muitos dos cargos. Talvez tenham melhor qualificação, mas por que o mérito é tão importante? Podemos ser um pouco ineficientes. Mas a medida é necessária para que nossa gente consiga empregos. Será que não os merecemos só porque não somos tão qualificados?

---

52 O texto entre colchetes foi acrescentado pelos autores do capítulo de modo a tornar mais claro o significado pretendido pelo autor original.

Quem se beneficia com as políticas de discriminação positiva na Índia?

Segundo estatísticas exploradas por Sowell (2017), se bem que os Intocáveis constituíssem em 1964 16% da população, eles eram quase 50% dos garis e detinham apenas 10% dos melhores empregos governamentais.

Os benefícios não aproveitados por membros de castas ou tribos tabeladas e de outras populações discriminadas espalharam-se da educação e do emprego governamental para outras áreas: subsídios para a habitação, programas de saúde ou auxílio-maternidade, por exemplo. Tanto é assim, que os orçamentos desses programas, ano após ano, não se esgotam.

E por que eles não são tão bem-sucedidos como pretende o governo? Porque outros fatores complementares são necessários para que o uso das cotas e das preferências se esgotem: em alguns casos pode ser dinheiro (acesso à escolaridade mas sem dinheiro para comprar livros ou outro material escolar, por exemplo), em outros casos pode um bom passado educacional (que permite o prosseguimento bem-sucedido de estudos universitários ou a obtenção de bons resultados em processos seletivos, por exemplo), talvez em outros ter as competências e a experiência para o emprego, ou em outros ter acesso à informação sobre o que está disponível (SOWELL, 2017).

Assim e tendo em atenção a necessidade de recursos complementares para se ter de fato acesso aos benefícios, serão os mais prósperos das castas e tribos tabeladas, por exemplo, que ficam com a maior ou a melhor parte desses benefícios:

> Os *chamars*, por exemplo, começaram uma ascensão econômica durante a Segunda Guerra Mundial, quando houve uma súbita procura por produtos de couro. No estado de Maharashtra, os chamars estão entre os mais bem situados. Um estudo mostrou que eles constituem 17% da população e 35% dos estudantes de medicina. No estado de Haryana, recebem 65% de todas as bolsas escolares reservadas às castas tabeladas para a graduação universitária e 80% para a graduação em dois anos. Enquanto isso, 18 dos 37 grupos intocáveis em Haryana não conseguiram usufruir sequer uma das bolsas. No estado de Madhya Pradesh, os chamars eram 53% dos estudantes das castas tabeladas nas

escolas estaduais. Em Bihar, só duas das doze castas tabeladas do Estado – uma delas, os chamars – supriam 61% dos estudantes de classes tabeladas nas escolas, e 74% nas faculdades. Em Uttar Pradesh, segundo a *Economic and Political Review*, os chamars "praticamente monopolizaram a cota *dalit*". Em 2002, Uttar Pradesh aprovou uma portaria estadual que subdividiu as cotas das castas tabeladas, limitando assim a porcentagem das vagas nos empregos governamentais para os chamars (SOWELL, 2017, p. 43).

Assim, parece que nem ricos nem pobres das castas e tribos tabeladas são grandemente afetados pelas preferências e cotas. Os primeiros porque naturalmente acedem a elas, pois têm acesso a todos os fatores complementares, e os segundos porque nunca terão acesso a elas, precisamente por não terem acesso a esses mesmos fatores.

De registrar ainda que, à semelhança do que também ocorreu com os negros nos Estados Unidos, como veremos mais à frente, os chamars iniciaram a sua ascensão econômica antes do estabelecimento das políticas de discriminação positiva e, de entre as castas tabeladas, foram uma das que mais se beneficiaram com essas mesmas políticas, apesar de serem uma das menos necessitadas.

Reclassificação

A reclassificação é uma estratégia usada por membros das castas superiores indianas para acesso aos benefícios trazidos pelas políticas de discriminação positiva nas mais diversas áreas: para pleitear assentos legislativos ou ter acesso a escolas de medicina e engenharia, por exemplo. As estratégias de reclassificação passam por explorar a árvore genealógica até encontrar um antepassado que possa ser classificado como Intocável ou mesmo a aquisição de certificados de Intocáveis ao serem... adotados!

Ressentimento

A mistura de etnias, nacionalidades, línguas, disposições culturais, religiões tornam expressivas os conflitos sociais na Índia com origem em políticas de ação afirmativa. E o estado de Assam pode ser usado como exemplo. Desde o século XIX que vagas de imigrantes bengalis se dirigiram para Assam, onde os naturais eram mais mais indolentes e pouco empreendedores (fato já registrado pelos colonizadores ingleses). Constituindo cerca de 25% da população, mas muito industriosos, os bengalis tinham uma grande representatividade na administração pública e no setor privado, conseguiram que os estudantes bengalis respondessem aos exames universitários em sua própria língua. Como resultado, os assameses ainda tiveram mais dificuldade em se sair bem nos estudos e em ocupar posições de relevo na administração governamental e nas empresas do setor privado.

Em 1972, a revolta dos assameses degenerou em levantes, incêndios dolosos e saques em diversas cidades de Assam, e tropas tiveram que intervir para restabelecer a ordem. Novamente, em 1983,

> [...] assameses e membros das tribos locais atacaram bengalis e mataram 4 mil deles, deixando sem casa cerca de 250 mil pessoas. Assam se tornou tão instável que não foi possível realizar lá o censo de 1981 – ou nas décadas desde então (SOWELL, 2017, p. 51).

Ação Afirmativa na Índia – Conclusão

Alguns equívocos nas políticas afirmativas indianas foram colocados a nu por Thomas Sowell (2017): essas políticas foram sancionadas sem qualquer tipo de projeção econômica e sem estarem sob a luz da verdadeira igualdade entre os indivíduos. Pelo contrário, Sowell nos mostra que a proposta das políticas afirmativas é endossada por um sentimentalismo que foi identificado, lapidado e vendido às pessoas por membros de movimentos e partidos progressistas indianos, que foram rápidos e articulados no preenchimento das cadeiras dos parlamentos logo após a independência da Índia.

O passado dos *harijans* (como Ghandi designou os *dalits*), de forte discriminação social pois são considerados impuros devido às suas profissões, é usado como ferramenta de ação para o desenvolvimento de políticas de discriminação positiva. O discurso de uma suposta dívida histórica aos *harijans* e outras minorias foi criado e potencializado na sociedade indiana, antes e depois da política de discriminação positiva ser aprovada, para justificar e sustentar a sua necessidade. E essa política vai-se mantendo, independentemente dos resultados que agora já são bem conhecidos e que são bem diferentes dos inicialmente traçados.

Não garantir a participação da livre concorrência nos processos de instauração da acessibilidade popular aos serviços estatais, por meio de privilégios para uma parcela da população indiana se tratava, segundo os autores das políticas de afirmação, de reparação. Só que a prática não seguiu a teoria. Como bem explica o autor, a realidade social indiana era uma verdadeira guerra civil que advinha principalmente de impulsos religiosos que eram separatistas, mas já datavam de quase um milênio, a que se acrescentam diferentes etnias e línguas a conviver no mesmo espaço e a competir pelo acesso aos mesmos bens públicos.

Por isso, ao criarem regulamentações que obrigavam o convívio entre castas, entre etnias, entre populações com diferentes religiões ou diferentes línguas, os autores da nova nação e em sequência os autores dessas políticas afirmativas colocaram mais lenha na fogueira e, com isso, potencializaram ainda mais os confrontos entre os indivíduos.

Assim, a remediação foi muito além da reparação das profundas desigualdades que se registravam na Índia: os remédios agravaram a doença. E esse agravamento não se relaciona apenas com o deterioramento das relações em alguns estados entre castas, mas também com a dose de benefícios atribuídos ao grupo afetado, que de forma sistemática é atribuída de forma inversa ao grau do malefício acumulado no grupo preferencial. Como veremos no caso dos Estados Unidos, também aqui grupos não necessitados são recipientes de benefícios gerados pela política de discriminação positiva, o que levanta questionamentos morais sobre esse mesmo tipo de política.

Deste fenômeno surgiram mais desigualdades e mais opressões às minorias, pois, a começar do equívoco de classificar de modo igual um grupo pela sua etnia e delimitar insumos de acordo com suas características étnicas, linguísticas, religiosas ou mesmo ideológicas, podemos concluir que não demoraria muito para que os verdadeiros menos afortunados começassem a ser severamente prejudicados, pois o pouco que era oferecido aos *dalits* só poderia ser completamente aproveitado por aqueles que tinham reais condições de receber e sustentar os serviços (os que tinham acesso aos fatores complementares que permitiam o acesso de fato às próprias políticas afirmativas). Por exemplo, enquanto os filhos de empresários *dalits*, do ramo do couro, tinham o apoio dos pais para pagarem moradia e alimentação na universidade, os filhos dos funcionários *dalits* dessas empresas não podiam contar com a mesma ajuda. E isto, fomentado pelo discurso de "dívida histórica dos *dalits*", levou o Parlamento a criar cotas dentro de cotas, replicando cada vez mais o mesmo fenômeno e, junto com ele, a mesma falha.

Outro ponto que devemos destacar é como os privilégios de supostos grupos que são considerados vulneráveis afetam os indivíduos que realmente estão em estado de vulnerabilidade. A classificação e separação de pessoas em grupos sociais dilui o que há de humano nos indivíduos, tratando-os apenas e só como membros de um coletivo. O indivíduo deixa de ser um corpo e passa a ser parte de um corpo, logo, a sua necessidade deixa de ser humana e racional, para passar a ser uma necessidade subjetiva e ideológica. Um exemplo clássico de lacuna na classificação da vulnerabilidade pela etnia dos indivíduos na Índia foi o tratamento que as pessoas das castas superiores recebiam pelo fato de pertencerem a determinada casta e não pela sua valia como pessoas: enquanto comerciantes *dalits* se beneficiavam com mais facilidade dos serviços estatais, por meio dos privilégios definidos nas políticas afirmativas, os indivíduos mais pobres das castas superiores não tinham acesso aos mesmos serviços, pois eles "não precisavam ser amparados", afinal, não tinham nenhuma dívida histórica para ser cobrada.

No entanto, não foram as subjetividades e relatividades humanas que vieram a ser supridas pelas ofertas estatistas, mas sim demandas criadas pelo eufemismo do coletivo. Enquanto o todo era alimentado, em suas respectivas categorias, as partes sofriam em decadência, pois, no final das contas, apenas os mais afortunados participavam das ofertas, pertencessem eles às castas superiores ou às castas e tribos tabeladas.

AÇÃO AFIRMATIVA NOS ESTADOS UNIDOS

Contexto histórico

As ações afirmativas nos Estados Unidos remontam à legislação dos anos 1830 que estabelecia preferência de emprego para os índios na Agência para as Questões dos Índios (SOWELL, 2017). No entanto, a percepção atual é que essas ações têm por objeto a população negra e só se iniciaram nos anos 1960. Mas quais são os motivos para a criação de legislação que estabelece políticas preferenciais para a população negra? Há um que é considerado central: a escravidão dos negros pela população branca, especialmente no Sul dos Estados Unidos, do qual decorrem outros: por exemplo, taxas de emprego menores na população negra, taxa de casamento menor nessa população, taxa de mortalidade infantil maior na população negra ou mesmo índices menores de rendimento. Criando-se, deste modo e segundo os defensores de políticas afirmativas, uma dívida histórica da população branca relativamente à população negra.

Thomas Sowell (2017), no entanto, aconselha alguma cautela na leitura dos dados sociológicos e demográficos. Atribuir à escravidão essas e outras patologias sociais inviabiliza a compreensão dos motivos que estão na sua origem, pois no final do século XIX, apenas uma geração após o final da escravatura nos Estados Unidos, os índices de empregabilidade dos negros e dos brancos eram semelhantes e a taxa de casamento da população negra era ligeiramente maior que a da população branca. Mais, as grandes diferenças sociais e demográficas entre negros e brancos ocorrem sobretudo durante e após os anos 1960, precisamente após a criação das leis de igualdade de direitos civis nos Estados Unidos. Assim, o discurso da "herança da escravidão" e da "dívida histórica" necessitam de revisão.

O único fator que se conseguiu isolar e que diferencia negros de brancos é o nível médio de rendimento, que é nitidamente inferior na população negra. No entanto, segundo Sowell, apontar este fator como resultante de discriminação racial é uma forma de tapar o sol com a peneira, pois não permite perceber a presença de outros fatores com impacto determinante na renda das populações.

> Não se pode supor simplesmente que os negros teriam rendas parecidas com as dos brancos na ausência da discriminação racial, uma vez que os diversos grupos de brancos americanos tiveram receitas bem diferentes [uns dos outros] em vários períodos da história. Além do mais, alguns grupos de não brancos nos Estados Unidos – chineses, japoneses, indianos asiáticos e negros barbadianos – obtiveram rendas superiores às dos americanos brancos. Ademais, uma das formas mais sérias de discriminação contra os negros tem sido, historicamente, a discriminação pelo governo em suas alocações de recursos para a educação (SOWELL, 2017, p. 126).

O gasto médio por aluno negro foi durante décadas inferior ao do aluno branco e isso teve impacto em outros indicadores sociodemográficos, nomeadamente empregabilidade e renda.

Para se ter uma ideia da progressão dos níveis educacionais e de renda da população negra ao longo dos anos, nos anos 1940 os negros em média completavam 5,4 anos de escolaridade e os brancos 8,7, passando nos anos 1960 para uma diferença de dois anos e nos anos 1970 essa diferença tinha encolhido para menos de um ano (12,1 e 12,7 respectivamente – SOWELL, 2017), enquanto, relativamente à renda, 87% das famílias negras tinham renda abaixo do nível de pobreza nos anos 1940, passando para 47% nos anos 1960 (SOWELL, 2017). Como explicar essa queda de 40 pontos percentuais antes da criação das políticas preferenciais para os negros estadunidenses? Dois fatores podem ser aduzidos: aumento da escolaridade da população negra e saída do Sul para outras regiões do país com sistema educacional de melhor qualidade e legislação menos penalizadora para os negros (três milhões de negros foram do Sul para o Norte dos Estados Unidos). "*Em suma, aqueles foram tempos em que uma vasta quantidade de negros saiu da pobreza – 'por esforço próprio', como se costuma dizer*" (SOWELL, 2017, p. 127).

Em comparação, após a publicação nos anos 1960 da legislação que deu preferência aos negros em múltiplos aspectos (emprego governamental ou contratos governamentais, por exemplo), no final dessa década, 30% das famílias negras estavam abaixo do nível de pobreza e nos anos 1970 passaram de 30% para 29%. São avanços tímidos. E mesmo esses avanços não se conseguem atribuir com toda a certeza às políticas afirmativas.

Resultados perversos de ações afirmativas

As análises comparativas dos níveis de riqueza entre brancos e negros de 1967 a 1992 indica que os rendimentos dos 20% dos negros mais ricos crescem proporcionalmente de modo semelhante aos dos 20% mais ricos, mas que os rendimentos dos 20% dos negros mais pobres decresceram o dobro comparativamente com os brancos mais pobres equivalentes.

Em síntese, a era da ação afirmativa nos Estados Unidos assistiu ao favorecimento dos negros mais afortunados, enquanto os menos afortunados perderam em termos de suas participações nas rendas. Nem os ganhos nem as perdas podem ser levianamente atribuídos à ação afirmativa, tampouco essa ação pode pleitear a responsabilidade pelo progresso dos negros de baixa renda quando, na realidade, esses negros se atrasaram (SOWELL, 2017, p. 129).

Como perceber então essa diferença de percurso entre os negros mais ricos e os mais pobres? A análise dos resultados relativos à preferência de minorias em contratos governamentais, por exemplo, é bastante elucidativa dos desvios entre os ideais subjacentes à política (remediar a discriminação passada) e os resultados alcançados: dois terços dos negros beneficiados por legislação referente a Pequenos Negócios já auferiam, antes do benefício, rendimentos superiores a um milhão de dólares.

Mais, uma vez que a legislação referente a contratos governamentais também dá preferenciais a outras minorias, diversos membros da família cubana Fanjul (com patrimônio conjunto superior a 500 milhões de dólares) foram beneficiados em negócios com o governo estadunidense, mas não tanto como alguns empresários portugueses que ficaram com a parte de leão entre 1986 e 1990 em contratos governamentais (SOWELL, 2017).

Estes são apenas exemplos de como um programa direcionado para dar preferência à população negra foi e vai sendo deturpado, resultando em apoios a negócios que não estão nas mãos de negros: para cada negócio propriedade de negros apoiado pelo programa são apoiados quatro negócios em que os proprietários são hispano-americanos ou asiático-americanos. Para além disso, é uma pequena parte de negócios nas mãos de minorias que recebem a preferência:

> Em Cincinnati, por exemplo, a lista de vendedores identifica 682 de tais empresas, mas 13% delas recebem 62% de todos os contratos preferenciais e 83% do dinheiro. Em âmbito nacional, apenas cerca de 0,25% das empresas de propriedade de minorias está cadastrada para tratamento preferencial pela Administração dos Pequenos Negócios. Mesmo assim, entre essa insignificante fração de empresas, 2% delas recebem 40% do dinheiro (SOWELL, 2017, pp. 129-130).

Em outros casos os efeitos perversos das políticas afirmativas de combate à discriminação só foram detectados décadas após a implementação da ação, como foi o caso da obrigatoriedade da padronização de testes por populações. Essa padronização, por exemplo, resultava em que fossem criadas tabelas raciais padronizadas, possibilitando que, por exemplo, um negro que obtivesse 90% em um determinado teste ficaria à frente de um branco que obtivesse 80% no mesmo teste. No entanto, 90% no padrão usado para a população negra era objetivamente abaixo de 80% no padrão usado para a população branca. Neste caso, como alegou um litigante branco que foi preterido em lugar de um negro, haveria discriminação com base na raça, algo que é proibido pela própria legislação estadunidense,

> [...] argumentando que ela violara a Lei dos Direitos Civis de 1964 ao fazer discriminação com base na raça. A Seção 703 (a) da lei declara ilegal para um empregador "discriminar contra qualquer indivíduo com respeito à sua compensação, termos, condições ou privilégios no emprego em função da raça, cor, religião, sexo ou origem nacional do indivíduo", e a Seção 703 (d) é mais específica ao estipular ser ilegal "discriminar contra qualquer indivíduo" no "aprendizado ou outro treinamento" SOWELL, 2017, p. 135).

Apesar da linguagem dessa peça legislativa ser bem clara, a Suprema Corte votou contra o pleito de discriminação racial do litigante.

> Escrevendo em nome dos votos majoritários da Corte, o juiz William J. Brennan rejeitou "uma interpretação literal dessas palavras". Argumentou que o "espírito" da lei tem como "preocupação principal" o problema econômico dos negros, de modo que ela não obsta "ação afirmativa temporária e voluntária tendente a eliminar manifesto desequilíbrio racial em categorias de empregos tradicionalmente segregadas" (SOWELL, 2017, p. 136).

Sistematicamente, a preocupação em fazer justiça social não tem em vista os resultados que são alcançados, gerando outros tipos de injustiça social. Um dos melhores exemplos é a política de "normalização racial", de que a padronização racial de testes é um exemplo, e que disfarçadamente, em processos seletivos para universidades na Califórnia e no Texas, traz resultados subotimais. Como? No processo seletivo para a Universidade do Texas está definido que os 10% melhores estudantes das turmas de escolas estaduais têm entrada garantida na universidade. Resultado: como tendencialmente os alunos provenientes de minorias frequentam as mesmas escolas, mesmo que alcancem resultados medíocres nos testes de seleção (por exemplo, 900 pontos no SAT[53]) ficam à frente de candidatos com resultados de SAT bem mais elevados (1.500, por exemplo) mas que são oriundos de escolas onde as minorias não estão representadas.

> Na Califórnia, a procura por critérios não académicos para assegurar a admissão à Universidade da Califórnia tem significado, na prática, o uso de tais critérios para o ingresso de mais hispânicos, mas não de asiático americanos que satisfazem os mesmos critérios não académicos e ainda têm credenciais estudantis superiores. É a normalização de raças com outro nome (SOWELL, 2017, p. 140).

A extensão das ações afirmativas a um novo grupo

Nos anos 1970, um novo grupo preferencial foi criado. Desta feita, não um grupo minoritário, mas sim maioritário: as mulheres. Paradoxalmente, mesmo sabendo à partida que a maioria das mulheres são brancas, todas ou quase todas as ações afirmativas que visavam diminuir as desvantagens sociais derivadas da "herança da escravidão" se mantiveram para a este novo grupo preferencial, nomeadamente cotas nos empregos e nas universidades ou nos negócios reservados com o governo, por exemplo.

O movimento feminista, que sofreu um forte desenvolvimento nos anos 1960, conseguiu que as políticas preferenciais se estendessem a todas as mulheres, mesmo sem provas concretas e sistemáticas de tratamento desigual das mulheres relativamente aos homens.

No entanto, estudos sociodemográficos demonstram que, ao contrário do que aconteceu com outros grupos, as mulheres estavam bem representadas nos altos níveis ocupacionais nos anos 1930 (talvez mesmo antes – SOWELL, 2017), melhor mesmo que nos anos 1960.

---

[53] *Scholastic Aptitude Test* ou *Scholastic Assessment Test* – teste padronizado usado em seleção de estudantes nas Universidades norte-americanas.

Esta ascensão ocupacional das mulheres no início do século XX em nada se relaciona com movimentos e políticas afirmativas, que inexistiam à época.

> A representação feminina nas ocupações técnicas e profissionais declinou em 9% de 1950 a 1968. Em 1902, a quantidade de mulheres listadas no *Who's Who* era maior que o dobro da de 1958. As mulheres eram 34% das bacharelandas em 1920, mas apenas 24% em 1950. Recebiam pouco mais de 15% dos títulos de doutor em 1920, mas pouco menos de 10% em 1950. Na matemática, a parcela feminina de doutores caiu de 15 para 5% num período de décadas, e na economia, de 10% para 2%. Houve declínios semelhantes no doutorado feminino nas ciências humanas, no direito e na química. Não houve um único ano durante os anos 1950 e 1960 em que as mulheres alcançassem parcelas de todos os títulos de mestre ou de todos os títulos de doutores que conseguiram nos anos 1930 (SOWELL, 2017, p. 142).

Como explicar então esse declínio? Certamente que os homens não se tornaram mais discriminatórios na primeira metade do século XX! E muito menos ainda se tornaram menos discriminatórios na segunda metade do século XX! A explicação não é política, legal ou ideológica, mas antes demográfica: com a diminuição da natalidade no final do século XIX e início do século XX, mais mulheres se dedicaram aos estudos e ocuparam posições profissionais destacadas e com o aumento da natalidade nos anos pós-guerra, as mulheres passaram a estudar menos e a ocupar menos lugares de destaque (SOWELL, 2017). Em simultâneo, mais homens nos anos do pós-guerra ocuparam postos de trabalho que eram tipicamente femininos, por exemplo como professores em escolas dirigidas por mulheres.

> Depois que a taxa de natalidade começou a declinar de novo nos anos 1960, houve renovado surto de crescimento na representação das mulheres nos segmentos educacional e das profissões. O papel crucial do casamento e da criação dos filhos no nível econômico das mulheres pode também ser visto no detalhamento da população feminina como um todo naquelas que se tornaram e nas que não se tornaram esposas e mães, naquelas cujas carreiras decorreram com continuidade e nas que as interromperam para assumir responsabilidades domésticas.

> Voltando-se a 1971, as mulheres entradas nos trinta anos que tinham permanecido solteiras e trabalharam continuadamente desde a escola secundária ganhavam ligeiramente *mais* que os homens com as mesmas características. Mulheres acadêmicas que jamais haviam se casado tinham renda média um pouco superior em 1968-69 – antes da ação afirmativa – do que os homens acadêmicos que também nunca tinham se casado (SOWELL, 2017, pp. 143-144).

Assim fica arrasada a narrativa da desigualdade social entre homens e mulheres, ficando em causa, desta forma, a necessidade desse tipo de políticas afirmativas.

Ação Afirmativa nos Estados Unidos – Conclusão

À semelhança das já analisadas políticas de discriminação positiva na Índia, as políticas de criação de grupos preferenciais (sejam negros, imigrantes ou mulheres) nos Estados Unidos mostraram-se equivocadas e mesmo paradoxais.

O discurso de justiça social que sustenta essas políticas, baseado em diferenças raciais, étnicas ou de gênero, estrutura-se em observações equivocadas de dados sociodemográficos e em crenças profundamente estabelecidas sobre "heranças malditas", que estudos sistemáticos negam existir. Assim, se olharmos para o caso estadunidense sob um viés dicotômico (ricos *vs.* pobres), Thomas Sowell (2017) afirma a necessidade de se levar em conta o forte crescimento do poder aquisitivo ou a representatividade ocupacional das classes desfavorecidas (os negros, ou os imigrantes, ou as mulheres) antes e depois da existência das políticas preferenciais, de modo a se compreender melhor o impacto dessas mesmas políticas: que sistematicamente as análises apontam ser mínimo ou inexistente.

Mais uma vez, fica patente em algumas das ações agora analisadas a discrepância entre a teoria em que as políticas se baseiam e os resultados práticos alcançados: de entre a negros beneficiados com contratos governamentais dois terços já tinham fortuna acima de um milhão de dólares (isto é, ficou nas mãos dos indivíduos que simplesmente detinham as melhores condições burocráticas e estruturais para recebê-los), contratos governamentais esses que beneficiaram uma pequena minoria de famílias e empresários que já tinham fortuna própria (os Fanjul com 500 milhões de dólares ou os portugueses que abocanharam a parte de leão desses contratos entre 1986 e 1990).

A análise detalhada e historicamente situada dos grupos minoritários (negros e imigrantes, por exemplo) ou maioritários (as mulheres) antes e após a implementação das políticas afirmativas permite perceber, à semelhança do que ocorreu em outras partes do mundo em que esse tipo de políticas também foi desenvolvida (como são os casos da Índia, da Nigéria ou do Sri Lanka – SOWELL, 2107), que muito antes dessas políticas serem sequer cogitadas alguns dos grupos beneficiados já tinham feito um percurso notável de diminuição de assimetrias socioeconômicas derivadas das desigualdades sociais vividas no passado relativamente aos grupos superiores (pertencentes às castas superiores na Índia, por exemplo) ou maioritários (a população branca, nos Estados Unidos).

Por fim, também ficou mais claro que as ações afirmativas geram resultados paradoxais e perversos: nos Estados Unidos, como na Índia, na Nigéria ou no Sri Lanka (SOWELL, 2017), os beneficiários dessas ações são em sua grande maioria os membros da elite do grupo preferencial que, em geral, delas não necessitam objetivamente, continuando a não ser contemplados com a "sorte" os mais necessitados e desprotegidos desse grupo.

EPÍLOGO

Se as políticas de ação afirmativa não demonstraram resultados robustos relativamente aos objetivos que pretendem alcançar, nomeadamente a diminuição ou eliminação das desigualdades sociais entre grupos sociais através da criação de grupos preferenciais para os quais são criados benefícios, bônus ou cotas, que estratégias alternativas mais efetivas Thomas Sowell propõe para que esses objetivos sejam alcançados?

> Um pequeno mas encorajador sinal veio de uma pesquisa de opinião entre os garis intocáveis de várias vilas. Ao passo que a maior parte não vê alternativas melhores disponíveis para eles mesmos, a maioria alimenta a esperança de que seus filhos se eduquem para trabalhos melhores. Esta perspectiva de longo prazo entre pessoas oprimidas envergonha as conveniências

de curto prazo com frequência encontradas entre os melhores colocados na escala social da política e da academia (SOWELL, 2017, p. 63).

E isso está de acordo com outros resultados apresentados e discutidos por Thomas Sowell (1976, 2001). Por exemplo, o autor analisou escolas cuja clientela era constituída por crianças e adolescentes de minorias ou da periferia. E essas escolas tinham resultados médios tão bons ou melhores que escolas frequentadas por crianças e adolescentes da classe média branca. E isto sem a aplicação de qualquer tipo de ação afirmativa.

O que é estranho relativamente a estas escolas é a ausência de estudos que analisem até à exaustão estas escolas e as usem como modelos para alterar radicalmente a estruturação da generalidade das escolas destinadas às minorias ou às populações da periferia (SOWELL, 2001).

Nos anos finais do século XIX existiam em Washington, DC quatro escolas de ensino básico: uma destinada a alunos negros e três destinadas a alunos brancos. A análise comparativa dos resultados obtidos pelos alunos destas três escolas (SOWELL, 1976) permitiu perceber que os alunos da escola só para negros obtinham resultados médios superiores ao de duas das três escolas só para alunos brancos. E assim foi durante mais de 80 anos (entre os anos 1870 e 1955).

Em outras escolas da periferia de Nova York analisadas por Thomas Sowell (2001), foram também encontrados resultados nas aprendizagens dos alunos (em geral de minorias) ao mesmo nível ou superior aos das escolas frequentadas por crianças brancas da classe média.

Como se podem explicar estes resultados? Quem não conhece nem estudou estes casos rapidamente chega à conclusão que os alunos dessas escolas de Washington, DC ou de Nova York provinham da classe média, mesmo sendo negros ou de minorias da periferia. Mas essa é uma boa explicação? Não é, simplesmente porque isso não é verdade. O estudo levado a cabo por Sowell das profissões dos pais dos alunos da escola de Washinton, DC (M Street School) no final do século XIX (SOWELL, 1976) revelou que tinham profissões basicamente manuais, tendo apenas um dos pais formação de nível superior. Estes pais, deste modo, estavam bem longe de serem representativos da classe média.

Assim, regressamos à questão: como explicar os resultados dos alunos negros ou de minorias da periferia das escolas analisadas por Thomas Sowell? Como explicar o sucesso acadêmico de crianças negras ou de minoria ou da periferia?

Parece que a forma como a escola se estrutura e a exigência que é feita aos alunos em termos de trabalho e de aprendizagem permitem um melhor entendimento dos resultados obtidos pelos alunos de minorias nessas escolas. Durante mais de 80 anos, a M Street School (denomina em 1916 por Dunbar School) foi muito exigente e não tolerava comportamentos desviantes e delinquentes (SOWELL, 1976) e os resultados a diversos níveis a diferenciaram de outras escolas para alunos negros ou de minorias. E Sowell fez um levantamento de resultados não imediatamente óbvios alcançados pela escola ou por alunos que passaram por essa escola:

- A análise dos históricos escolares dos negros com doutorado permitiu perceber que essa escola contribuía com mais graduados que qualquer outra escola básica para negros nos Estados Unidos;
- Os primeiros negros graduados em West Point e Annapolis (escolas para a formação de oficias das Forças Armadas dos Estados Unidos) foram alunos dessa escola;
- Que também assegurou o ensino básico ao primeiro professor titular negro de uma grande universidade norte americana;
- E de onde também veio o primeiro juiz federal negro, o primeiro general negro, o primeiro membro de governo negro, o primeiro negro eleito para o Senado dos Estados Unidos desde a Guerra Civil e o que descobriu o método para armazenar plasma sanguíneo;
- Durante a Segunda Guerra Mundial, quando os oficiais negros eram raros, mais de duas dezenas de ex-alunos da escola foram desde majores a generais brigadeiros[54].

Tudo isto contradiz outra noção amplamente aceita – que as escolas não fazem muita diferença no sucesso acadêmico

---

54 Estes dados já tinham sido apresentados em CALDEIRA, Pedro Zany. "A liberdade de ensinar e aprender: a luta de Davi contra Golias". *In*: Dennys Xavier e Anamaria Camargo. *A liberdade decifrada* (pp.). , 2018.

ou profissional das crianças, pois a renda e as circunstâncias familiares têm influência bem mais impactante. Se as escolas não diferem muito entre si, então é óbvio que não importa muito qual delas a criança frequenta. Mas quando elas diferem dramaticamente os resultados também podem diferir dramaticamente (SOWELL, 2001).

As observações diretas de Thomas Sowell (2001) de escolas de Nova York frequentadas por alunos de minorias da periferia que apresentavam bons resultados escolares permitiu-lhe ver salas de aula sossegadas, onde os alunos estavam concentrados a desenvolver as suas tarefas escolares, o oposto do que muitas vezes é apresentado em filmes e séries norte americanas que retratam essas populações.

Em síntese, diminuir ou eliminar desigualdades sociais que foram construídas ao longo de séculos através de ações afirmativas dirigidas a colmatar coletivamente situações de injustiça geram resultados inesperados, desconcertantes e em geral muito fracos. Se se quer alcançar resultados efetivos e rapidamente, a política afirmativa ou de discriminação positiva deverá ser implementada no sentido da afirmação do indivíduo (auxiliando-o na construção de "seu caráter" como preconizava o dr. King) e não do coletivo.

BIBLIOGRAFIA:

SOWELL, Thomas. "Patterns of Black Excellence". *The Public Interest*, 43, 26-58, 1976 (Primavera). *Online* em: https://www.nationalaffairs.com/public_interest/detail/patterns-of-black-excellence, acesso a 30/nov/2018.

_____. "The Education of Minority Children". 2001. *Online* em: http://www.tsoewll.com/speducat.html, acesso a 12/out/2018.

_____. "A Poignant Anniversary". 27/ago/2013. *Online* em https://www.nationalreview.com/2013/08/poignant-anniversary-thomas-sowell/#pq=PKnYWG, acesso a 16/jan/2019.

_____. *Ação afirmativa ao redor do mundo: um estudo empírico sobre cotas e grupos preferenciais*. São Paulo: É Realizações, 2017.

CAPÍTULO 11

SOWELL CONTRA O MARXISMO ECONÔMICO-FILOSÓFICO: UMA APRESENTAÇÃO

Marcelo Rosa Vieira

INTRODUÇÃO

No seu livro *Marxism: Philosophy and Economics*, Sowell esforça-se por fazer uma exposição objetiva, sóbria e desapaixonada das doutrinas filosóficas e econômicas de Marx, analisando os seus resultados gerais. No dizer do autor, este trabalho é o resultado final de mais de quinze anos de pesquisa e reflexão. Dividido em dez capítulos, ele foi organizado de maneira a satisfazer a necessidade: (i) de uma análise expositiva do marxismo, apresentando as suas concepções teóricas centrais, assim como a práxis revolucionária que é um componente inseparável delas; (ii) de uma análise crítica, buscando refutar, de modo lógico e empírico, o sistema geral de Marx a partir das teses que, dentro desse sistema, mostram-se filosófica e cientificamente insustentáveis.

A análise expositiva ocupa, ao todo, os primeiros oito capítulos do livro. A análise crítica, por sua vez, é feita no décimo capítulo, sendo o oitavo reservado para a narrativa de alguns dados biográficos de Marx e Engels que são indispensáveis para entender o estilo intelectual e prático com que os dois filósofos impregnaram sua obra. Este artigo, no entanto, deter-se-á mais no capítulo crítico, resumindo os argumentos que Sowell levanta contra a ideia socialista e a aniquilação que ele faz das falácias usadas para justificar tal ideia.

1. O SISTEMA DE MARX

Sabemos nós que é um tanto temerário tentar resumir o sistema de Marx, que é de uma complexidade enorme, em algumas poucas páginas. Sowell, porém, leva mais de duzentas na empreitada, e o número de citações diretas que ele introduz é tão extenso que ele praticamente deixa que Marx fale em nome próprio. A nossa tarefa será mais modesta. Tentaremos reproduzir nos parágrafos seguintes os pontos mais importantes da exposição de Sowell.

A filosofia de Marx consiste, em última análise, numa especulação geral sobre a história, sobre o sentido e o funcionamento dos processos históricos. Para Marx, o meio de vida dos indivíduos humanos, que transformam a natureza para atender às suas necessidades, é o fator que gera a estrutura social, instituindo o Estado. No entanto, essa estrutura não é estável, ela muda continuamente no tempo.

Baseada na dialética hegeliana, a concepção de Marx inclui a noção de que o curso dos acontecimentos internos à sociedade tende a progredir sempre na direção de novas formas sociais. O que determina esse desenvolvimento é a estrutura econômica de cada época, que, uma vez estabelecida, funda a superestrutura ideológica, constituída do conjunto de ideias, valores, cultura, religião, arte, filosofia, política, leis, pertencentes a cada sociedade em cada estágio do tempo. Os marxistas denominam tal processo de materialismo histórico, porque são as condições materiais que determinam o surgimento das ideologias.

Assim, quando as condições econômicas mudam, muda também a superestrutura ideológica e toda a organização social junto com ela. Para Marx, a história passa por etapas de evolução, e a força motriz que a move de uma etapa para outra é o antagonismo entre as classes. O antagonismo se expressa no conjunto de contradições que surgem na divisão do trabalho, na dominação de uma classe por outra, na separação das famílias e na distribuição de renda e propriedade. Na antiguidade, é a luta entre senhor e escravo. Na Idade Média, é a luta entre senhor feudal e camponês. Na Idade Moderna, é a luta entre burguês e proletariado.

A mudança de uma fase para outra se dá através da revolução, quando as contradições e conflitos atingem um clímax, um ponto tal de ebulição que a própria conjuntura social não pode mais existir sem se alterar radicalmente. Mas, em cada uma dessas fases, subsiste a relação de dominação. A classe dominante subjuga a classe dominada: por um lado, pela força militar e, por outro, a partir da sua ideologia, suas leis, seus valores, sua política, sua visão de mundo etc. Ela impõe, portanto, toda uma armadura de ideias compatível com a dominação exercida, que é assim justificada e legitimada, como se refletisse uma ordem natural do mundo. A classe oprimida e escravizada, alienada por tal ideologia, nada faz para mudar sua sorte, resignando-se a ela. Para Marx, no entanto, a última fase, a capitalista, é organizada de tal modo que permite o surgimento de uma classe que toma consciência desse processo histórico total, e que decide transformá-lo através de uma nova ação revolucionária.

Esta classe é a dos proletários, que são os únicos que geram a riqueza capitalista, fruto do trabalho, e que podem, legitimamente, reivindicar para si o poder integral proporcionado por tal riqueza. Eles o fazem organizando-se politicamente e promovendo a revolução emancipadora, que consiste na apropriação das forças produtivas (fábricas e propriedades). Mas o proletariado, ao invés de instituir depois da revolução uma nova divisão de classes, decide eliminar de vez essa divisão, abolindo a propriedade privada e instaurando em seu lugar a propriedade coletiva dos meios de produção, a partir da qual a economia se torna planificada e igualitária.

Com a abolição da propriedade privada e instauração da pública, o poder político se torna onipresente em toda a sociedade, e por isso mesmo o Estado tende naturalmente a dissolver-se, desaparecendo aos poucos toda forma de autoridade. A sociedade que resta depois disso, que é idealizada e projetada num futuro a ser atingido, Marx chama de sociedade comunista.

Assim exposto, este sistema mostra-se atraente e aliciante, exercendo um fascínio tal que, ainda hoje, desperta o interesse e a adesão de considerável parte da cultura intelectual, política e militante existente não só no Ocidente, mas em vários países orientais. Daí a importância de analisá-lo segundo critérios rigorosos a fim de examinar se seus fundamentos são sólidos, se suas consequências e implicações são coerentes com os princípios gerais assumidos. É exatamente esta a tarefa a que Sowell se dedica no livro.

Como, no materialismo histórico, a estrutura econômica constitui o fator determinante central, é predominantemente a análise econômica que preenche a análise crítica de Sowell. Mas antes de passar a ela, Sowell relata no capítulo nove, intitulado "Marx, o homem", alguns episódios centrais da vida de Marx e Engels baseado em biógrafos como David McLellan, Robert Payne, Saul K. Padover e Gustav Mayer. Assim, ao tratar no capítulo dez do legado de Marx e Engels para a cultura ocidental, Sowell apoia-se em tais dados biográficos para mostrar que grande parte desse legado não se limita apenas à esfera intelectual, mas inclui, tanto de parte do conteúdo quanto do estilo, todo um conjunto de condutas, atitudes e comportamentos.

Uma das condutas ressaltadas é a intolerância e o desprezo sarcástico que Marx costumava assumir em face daqueles que discordavam de suas ideias. Apesar de mostrar deferência e respeito para com autores que lhe precederam como Hegel e Ricardo, Marx é descrito por muitos de seus contemporâneos como um homem provocador que respondia com opróbio e zombaria às objeções levantadas contra ele, pouco recorrendo à argumentação racional e ao debate sério e comprometido. Como testemunho disso, Sowell lembra Carl Schurz (1829-1906) – um jovem revolucionário na época – que escreve a respeito de Marx o quanto este reagia com escárnio e desconsideração a todas as vozes que o contradiziam. O próprio Engels, em sua correspondência, queixa-se em certa ocasião dos modos irônicos, rudes e intratáveis do autor d'*O Capital*.

Embora Marx tenha, de maneira explícita, advogado a favor da ideia de uma democracia do proletariado, o estilo pessoal que ele imprime no seu trabalho é, nas palavras de Sowell, "*ditatorial, manipulador e intolerante*" (SOWELL, 1985. p. 188). Enfim, pode-se com toda razão perguntar: até que ponto aqueles que reclamam que o comunismo soviético "deturpou Marx" só levam em consideração a parte teórica de sua doutrina, esquecendo-se da práxis revolucionária ou simplesmente omitindo o conjunto de condutas e atitudes por ela implicadas?

Para Sowell, não dá para saber se Marx iria tão longe quanto Lenin, Stalin ou Pol Pot – essa questão permanece como um dos grandes enigmas da história política. Por outro lado, é inegável que a longa tradição marxista, ao falar teoricamente em nome dos trabalhadores, tornou-se na prática um eficaz instrumento de dominação da elite. E é também inegável que, na atualidade, é predominantemente o estilo de Marx que continua em vigor na retórica socialista. Como observa Sowell, enquanto que *"os social-democratas devem bem alegar ser fiéis representantes das teorias marxistas, os comunistas têm sido fiéis à prática marxista"* (SOWELL, 1985, p. 189).

2. ANÁLISE CRÍTICA DO VALOR

No seu ensaio crítico, Sowell deixa de lado as escolas de linhagem marxista que proliferaram no século XX para se deter apenas no "marxismo" efetivamente existente em Marx e Engels. Como se sabe, o ponto de vista dos dois filósofos coincide em quase todos os pontos essenciais. Um desses pontos é o conceito de mais-valia (*surplus value*, *Mehrwert*). Ambos veem na tese da mais-valia a sua principal contribuição para as ciências econômicas, além de ser o conceito que desempenha um papel central na sua teoria da exploração.

Sowell observa, em relação à mais-valia, que *"esse conceito crucial dentro do quadro teórico marxista foi mais insinuado do que explicitamente estabelecido"* (SOWELL, 1985, p. 190). Não obstante, aquela é definida, no primeiro volume d'*O Capital*, como um *"incremento ou excedente sobre o valor original"* (MARX, 2011, p. 294). Retomando uma posição que já estava implicitamente presente nos economistas clássicos como Smith e Ricardo, Marx conclui que a quantia de dinheiro que é inicialmente investida na produção de uma mercadoria, seu valor inicial, recebe na sequência um acréscimo, um saldo a mais de valor a partir da quantidade de trabalho que é exercido sobre ela. Marx ressalta que o *"valor originalmente adiantado não se limita, assim, a conservar-se na circulação, mas nela modifica sua grandeza de valor, acrescenta a essa grandeza um mais-valor ou se valoriza"* (MARX, 2011, p. 294). É esse movimento que converte o valor em capital.

A mais-valia é agregada à mercadoria pela força de trabalho que nesta se despende, consiste na receita total obtida (*output*) depois que são descontadas as despesas gerais da produção (*input*). Na visão de Marx, a parte que remunera o trabalhador é apenas aquele mínimo suficiente para garantir sua subsistência. Como reitera Sowell: "*Enquanto que o valor é o trabalho socialmente necessário para produzir uma mercadoria, a mais-valia é aquela proporção do trabalho social que excede o que é requerido para produzir a sobrevivência dos próprios trabalhadores*" (SOWELL, 1985, p. 108). Sobrevivendo por meio dessa parte mínima que lhes é destinada, os trabalhadores continuam a trabalhar e produzir aquele excedente que enriquece progressivamente o patrão e mantém o sistema capitalista em funcionamento.

Para manter-se de pé, a crítica de Marx deve fundar-se no pressuposto de que o valor é um produto exclusivo do trabalho humano. A atividade dos trabalhadores é que confere à mercadoria o valor que ela tem. O problema para Marx reside no fato de que os trabalhadores, que são os únicos a gerar tal valor, não recebem de volta o produto integral de seu labor diário, pois devem entregar uma parcela dele para os patrões, os quais têm o controle do processo de produção através da instituição da propriedade privada. Sistema este em que os patrões, como donos dos meios de produção, compram através de contrato a força de trabalho dos assalariados, que em função de suas necessidades (fome, frio) são obrigados a vender sua força produtiva, atingindo o superávit cuja fatia maior ficará por fim nas mãos dos empregadores, os burgueses.

Estes últimos, que são considerados por Marx uma classe ociosa, em nada contribuem na atividade de produção e, ironicamente, tiram para pagar ao trabalhador uma parte pequena do dinheiro obtido pelo próprio esforço do trabalhador.

> Marx argumentou que o capital não era de fato uma contribuição dos capitalistas, mas do trabalho – trabalho passado. Era um produto coletivo, mesmo quando, sob o sistema capitalista, é possuído por um indivíduo. De acordo com Marx, não "há nem um único átomo de seu valor que não deva sua existência ao trabalho não-pago"[55]. Quando o capitalista entrega parte de seu capital para o trabalhador em troca de sua força de trabalho,

---

[55] Karl Marx, *O Capital*, Volume I, p. 637. As citações diretas de Marx, Engels e Lenin que são introduzidas por Sowell no seu texto serão referenciadas por nós em notas de rodapé, usando para isso o modelo usado pelo próprio Sowell.

ele está usando "somente a velha artimanha de que se serve todo conquistador que compra mercadorias dos conquistados com o próprio dinheiro que roubou deles"[56]. Em outras palavras, "o assalariado mesmo cria o fundo monetário com o qual o capitalista o paga"[57] (SOWELL, 1985, p. 191).

Assim, uma inquietante questão se impõe: se o trabalho é o único fator responsável pela geração dos bens econômicos, e esse trabalho é realizado integralmente pela classe trabalhadora – o proletariado – por que diabos os trabalhadores não ficam com o lucro que nasceu da sua mão de obra, sendo forçados a reverter a soma mais alta para a classe dos capitalistas?

O conceito de mais-valia, portanto, é usado por Marx para fundamentar a sua concepção de exploração. No seu *Manifesto*, Marx e Engels escrevem que a história de todas as sociedades que existiram até hoje é a história da luta de classes, e que, dentro do contexto capitalista, essa luta se expressa nos termos de uma dominação exercida pelos burgueses, a classe opressora, sobre o proletariado, a classe oprimida.

Os operários, no entanto, sob o jugo da exploração, tomam gradativa consciência desse estado de coisas, percebendo ao mesmo tempo o poder de manobra que eles têm, já que toda a riqueza é fruto de seu trabalho, e sem este trabalho os burgueses ficariam reduzidos à miséria. Assim, eles se revoltam contra o sistema que os oprime, resistem a ele e se organizam enquanto classe a fim de transformá-lo. A mudança, por sua vez, é feita através da ação revolucionária, que ocorre quando os operários se apropriam à força dos meios de produção, abolindo a divisão de classes e tornando a propriedade um bem comum.

Assim, Marx dá o socialismo como justificado e necessário, não só do ponto de vista moral, mas até mesmo científico, pois a revolução é vista como um processo inevitável, na medida em que obedece às leis dialéticas que movem o curso da história. De acordo com essas leis, o acirramento do antagonismo, das tensões e conflitos entre as duas classes faz com que o capitalismo se desestabilize, instaurando a crise econômica. O capitalismo tende assim a se autodestruir, na medida em que, como processo histórico, ele se desdobra por contradições internas sempre crescentes. Essas contradições chegam a um ponto

---

56 Ibid., p. 638.
57 Karl Marx, *O Capital*, Volume II, p. 439.

de tensão insuportável que não se resolve senão no momento em que a propriedade privada é abolida, através da revolução, e transformada assim em um sistema de propriedade coletiva dos meios de produção.

Mas será que, do ponto de vista estritamente econômico, a interpretação marxista se sustenta? Para Sowell, Marx e Engels, atrasando-se em relação ao debate econômico da época, entram em cena já desatualizados, não percebendo que "*as concepções e análises introduzidas pelos economistas neo-clássicos*" (SOWELL, 1985, p. 190) já haviam refutado a ideia da mais-valia, de Smith e Ricardo, antes mesmo que o primeiro volume d'*O Capital* – obra cuja longa preparação se estendeu por décadas – fosse publicado.

Sowell chama a atenção para algumas lacunas sérias na economia marxista, que, como sistema teórico, começa a contar a história da produção pelo meio, "*com firmas, capital e gerenciamento já existentes de algum modo, e precisando somente do trabalho para iniciar a produção*" (SOWELL, 1985, p. 190). Nesse modelo econômico, o input (capital de entrada ou investimento) é reduzido arbitrariamente ao fator trabalho, ignorando todos os outros fatores (iniciativa individual, empreendimento, capital humano) que, de algum modo, são dados como "*já consolidados, coordenados e dirigidos para um propósito econômico particular*" (SOWELL, 1985, p. 190). Ou seja, o *output* (capital de saída, renda, lucro) é visto como uma função apenas do trabalho de produção.

O equacionamento dos *inputs* em termos de trabalho consiste numa simplificação grosseira, já que outros elementos como criatividade, audácia, tato para o negócio, inovação, protagonismo, são agentes do processo de desenvolvimento capitalista que se subtraem inteiramente à análise feita em *O Capital*. Marx, portanto, não somente conta a história pela metade, mas conta-a ainda de modo parcial, privilegiando a versão que mais lhe interessa, pois, onde "*há múltiplos inputs, a divisão do output por um input particular é completamente arbitrária*" (SOWELL, 1985, p. 190).

Diversos dados da realidade desmentem a descrição reducionista do socialismo, por exemplo, o fato de que as terras "*podem ser produtivas sem que os senhores de terra sejam produtivos. Como declara John Stuart Mill, os senhores de terra podem enriquecer até mesmo enquanto dormem*" (SOWELL, 1985, p. 190). Aliás, deve-se observar que o argumento moral que Marx lança contra o capitalismo, ao final das contas, consiste essencialmente nesta mesma declaração de Mill.

Marx não coloca realmente em questão a "contribuição dos meios de produção para o progresso da economia", porque, para ele, a revolução é feita não com a pretensão de abolir "*os meios de produção, e sim de abolir a propriedade do capital por indivíduos particulares*" (SOWELL, 1985, p. 190). O filósofo reconhece a importância dos meios de produção no instante em que propõe o modelo de uma nova sociedade, mas a propriedade desses meios deve ser pública e não privada. Mas Sowell faz observar aqui a irrelevância desse argumento:

> Identificar a contribuição do capital para a economia com a contribuição dos proprietários do capital é claramente inválido em um argumento sobre a desejabilidade do sistema de propriedade privada. De qualquer maneira, a renda capitalista, necessária e justificada, deve estar inserida no sistema capitalista, o que é dificilmente relevante quando a questão é outra: se aquele sistema deve continuar existindo ou, então, ser superado por um sistema diferente (SOWELL, 1985, p. 190).

Na verdade, o pressuposto de Marx e Engels de que os inputs resultam da contribuição de uma única classe social, e não de numerosos fatores, não encontra fundamento junto ao mundo da experiência. Para Sowell, "*a noção de que a mais-valia emerge apenas do trabalho torna-se claramente arbitrária e sem suporte*", pois, se esse pressuposto refletisse as coisas como efetivamente são, seguir-se-ia, como consequência direta, que "*os países onde se trabalha mais arduamente e por mais tempo teriam maiores outputs e padrões de vida mais elevados*" (SOWELL, 1985, p. 191), o que, de fato, não acontece.

Ao contrário, o que se observa é que "*aqueles países cujos inputs envolvem menos trabalho e mais empreendimento tendem a ter, em larga escala, mais altos padrões de vida, incluindo horas de serviço mais curtas*" (SOWELL, 1985, p. 191). O milagre econômico da Alemanha e do Japão, que se desenvolveram exponencialmente após a Segunda Guerra Mundial, constitui um exemplo notável disso. Por outro lado, os países do Terceiro Mundo que recebem recursos do exterior através dos processos de nacionalização ou de campanha humanitária prenunciam frequentemente apenas a deterioração do capital que lhes é enviado.

Assim, não se trata, evidentemente, de maior quantidade de recursos materiais. A realidade, comportando-se sempre de modo muito mais complexo, mostra antes que o *"capital material é somente um produto do capital mental – habilidades organizacionais e científicas, disciplina, experiência e hábitos de cooperação mútua"* (SOWELL, 1985, p. 191).

Países onde quase não se verifica entre a população as habilidades necessárias para gerenciar um negócio encontram-se, não raramente, mergulhados na pobreza, "*enquanto que países onde tais habilidades são abundantes são tipicamente prósperos, mesmo quando faltam no seu território os recursos naturais – sendo o Japão o exemplo clássico*" (SOWELL, 1985, p. 191). Argumento similar pode ser levantado a respeito dos grupos raciais e étnicos que têm competência para o negócio, mas que são obrigados a reprimi-la devido à situação política do seu país. Os judeus na Europa e os chineses no sudeste da Ásia, por exemplo, foram por diversas vezes na história reduzidos à miséria por conta de políticas hostis, mas ascenderam novamente à prosperidade tão logo se viram em um sistema mais livre, sob condições favoráveis para o negócio.

Assim, a desigualdade também pode ser explicada em termos de capital humano. Enormes disparidades entre os países devem existir por conta de diferentes hábitos culturais e diferentes orientações para a vida ativa e suas exigências básicas como pontualidade, perseverança, disciplina, compromisso, atenção aos detalhes, concentração, cooperação etc. Além disso, países nos quais as habilidades industriais e a experiência são insuficientes tendem a ter altas taxas de desemprego, e muitos são obrigados a importar mão de obra estrangeira para preencher as vagas de serviço especializado nas fábricas.

Apesar de Lenin, e antes dele Engels, menosprezarem as habilidades empresariais como algo trivial, Lenin, vendo o colapso financeiro em que a União Soviética entrava após a revolução bolchevique, foi forçado a implantar no país uma "'*Nova Política Econômica*' *que restaurava as tão odiadas práticas capitalistas*" (SOWELL, 1985, p. 192). E mesmo depois da nacionalização das indústrias por Stalin, tais práticas não foram jamais abandonadas, havendo até mesmo uma retribuição maior e desigual para os gerentes e administradores competentes em detrimento dos operários comuns.

Resulta claro então, segundo Sowell, que

Habilidades de gerência, de inovação, de empreendimento, não são as únicas formas de capital humano. Mão de obra especializada e experiência são também elementos majoritários do estoque de capital de um país. O fato de este capital ser invisível torna difícil determinar quanto do estoque de capital de uma nação capitalista, de fato, é pertencente aos trabalhadores. Todavia, a presença e importância do capital humano dos trabalhadores se manifesta de diversas maneiras (SOWELL, 1985, p. 192).

A tese de que o valor é um produto exclusivo do trabalho é denunciada então como a mais fundamental falácia socialista. Nela, perde-se de vista que o capital humano de um país é mais valioso e mais difundido do que o capital material, de tal modo que "*aquilo que é estatisticamente contabilizado como resultado do 'trabalho' é, na verdade, um retorno do capital humano*" (SOWELL, 1985, p. 193). Nenhum economista sério esteve jamais inclinado a chamar o sistema econômico de "laborismo".

Por outro lado, a tese da exploração, na medida em que sustenta que o capitalismo é um sistema organizado para o benefício de poucos, perde de vista que a competição mútua, que é incentivada dentro desse sistema, traz melhores condições para mais do que uma classe de pessoas. Os capitalistas, movidos pela ambição, buscam meios de produção mais baratos do que os seus rivais e, à medida que os conseguem, fazem com que os preços abaixem proporcionalmente, beneficiando o público consumidor. Eles se veem forçados também, pelas exigências do mercado competitivo, a melhorar a qualidade das mercadorias. E, na medida em que aumentam seus lucros, o salário dos seus empregados também cresce.

Marx não ignorava esses fatos, sendo um dos poucos socialistas a percebê-lo. Se ele, portanto, estivesse preocupado em dizer a verdade, achar-se-ia na obrigação de demonstrar por quais motivos o socialismo, estabelecendo uma economia planificada, seria mais eficiente em proporcionar melhores condições para essas mesmas pessoas. Em seu *O Capital*, Marx tentou provar que "*os proprietários frequentemente adquiriram sua riqueza, historicamente, através de força e fraude e não através de contribuições individuais para a produção da economia*" (SOWELL, 1985, p. 193). As implicações retrospectivas que ele enumera, contudo, não bastam para justificar seu projeto social, pois deixam intocado o problema alusivo ao futuro: "*se a propriedade privada ou a pública seria mais eficiente para uma economia e seu povo*" (SOWELL, 1985, p. 193).

Com efeito, o passado pouco importa quando o que está em jogo é um resultado a ser esperado no futuro – dilema que obriga a justificar por que razões um sistema de produção coletivizado é melhor em comparação com outras alternativas. Dizer que isso atenderia mais efetivamente aos interesses coletivos não é o bastante, já que não designaria mais do que uma simples boa intenção. E o próprio Karl Marx nos recorda n'*O Capital* que "*a estrada para o inferno está pavimentada de boas intenções*"[58]. Sowell (1985, pp. 193-194), enfim, resume o ponto acima dizendo que

> [...] a análise marxista é baseada em interações sistemáticas, não em intenções individuais, então, o fato de que os socialistas devem ter intenções mais nobres do que os capitalistas não fornece nem uma razão lógica nem uma empírica para esperar melhores resultados sob o socialismo (SOWELL, 1985, pp. 193-194).

Outros detalhes da concepção de Marx não resistem ao confronto direto com os fatos. Por exemplo, a tentativa que ele faz de retratar o valor de comércio das mercadorias a partir da noção de mais-valia. Sua ideia recebe um golpe mortal dos economistas neo-clássicos, que apontam que a despesa com a produção só é economicamente viável se for baseada numa avaliação prévia do preço que o produto assumirá junto aos consumidores. Ou seja, o capitalista assume vários riscos ao investir na produção de determinado item, pois o êxito do seu investimento está condicionado às preferências e caprichos do consumidor, cujas decisões são subjetivas e não raro imprevisíveis.

O capitalista só permanece no negócio quando, em primeiro lugar, consegue prever o comportamento do mercado e, em segundo, antecipa-se a este, produzindo de acordo com as suas demandas. As oscilações do mercado, com *possíveis* escolhas de *possíveis* clientes, mesmo com sua inconstância, constituem o fator que justifica e cobre os custos de produção da mercadoria. Assim, o consumidor aparece como o grande tirano do processo, na medida em que ele impõe ao capitalista a obrigação de estimar estatisticamente a demanda e correr o risco inevitável de produzir conforme tal estimativa.

---

58 Karl Marx, *O Capital*, Volume I, p. 213.

THOMAS SOWELL E A ANIQUILAÇÃO DE FALÁCIAS IDEOLÓGICAS

O planejamento prévio envolve todo um conjunto de funções não-laborativas (estimativas, previsões, cálculos) que devem ser necessariamente performadas pelo produtor – fato, por sua vez, que volta a depor contra a suposição de que o valor é fruto exclusivo do trabalho. Marx não ignorava os fenômenos de oferta e de procura, e os admitia inclusive no seu conceito de "trabalho socialmente necessário". Mas a inclusão que ele fez desses dados, além de implícita, é *ad hoc*, quer dizer, feita apenas para consertar as falhas e preencher as lacunas da teoria.

À análise formal explícita do valor, feita por Marx, aplica-se também a objeção de que ela se ocupou apenas "*de firmas capitalistas sobreviventes – firmas que estimaram corretamente as necessidades do consumidor. Mas analisar somente as sobreviventes é correr o risco de não entender o próprio processo do qual elas emergiram*" (SOWELL, 1985, p. 195). Marx incide assim no erro crasso de só considerar as firmas bem-sucedidas, decisão esta que, para Sowell, impedia-o de pesar consistentemente a importância do conhecimento e do risco para a economia capitalista.

> Ao começar sua análise pelo meio, com as firmas sobreviventes estabilizadas, esperando para contratar funcionários, Marx ignorou a principal implicação a respeito das firmas falidas (a maioria das firmas no longo prazo) – que o risco é inerente à tentativa de antecipar a demanda do consumidor, e o lucro meramente proveniente do pessoal contratado para executar os aspectos mecânicos da produção de bens. Mas firmas falidas também contratam funcionários – e seu próprio fracasso mostra que não há garantias de receber mais-valia (SOWELL, 1985, p. 195).

Por mais que Marx estivesse ciente do fator risco, limitou-se a considerar as especulações financeiras um simples jogo desagradável. Por mais que, nesse sentido, seu estudo constitua um progresso em relação à análise dos economistas clássicos, ele "*falhou em incluir o conhecimento dos custos e riscos no custo da produção que determina o valor e a mais-valia*" (SOWELL, 1985, p. 195). Não obstante, ele parece assumir a crença de que uma sociedade comunista, uma vez estabelecida, seria capaz de administrar tais problemas, superando "*os riscos inerentes à produção para um consumidor cuja demanda é desconhecida*" (SOWELL, 1985, p. 195). O argumento dado é que uma sociedade, na hora em que detivesse um planejamento central, permitiria que todos os produtores estivessem conscientes da produção de seus pares.

Mas Sowell contesta que, em uma sociedade dinâmica, o planejamento central ver-se-ia nos mesmos embaraços e dificuldades que o capitalista quanto à tarefa de prever o comportamento do mercado, suas mudanças e tendências. Contudo, há algo de maior gravidade ainda que Marx e Engels simplesmente omitem:

> [...] eles falham em considerar o modo como o próprio aparato do planejamento central seria uma perpétua tentação para os detentores do poder político em dirigir a economia inteira para a satisfação de seus próprios propósitos – incluindo poder militar – ao invés de deixá-la servir o interesse dos consumidores (SOWELL, 1985, p. 195).

Vemos, em suma, que a realidade resiste em deixar-se enquadrar no esquema de Marx. O filósofo, decerto, estava consciente de tudo isso, daí as notas ad hoc que ele introduz na tentativa de salvar sua teoria dos fatos que a impugnam. Sowell adverte, no entanto, que aquilo que Marx sabia e comentava à margem *"deve ser claramente distinguido daquilo que ele construiu em sua análise sistemática"* (SOWELL, 1985, p. 195). Tal análise, em forma de sistema, não corrobora o conhecimento dos riscos e do capital humano que são referidos por Marx em notas marginais; pelo contrário, ela exclui por completo esse conhecimento.

3. AS CRISES E A "CRESCENTE MISÉRIA DO PROLETARIADO"

Na visão de Marx e Engels, o capitalismo traz como consequência inelutável a crise econômica e a crescente miséria da classe trabalhadora, a que mais é afetada pelas manifestações de recesso, estagnação, quebra, déficit financeiro e inflação. Para os dois autores, a crise é desencadeada pelo subconsumo (*underconsumption*), ou seja, pela restrição de consumo das massas, que ocorre quando o poder aquisitivo delas não é suficiente para comprar o que elas próprias produziram.

Engels (SOWELL, 1985, p. 78) diz o seguinte em seu Anti-Dühring: "*O subconsumo das massas é uma condição necessária de todas as formas de sociedade baseadas na exploração, consequentemente, também o é na forma capitalista, mas é a forma capitalista que primeiro produz a crise*"[59] . Marx (SOWELL, 1985, p. 79), por sua vez, exprime a mesma ideia no volume III d'*O Capital* quando diz que "*a causa última de toda crise real continua sendo a pobreza e a restrição de consumo das massas*"[60].

A forma capitalista é que acarreta o subconsumo, desde que "*o limite da produção é o lucro do capitalista e nunca as necessidades dos produtores*"[61] (SOWELL, 1985, p. 79), e desde que a produção de mercadorias "*chega a uma paralisação que é determinada, em um ponto, pela produção e realização do lucro, não pela satisfação das necessidades sociais*"[62] (SOWELL, 1985, p. 79).

Mas se os trabalhadores são os mais prejudicados em períodos de crise, eles não o são menos nos períodos de crescimento econômico. No seu panfleto *Trabalho Assalariado e Capital*, ao tratar da questão do aumento e queda dos salários, Marx defende o ponto de vista de que o rápido crescimento do capital resulta, proporcionalmente, num rápido crescimento do salário, oferecendo assim aos trabalhadores maior acesso a entretenimentos sociais como prazer, diversão, luxúria etc. Contudo, a satisfação social que eles recebem sofre uma queda em comparação com as crescentes fontes de prazer obtidas pelo capitalista. Assim, "*a posição material do trabalhador melhora, mas às custas de sua posição social*"[63] (SOWELL, 1985, p. 135).

Marx, portanto, vê no processo de crescimento acelerado da economia, através do trabalho assalariado, um efeito colateral nocivo aos trabalhadores: esse crescimento, embora melhore seus padrões de vida, implica numa queda da posição social ocupada por eles, aprofundando o abismo que os separa dos capitalistas.

Por outro lado, Marx defende em um artigo de 1847 que o curso de desenvolvimento do capitalismo também acarreta um duplo declínio dos salários: primeiro, uma queda relativa, proporcionada ao desenvolvimento do valor em geral e, segundo, uma queda absoluta,

---

59 Frederick Engels, *Herr Eugen Dühring's Revolution in Science [Anti- Dühring]*, p. 312.
60 Karl Marx, *O Capital*, Volume III, p. 568.
61 Karl Marx, *O Capital*, Volume III, p. 568.
62 Karl Marx, *Theories of Surplus Value*, Vol. III, p. 406.
63 Karl Marx, *Wage Labour and Capital*, p. 94.

provocada pela diminuição gradativa da quantidade de *commodities* que o trabalhador recebe em troca do seu trabalho. No seu *Manifesto*, Marx reitera que "o operário moderno, ao invés de crescer a partir do progresso da indústria, afunda mais e mais abaixo das condições de existência de sua própria classe"[64].

Marx acreditou que a depressão econômica de 1840 – batizada de década da fome – viera justamente confirmar o conjunto dessas teses. Todavia, ele e Engels foram forçados a reconhecer a partir de 1849, pela estrutura impositiva dos fatos, que o padrão de vida dos trabalhadores estava num processo de contínuo melhoramento. Por mais que Marx e Engels tentassem minimizar a importância disso, foram obrigados a admitir que o salário dos agricultores estava crescendo e que os empregados das fábricas estavam indubitavelmente em melhores condições econômicas depois de 1848.

Porém, há na doutrina de Marx um aspecto não-econômico que reluta incisivamente em aceitar esses dados. A condição do trabalhador piora independentemente do seu pagamento ser alto ou baixo, já que ele se encontra numa situação de alienação dentro do capitalismo. O trabalhador perde-se a si mesmo na medida em que, ao produzir a mercadoria, ele a torna um fetiche, deixa-se alienar por ela e, neste processo de estranhamento a partir da mercadoria, as suas potencialidades naturais são frustradas. Isso quer dizer que as aptidões do indivíduo, que se desdobrariam espontaneamente em condições propícias, são impedidas de florescer dentro do capitalismo, cuja divisão necessária do trabalho submete o trabalhador a tarefas repetitivas, cansativas e mecânicas que acabam por embrutecê-lo e mutilá-lo. A organização social capitalista, em última análise, sufoca o pleno desenvolvimento das potencialidades do homem. Marx insiste em que o capitalismo

> [...] "ataca o indivíduo nas próprias raízes de sua vida", convertendo o trabalhador num "monstro aleijado"[65] [...] e isso deve agravar-se ao longo do tempo [...] porque os métodos que aumentam a produtividade também "mutilam" o trabalhador, "transformando-o num fragmento de homem", tornando-o "estranho às suas potencialidades intelectuais" [...] o trabalhador, subjugado pelo capitalismo, "é deformado pela repetição da

---

64 Karl Marx and Friedrich Engels, "Manifesto of the Communist Party". *In*: Karl Marx and Friedrich Engels, *Basic Writings on Politics and Philosophy*, p. 19.
65 Karl Marx, *O Capital*, Volume I, p. 399.

mesma operação trivial ao longo de toda a sua vida, e assim é reduzido a um mero fragmento de homem"[66] (SOWELL, 1995, p. 139).

Isso posto, veremos agora o que Sowell tem a objetar em relação ao conjunto dessas teses. Em primeiro lugar, a respeito da crise, que é considerada por Marx um fenômeno endêmico, quer dizer, que tende a aprofundar-se mais e mais a partir da evolução do capitalismo. A teoria marxista fornece duas chaves de explicação para esse aprofundamento. Uma, de cunho moralista, descreve a crise em termos de "exploração", cumprindo a função de deslegitimar o lucro capitalista, condenando-o do ponto de vista ético. A outra, de natureza econômica, descreve a crise em termos causais, apontando, por um lado, as razões pelas quais o capitalismo não pode sobreviver ao colapso que ele mesmo engendra e, por outro lado, apresentando os motivos por que *"uma economia socialista seria uma economia mais eficiente e estável"* (SOWELL, 1985, p. 196).

Opondo-se a tais explicações, porém, há o fato de que 90% da economia de uma nação é capitalista; de que desproporcionalidades nos setores de produção existem tanto no capitalismo quanto em qualquer outro sistema dentro do qual vigore a separação de funções entre produtores e consumidores; as flutuações de preço no capitalismo não são a causa criadora da crise, elas apenas a anunciam, constituem um sintoma dela; além do que, *"a crescente experiência com recessões e depressões deve tanto envolver métodos públicos quanto métodos privados de minimizar o impacto da crise"* (SOWELL, 1985, p. 196), sem haver uma razão suficientemente forte que determine a escolher um desses métodos em total detrimento do outro.

De qualquer maneira, a pergunta crucial – por que uma economia socialista teria um melhor desempenho ao atravessar tempos de crise? – é deixada sem resposta por Marx. Sowell observa que *"uma economia planejada pode melhor esconder o problema, mas não resolvê-lo"* (SOWELL, 1985, p. 196). Estados comunistas, com efeito, podem elaborar soluções paliativas de curto prazo que disfarçam o problema do desemprego ao invés de resolvê-lo, assim como, no exército, um oficial, a fim de manter seus soldados ocupados, pode ordenar a eles que, primeiro, cavem trincheiras e, em seguida, voltem a tapar os buracos de terra.

---

66 Karl Marx, *O Capital*, Volume I, p. 534.

Para Sowell, há uma diferença que é crucial entre "*o trabalho cujos benefícios para o consumidor excede os custos da produção e o trabalho cujo valor é menor do que seu custo*" (SOWELL, 1985, p. 196). Pois bem, resulta claro que "*o segundo tipo de trabalho não pode persistir em uma economia capitalista, na qual o desperdício inerente redundaria forçosamente em lucro decrescente (ou perdas de quantia) e em crescente desemprego*" (SOWELL, 1985, p. 196). O planejamento central que viesse a ocultar isso através de subsídios, por fim, em nada solucionaria o problema, padecendo antes da mesma limitação humana em lidar com os imprevistos e oscilações da economia.

Por outro lado, deve-se lembrar que sociedades capitalistas eficientes e produtivas frequentemente propiciam melhores condições de vida aos desempregados do que os sistemas de controle central conseguem fazê-lo aos trabalhadores empregados.

Sowell arremata o argumento evocando a Grande Depressão Econômica dos anos 30, que foi tida pelos intelectuais e formadores de opinião do ocidente na conta de um fracasso do capitalismo e de uma reivindicação cabal da doutrina marxista. Na verdade, ela foi "*uma crise econômica aprofundada e prolongada por políticas governamentais desastrosas, incluindo desorganização monetária e ruptura com o mercado internacional*" (SOWELL, 1985, p. 197) – o que, sem dúvida, constitui uma das grandes ironias da História.

Em segundo lugar, a respeito das teses que giram em torno da ideia da "crescente miséria" do proletariado, deve-se protestar que se trata apenas de definições arbitrárias sem conteúdo substantivo, definições que não encontram respaldo algum nem na lógica nem na experiência.

> Com a divisão do trabalho no capitalismo, a renda nacional não declinou com o passar do tempo – nem havia razão alguma para esperar que isso acontecesse – especialmente quando sabemos que o crescente capital que compõe o *output* inclui o capital humano possuído pelos trabalhadores. Além disso, em algumas nações ocidentais, os trabalhadores também possuem um montante de capital material, acumulado em seus fundos de pensão. É estimado que os trabalhadores nos Estados Unidos, por exemplo, detêm uma parte dos meios de produção maior do que o têm os trabalhadores na Iugoslávia comunista (SOWELL, 1985, p. 197).

Por sua vez, o conceito de alienação – de que no capitalismo o desenvolvimento das faculdades humanas é essencialmente frustrado – traz perigosas implicações, já que pressupõe um terceiro observador que, colocando-se acima das duas classes, burguesa e proletária, seria capaz de contemplar de fora o conjunto de suas necessidades e aspirações e ditaria o modo como elas deveriam sentir, pensar e agir a fim de estabelecer uma sociedade ideal. Como diz Sowell, se esse observador onisciente pudesse existir, de fato, ele concederia a si mesmo o poder absoluto, instaurando o totalitarismo.

Marx e Engels não se deram conta de que o discurso sobre a "sociedade ideal" poderia ser usado para justificar toda espécie de mentira, repressão, genocídio, extermínio, por parte de revolucionários oportunistas, corruptos ou mal-intencionados, os quais alegariam agir em nome dos reais interesses da classe trabalhadora. Os dois filósofos, acreditando que a liberdade desejada pelo indivíduo comum era, no fundo, um tipo legitimado de escravidão, mal puderam prever que, cem anos mais tarde, ditadores na Rússia, na China, no Camboja etc., implantariam nos *gulags* e em campos de concentração comunistas um verdadeiro regime de terror e escravidão com a desculpa cínica de estarem lutando pela liberdade autêntica, por eles idealizada.

Além disso, como continuar a sustentar a teoria da exploração quando a experiência vem mostrando, inúmeras vezes na história recente, que os operários obtêm melhores condições de trabalho e de salário por conta da concorrência frenética entre os capitalistas? Ora, isso é fácil de se constatar quando levamos em conta a ânsia com que os trabalhadores desejam tomar parte nas decisões da empresa, o que eles invariavelmente conseguem ao convencerem os patrões a concordar sob a promessa de mais baixos custos na produção e maior rendimento no mercado. Em contrapartida, os trabalhadores estarão dispostos também a abrir mão de sua autonomia e participação na empresa se isso significar um avanço na sua carreira e uma consequente elevação do seu padrão de vida.

4. A FILOSOFIA DA HISTÓRIA EM MARX

Nos dois últimos tópicos, ficou claro que o sistema econômico de Marx não se sai muito bem quando tem de prestar contas à realidade dos fatos. No que tange à filosofia da história, acontece o mesmo, sua interpretação não coincide com os dados documentados pela historiografia. A história, como Marx pensou, não progride de maneira linear análoga a um organismo vivo que passa por metamorfoses de maturação e desenvolvimento, pois, por diversas vezes, ela *"regride desastrosamente – por gerações, por séculos ou, então, para sempre, em uma era nuclear. A idade das trevas que se segue à queda do Império Romano é somente um dos mais óbvios exemplos"* (SOWELL, 1985, p. 199).

Marx abraçou a crença de que a evolução da tecnologia e do sistema social superaria as limitações humanas atuais e instauraria, no futuro, o "reino da liberdade", expressão que ele mesmo empregou. Mas isso significa levar longe demais o otimismo, ignorando o fato de que as limitações do homem, e das circunstâncias nas quais ele vive, são inerentes à sua condição. Com isso, estaremos sob a ameaça constante do totalitarismo, assim que revolucionários comunistas, zelosos pelo autoproclamado "progresso", decidirem corrigir, com as próprias mãos, os supostos erros e desvios da história tentando dar-lhe um novo rumo. Quando eles, em suma, decidirem tomar a sociedade como "cobaia" para seus experimentos políticos.

Sowell volta a assinalar, como o fizeram outros milhares de contestadores de Marx, que o preço a pagar por esse otimismo utópico (fome, terror, extermínio em série) é demasiadamente alto. E a era pós-revolucionária na Rússia, na China, no Vietnã, no Camboja, no Leste Europeu, em vários países na África e na América Latina, deixou como herança um quadro inesgotável de experiências traumáticas e dolorosas que constitui um triste e contundente testemunho disso.

Marx, com o seu conceito de justificação histórica, mal se deu conta do quanto fornecia aos candidatos à tirania *"vasta latitude para as maiores violações de todo princípio moral e de todo senso de decência e humanidade"* (SOWELL, 1985, p. 100). Justificação que, no fim, não passaria de desculpa para as atrocidades muito bem descritas por Solzhenitsyn (1918-2008) em seu *Arquipélago Gulag*.

Por outro lado, Marx, com seu materialismo histórico, mal se deu conta de que fornecia aos candidatos a déspota plena abertura para eles se demitirem do debate racional e sadio das ideias, uma vez que todas as ideias são rejeitadas logo de início como "burguesas", em vez de serem testadas cientificamente, em termos lógicos e empíricos. Como Sowell assinala, as visões que se opõem ao marxismo são logo *"dispensadas como 'retrógradas' ou então descartadas no 'lixo da história', o que elimina a necessidade de se pensar sobre elas*" (SOWELL, 1985, p. 100) – estratégia desonesta que já era comum no próprio Karl Marx[67].

5. CONSIDERAÇÕES FINAIS

Sowell finaliza seu livro tecendo algumas considerações sobre o leninismo e a ditadura do proletariado. Lenin é tido como a figura principal a representar o papel de porta-voz do comunismo na União Soviética, não só por haver liderado a revolução neste país, mas por haver modificado a teoria de Marx a fim de adaptá-la ao cenário político e social russo. Lenin percebeu que as massas não tinham nem a experiência nem o *insight* teórico necessário para protagonizar uma revolução. Assim, ele rejeitou o papel do proletariado e disse que a consciência de classe deve ser induzida e despertada neste de fora, por verdadeiros líderes políticos, isto é, por revolucionários profissionais.

Para realizar essa missão, criando nos trabalhadores a consciência política, o líder deve organizar taticamente todo um aparato de propaganda, com o qual ele ganha o apoio das massas prometendo a elas implantar em definitivo a democracia, isto é, a ditadura do proletariado. Mas, durante a revolução, o líder mantém em segredo o fato de que considera a democracia não mais do que um "brinquedo inútil e perigoso", apenas um instrumento retórico de tomada do poder. Depois da revolução, quando o poder ditatorial tiver se centralizado nas suas mãos, ele terá todos os motivos para segurá-lo aí firmemente – dispensando a democracia como se dispensa um simples brinquedo.

Lenin, portanto, transforma o que era para ser uma ditadura do proletariado em uma ditadura imposta sobre o proletariado. De

---

67 Aliás, deve ser por isso que os marxistas mal se sentem na obrigação de responder às objeções levantadas contra o marxismo, e os próprios pensadores da nova esquerda, segundo Roger Scruton, nem se preocuparam em mostrar a consistência dele contra o muro gigantesco de argumentos que costuma barrar-lhe o caminho. A Scruton, com efeito, parece que quase tudo do marxismo fora refutado: "a teoria da história por Maitland, Weber e Sombart; a do valor por Böhm-Bawerk, Mises, Sraffa etc; a da falsa consciência, alienação e luta de classe por uma ampla gama de pensadores: Mallock, Sombart, Popper, Hayek e Aron" (SCRUTON, Roger. *Pensadores da Nova Esquerda*. São Paulo: É Realizações, 2014, p. 14. Citação levemente modificada). No Brasil, o professor Olavo de Carvalho ainda junta a essa lista nomes como Eric Vöegelin, Cornelio Fabro, Rosenstock-Huessy, Norman Cohn, Dietrich von Hildebrand e Alain Besançon.

fato, ele, "*como mestre propagandista, criou todas as aparências externas da democracia – uma constituição, eleições, corpos legislativos – mas tudo estruturado apenas para assegurar que nenhuma oposição efetiva ao regime seja sequer possível*" (SOWELL, 1985, p. 203). Estes pressupostos são alguns dos improvisos e alternativas que Lenin introduz no marxismo a fim de corrigir suas falhas, improvisos que respondem literalmente pela morte de milhões de pessoas, e de outros tantos ameaçados, torturados e fuzilados pela polícia secreta e pelo Exército Vermelho.

Assim como Marx e Engels, Lenin negligenciou de início a importância do capital humano para a economia. No seu livro *O Estado e a Revolução*, ele argumentou que os funcionários que ocupam cargos administrativos devem receber salários não maiores do que os de um operário comum, exercendo suas funções sob severa vigilância do proletariado armado. Mais tarde, com o caos econômico que se instalou no país: a crise do combustível, a falência das fábricas, a insurreição dos camponeses, a devastação, a fome, Lenin foi obrigado a reconhecer que os processos econômicos são deveras complicados, e que requerem habilidades administrativas específicas.

Assim, vendo-se num beco sem saída e para impedir que a União Soviética se arruinasse completamente, Lenin decretou a sua Nova Política Econômica, a qual permitia aos camponeses e pequenos capitalistas que vendessem livremente no mercado. O comunista radical acabou no fim aderindo às prerrogativas capitalistas, reconhecendo, para o bem da economia, a necessidade de se buscar funcionários qualificados e capazes de obter lucro, de pagar a eles a quantia proporcional aos seus méritos, de "*selecionar com cuidadosa atenção o pessoal mais talentoso e capaz para os cargos administrativos*"[68] (SOWELL, 1985, p. 207).

Para concluir a partir disso, Sowell considera que a contribuição intelectual de Marx para a economia equivale a nada mais nada menos do que zero, o que não impede que *O Capital* seja tido na conta de um grande monumento intelectual e, a seu modo, como que a culminação da economia clássica.

Sowell recorda também, contra aqueles que retrucam que o comunismo soviético deturpou o marxismo, que os fundadores dele em pessoa, Marx e Engels, haviam argumentado que "*um indivíduo*

---

68 V. I. Lenin, "*The Role and Functions of Trade Unions under the New Economic Policy*". Selected Works, Volume II, Part 2, p. 618.

e uma era devem ser julgados não pelo que eles desejaram ou conceberam, mas por aquilo que eles efetivamente fizeram"[69] (SOWELL, 1985, p. 207), e é evidente que o próprio marxismo não é uma exceção à regra. Em certo sentido, o marxismo deve ser julgado, como bem diz Sowell, como "*a arrogância de imaginar que uma sociedade inteira poderia ser construída a partir da base estabelecida pela visão de um único homem, ao invés de envolver a experiência de milhões de pessoas pelas gerações e séculos afora*" (SOWELL, 1985, p. 208).

BIBLIOGRAFIA

MARX, Karl & ENGELS, Friedrich. *Manifesto Comunista*. Tradução de Álvaro Pina. São Paulo: Boitempo Editorial, 2005.

MARX, Karl. *O capital: crítica da Economia Política, Livro I*. Tradução de Rubens Enderle. São Paulo: Boitempo Editorial, 2011.

SOWELL, Thomas. *Marxism, Philosophy and Economics*. London: George Allen & Unwin, 1985.

---

[69] Veja-se os textos Karl Marx e Friedrich Engels, *The German Ideology*, p. 43. e Karl Marx, *A Contribution to the Critique of Political Economy*, p. 12.

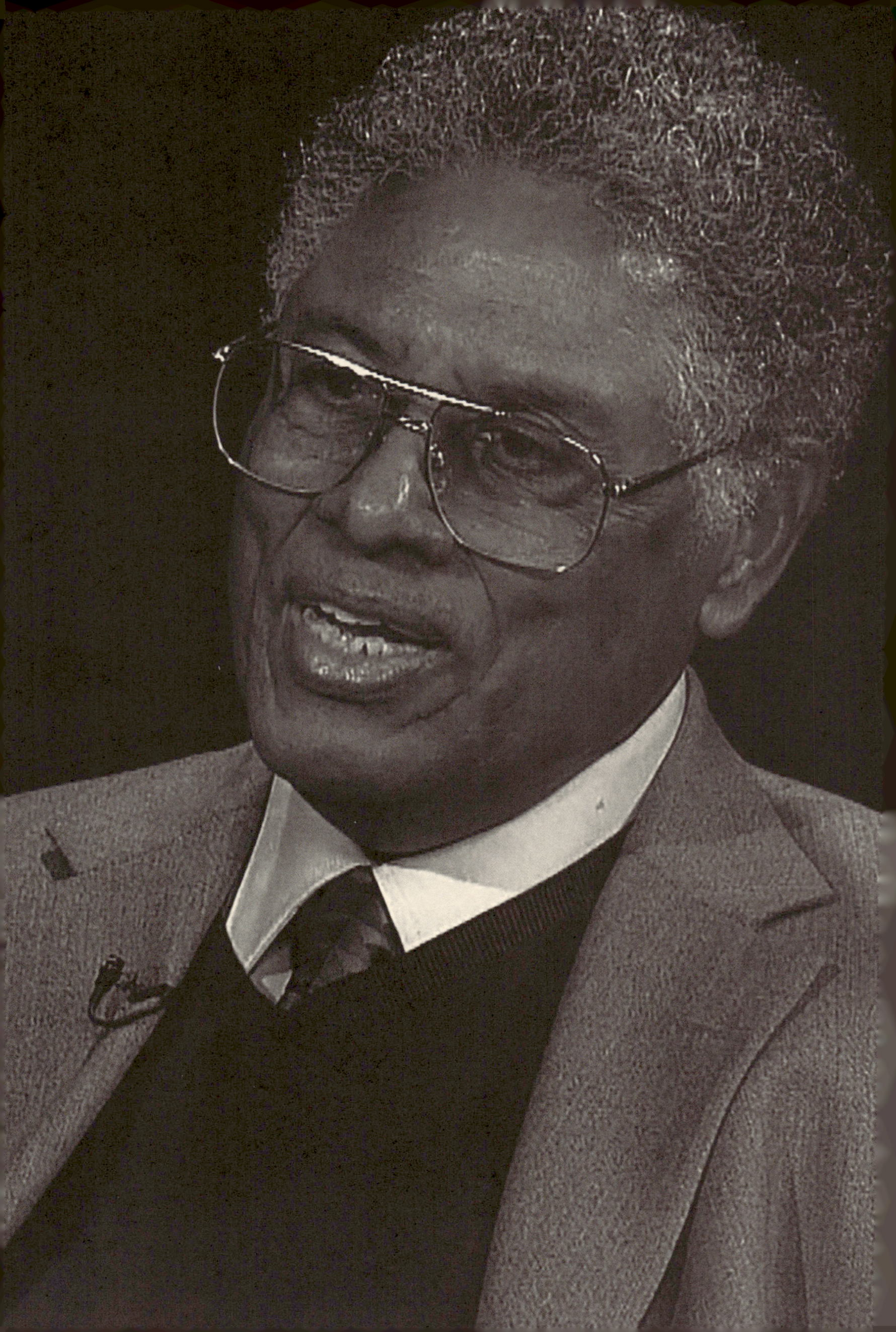

CAPÍTULO 12

ELEMENTOS BASILARES
DA ECONOMIA SOWELLIANA

Antero Neto
Nei Oliveira de Souza Júnior
Dennys Garcia Xavier

Seja qual for o sistema econômico adotado por uma dada sociedade, não importa qual seja ela, resta sólido um fato autoevidente: estamos sempre a lidar com um binômio inescapável, que condiciona as dinâmicas das trocas materiais entre os indivíduos, a saber, a existência de necessidades ilimitadas, de um lado, e, de outro, a limitação dos recursos disponíveis para satisfazer aquelas necessidades. É esta restrição que possibilita a existência de uma economia e que determina a sua natureza compositiva. Os preços, aqui, são a voz da escassez que se impõe num amplo e intrincado espectro de oferta/demanda.

A síntese proposta acima não foi registrada despretensiosamente. Intelectuais renomados parecem desconhecer elementos cotidianos da realidade ao culparem o capitalismo, em específico, como elemento causador da escassez, numa completa inversão de causa e efeito, com intuito de criar aí um vilão.

Veremos, no entanto, que, se nessa história há um vilão, ele certamente não é aquele indicado pelos ideólogos da fome.

1. A mão visível do Estado

É possível chamar o sistema capitalista de sistema concorrencial, isso porque, em sua concepção mais pura, os indivíduos produtores competem entre si para aumentar suas vendas e obter o maior lucro possível. Com todo o processo de modernização, industrialização e regulamentação a concorrência é necessária e perdura ainda hoje como elemento central do sistema. Porém, deve-se evitar pensar que o arranjo natural do mercado pode configurar uma situação de caos, necessitando assim de meios de controle e regulação estatal crescentes.

De fato, nas palavras de Sowell, o planejamento central é a *"supressão forçada dos planos de milhões de pessoas por meio de um plano imposto pelo governo"* (SOWELL, 2011, p. 91).

O caos que dizem existir longe do planejamento central dificilmente é examinado com atenção. Esquecem do básico: os recursos são escassos e os preços quando tendem à naturalidade da não-intervenção, direciona de modo excepcional a produção de bens, principalmente os que exigem matérias primas convergentes em sua produção, garantindo a melhor alocação dos recursos que, como dito antes, não são ilimitados. Falamos, logo, de evitar a superprodução de bens que não têm demanda convergente e que acabam por ficar encalhados, como se via fartamente na ex-União Soviética, enquanto outros artigos eram demandados pela população e não eram ofertados da maneira devida pelo fato de a intervenção ser menos eficiente e responder de modo mais lento aos incentivos do mercado.

É interessante e irônico constatar que Karl Marx e Friedrich Engels, na obra póstuma de Marx de 1847 *The Poverty of Philosophy*, haviam rejeitado a regulação de preços pelo governo. Ali, alegaram, os preços deveriam ser determinados pelas forças de oferta e demanda, pois somente isso garantiria eficiência e a produção de todos os bens necessários na medida certa. Sobre ponto assim evidente, Sowell arremata,

> [...] a diferença entre Marx e Engels, de um lado, e a maioria de outros intelectuais de esquerda do outro, era simplesmente

que Marx e Engels tinham estudado economia, e os outros, geralmente, não (SOWELL, 2011, p. 95).

2. A intervenção

O mesmo ideário que defende regulações crescentes também entende que o jogo econômico se caracteriza basicamente por uma matemática falaciosa de soma zero, no qual, para haver um vencedor, naturalmente, deve haver um perdedor. Claro que se o raciocínio lógico comum se dispuser a analisar tal afirmação, será possível a qualquer ser humano que mereça assim ser chamado compreender que tal entendimento é falho. Nele, vale dizer, para uma empresa crescer outra teria de perder dinheiro ou reduzir de tamanho. Mais ainda, um indivíduo ao comprar, por exemplo, um celular, estaria somente perdendo dinheiro e não ganharia nenhuma utilidade ou valor de uso em contrapartida. Podemos buscar um contraexemplo no jogo de pôquer. Alguns indivíduos estão à mesa jogando com as suas cartas e fazem suas apostas tentando prever quais cartas virão para assim formarem combinações e conquistar as fichas do adversário. O jogo só acaba quando um único indivíduo detiver todas fichas dos outros indivíduos, o ganho nesse jogo só é possível com a retirada de todas as fichas dos adversários, por isso é chamado de "soma zero". Pensemos agora, no espectro desse mesmo exemplo, em termos mercadológicos. Os jogadores são empresários e trabalhadores que possuem certa riqueza, seja ela produzida pelos meios de produção ou pela venda da força de trabalho, disputam entre si para "prever as cartas" – o que nada mais é do que prever flutuações do mercado com a finalidade de lucro, da sobrevivência. Na falácia da "soma zero", transações econômicas e termos de contrato realizados levariam apenas um lado à "vitória". No entanto, diz Sowell:

> [...] transações econômicas voluntárias – entre empregador e empregado, entre inquilino e proprietário, ou o comércio internacional – não continuariam a ocorrer se não fosse melhor para ambos os lados fazê-las [...]. Apesar de isso parecer óbvio, suas implicações nem sempre são óbvias para aqueles que defendem políticas feitas para ajudar um dos lados destas operações (SOWELL, 2017, p. 13).

O argumento é simples e fala por si: se apenas houvesse ganho de maneira unilateral, não haveria transações. Se contratos e contratações ocorressem com tão-somente uma parte usufruindo do resultado, ninguém se colocaria numa relação assim.

Mas é arma constante da *intelligentsia* a utilização deste estranho arcabouço argumentativo nas discussões econômicas. Aparentemente é uma ferramenta frágil. No entanto, não deve ser subestimada pois consegue inflar todo e qualquer discurso desprovido de fundamentação com casos e exemplos isolados, ideias difusas, cheios de alto sentimentalismo e apelo humanitário. Consciente deste recurso erístico, repetido à exaustão pela *intelligentsia* para, de certo modo, demonizar o capitalismo e as transações econômicas, nosso autor encontra o cerne das atuações irresponsáveis e não calculadas em longo prazo pelos governos.

A intervenção aparece quando governos entendem, por pressões externas, que há desigualdade entre quem oferta determinado bem ou serviço e quem o demanda. Na tentativa de sanar tais disparidades aparecem as intervenções, que usam da justificativa de estar fazendo o bem ao menos favorecido, sem ao menos se certificar quais são as possíveis reações para a sua ação. Neste caso o governo impõe suas regras e quase sempre cria ineficiência ou piora, por via alternativa, uma situação que já era desfavorável.

Um caso clássico na análise econômica da intervenção, diz respeito ao desemprego elevado entre jovens europeus que superava à época (falamos aqui da primeira década do segundo milênio) os 20%. Os governos entendendo, com base no jogo de soma zero, que os trabalhadores sempre perdiam dos empregadores no momento da negociação, impuseram uma série de legislações que garantiam vários benefícios aos colaboradores. Benefícios custam caro e o empresário naturalmente buscou suavizar seus custos, adotando mais maquinário ou deixando de contratar mais um empregado, pois os atuais já lhe saiam caros demais. Com isso, os empregados sem experiência – em geral os mais jovens – foram evidentemente preteridos em relação aos mais experientes. Claro: o custo é elevado, que ao menos seja garantida a alta produtividade proveniente de um trabalhador mais experiente. A ação governamental parecia sedutora. Portadora de bondades, promulgada quem não sabe – ou prefere não saber – mensurar as consequências de seus atos, criou desemprego crescente entre os jovens europeus, e fez convergir no longo prazo para uma situação catastrófica, pois os experientes de hoje se aposentam amanhã: quem os substituirá num quadro assim desenhado? Quem os sustentará em suas pensões?

Ações governamentais tomadas por puro populismo sem mensurar as consequências de longo prazo não são raras e muito menos inocentes, diz Sowell: "*Na política, pouco importa quão desastrosa uma política pode se tornar, desde que as causas do desastre não sejam compreendidas pelo público eleitor*" (SOWELL, 2011, p. 105).

De resto, "*como as políticas impostas pelo governo não são transações voluntárias, como as que ocorrem no mercado, operações de soma zero e de soma negativa poderão continuar a ser adotadas indefinidamente*" (SOWELL, 2017, p. 18).

3. O problema dos impostos

Aqui, os exemplos utilizados serão relacionados à realidade econômica americana. Contudo, se abstrairmos o espaço da análise dos problemas levando em conta o ideário por trás de cada ação, será possível verificar que a análise se encaixa perfeitamente a qualquer país que tenha em sua ossatura econômica uma esquerda com raízes marxistas e uma direita com raízes liberais clássicas e neoclássicas.

De modo geral, o planejamento econômico americano, salvo em governos muito liberais como nos de Ronald Reagan, Nixon e outros poucos, sempre elevou impostos com intuito de cobrir rombos feitos por políticos que aumentaram o grau de assistencialismo ou de intervenção econômica em períodos anteriores. Pouquíssimas vezes colocaram-se em pauta – como sob Ronald Reagan – políticas de desburocratização e de queda no nível de impostos da economia. Isso porque utilizam a arma do aumento do grau de assistencialismo para, no curto prazo, ganhar votos e eleições sem planejar muito a dimensão dos danos destes custos ou intervenções no médio/longo prazo. Na visão da esquerda americana qualquer forma de reajuste no grau de arrecadação, ou seja, na carga tributária do país, implicaria redução de direitos adquiridos, mesmo que tais direitos já não sejam cumpridos da maneira devida pela falta de qualidade ou que a população já tenha uma parte tão elevada dos seus rendimentos direcionados a impostos que isso prejudique a realização de funções básicas como a de uma boa alimentação dado um salário baixo.

O exemplo prático utilizado para levantar este assunto se refere ao aumento de impostos propostos pela esquerda americana para resolver o problema da dívida crescente do governo. Percebam que parte da *intelligentsia* não citou em momento algum um ajuste fiscal para segurar o orçamento e, por consequência, fazer sobrar recursos para o seu abatimento (da dívida). Sacrificar a população com o ego inflado de messianismo, a dizer que a classe política sabe o que é melhor para o povo, sempre será a arma utilizada por ela para imolar ainda mais este mesmo povo em prol de um discurso bonito, cheio de justiça social e "responsabilidade" para com as pessoas.

Os recursos estatais são proporcionalmente muito maiores do que os de qualquer empresa privada, pois seu fundo de garantia está diretamente ligado ao bolso dos cidadãos; e aquele que não pagar devidamente os impostos encontra logo ali enorme arcabouço punitivo. Ou seja, claro que as políticas públicas equivocadas podem período de perpetuação maior do que no sistema privado.

Naturalmente existem defesas claras a respeito dos gastos governamentais e da cobrança de impostos. O argumento reside nos gastos do Estado como agentes de incentivo econômico e giro da economia, cooperando para formação de novos empregos e fazendo assim o progresso da sociedade em geral. Todavia, se o dinheiro não for gasto pelo Estado quem irá o fazê-lo?

Sowell explica: "*[...] geralmente, se esse mesmo dinheiro tivesse permanecido nas mãos dos contribuintes de quem partiu, também teria sido aplicado e reaplicado, criando empregos, aumentando rendas e gerando receitas tributárias*" (SOWELL, 2017, p. 19).

Indivíduos também podem fazer investimentos, compras, vendas etc. Não é o Estado o melhor a fazê-lo, pois novamente caímos numa relação de soma negativa, já que para financiar seus subsídios a alta nas cargas tributárias é um dos recursos mais usados, reduzindo "*os incentivos necessários à geração da atividade econômica e, em consequência, prosperidade*" (SOWELL, 2017, p. 19).

4. A demonização dos lucros

A construção de um sistema econômico com raízes no capital e, por consequência, na construção de meios para a sua ampliação cria a necessidade inerente da figura dos lucros, uma vez que somente com o excedente é possível ampliar o nível de capital em uma economia e, portanto, manter pulsante o próprio sistema. Nesta síntese aparentemente óbvia a qualquer indivíduo que diga conhecer o mundo em que vive surge um grande problema. Os ditos "intelectuais" do nosso tempo, sob o imaculado manto da justiça social, começaram a vandalizar e a criminalizar a própria ideia de lucro, taxando-o até como um ato ilícito, pois que seria instinto natural do empresário elevar sempre sua margem de lucro frente à margem considerada pelos justiceiros da igualdade como taxa "justa" de lucro. Sowell observa tal construção com um nível de sarcasmo bastante interessante, pois percebe rapidamente a incoerência nesta argumentação quando constata que atores e artistas da grande mídia, e grandes expoentes da *intelligentsia* que pregam a tal justiça social, ganham vezes mais que quase a totalidade dos empresários supostamente beneficiados por sistema assim considerado *"reprodutor de injustiça"*. Nas palavras de Sowell a *intelligentsia "se compromete a criar sensacionalismos e denunciar negócios cuja operação pouco ou nada conhece"* (SOWELL, 2011, p. 81).

5. Poder e Controle

A apropriação semântica de palavras por parte da *intelligentsia*, atribuindo a elas significados distintos ou até diametralmente opostos, se tornou um recurso bastante relevante para os grupos de justiceiros sociais. As palavras poder e controle, por exemplo, foram travestidas de conotação negativa em relação consumidores/grandes empresas. Ora, uma empresa que captura grande parte dos consumidores normalmente oferece um produto ou a um custo mais baixo ou de qualidade superior. A inveja travestida de justiça social não acredita neste simples dado de fato e se refere a tal realidade como poder ou controle de mercado, ignorando que o consumidor sempre será o único na economia com poder de fato, por sempre optar por produtos que o atendam ao custo mais baixo ou com a mais alta qualidade possível. Vários são os exemplos de empresas taxadas como controladoras que faliram poucos anos depois pelo progresso tecnológico vindo de novas empresas que fizeram os produtos das empresas "consolidadas" e "controladoras" obsoletos. O caso mais emblemático se dá nas indústrias de máquinas de datilografia que foram à falência poucos anos após o advento do computador.

    Mas até aqui não há problemas: palavras jogadas ao vento não têm poder frente à decisão dos consumidores. Porém, quando se diz que uma empresa tem poder porque detém controle do mercado, uma brecha perigosa se abre: estas palavras dizem ao governo que ele precisa exercer seu poder moderador. Este poder aparece com diversas roupagens, a mais extrema delas se caracteriza pela ação direta via leis antitrustes, que colocam regras e dão poder ao governo para aceitar ou não que uma empresa cresça, seja por fusão ou aquisição de outro negócio. Nas palavras de Sowell:

> A transformação retórica de preços mais baixos e maiores vendas em exercício de "poder" por empresas que passam a ser tidas como perigosas e que precisam ser contidas por políticas mais vigorosas de poder governamental, faz surgir mais do que meras implicações intelectuais. Isso gera leis, políticas e decisões legais que punem os preços baixos, tudo em nome da proteção ao consumidor (SOWELL, 2011, p. 117).

6. Crises

    A história ainda evoca a crise de 1929 como a grande crise do capitalismo e vários serão os professores/intelectuais que usarão este fato para justificar a intervenção estatal na economia, alegando ser o capitalismo um sistema falho quando deixado se levar pelo livre mercado. O grande problema da *intelligentsia* quando levanta esta enorme bandeira é negar – ou simplesmente ignorar – os dados pretéritos e futuros da economia americana, logo, anteriores e posteriores ao *New Deal*. Esquecem-se, por exemplo, que quando a crise estourou o Banco Central americano foi absolutamente irresponsável. Viu a oferta de moeda declinar no país devido às diversas quebras bancárias e ainda assim tomou uma medida completamente equivocada para aquela situação, elevando a taxa de juros, criando pressões deflacionárias, tornando a situação ainda mais severa. Com a desculpa louvável de salvaguardar os empregos, hipertarifou os produtos importados, mesmo confrontado com abaixo-assinado de mais de mil economistas. A retaliação, como foi alertado, veio e as exportações americanas despencaram e os empregos, claro, caíram.

    Leis que aumentam impostos incidentes na receita dos mais ricos aparecem com certa frequência na boca dos intelectuais de esquerda mundo afora. Na crise de 1929 não foi diferente. Além de supertaxarem a receita dos mais ricos – que, por evidente, eram os que mais geravam emprego –, impuseram aos proprietários de empresas que não alterassem os salários vigentes antes da crise. Com a queda na oferta de moeda e os outros impostos sobre os lucros decrescentes a conta não fechava. Surge uma nova onda de desemprego e falências.

    Considerando o fracasso das medidas do Banco Central e do governo federal americano, fica difícil visualizar o insucesso do livre mercado neste período. Tal constatação fica ainda mais difícil se a observação chegar a uma crise menos conhecida da história geral, a de 1987. O governo de Ronald Reagan (1981-1989) se recusou a intervir na economia mesmo sob forte pressão da *intelligentsia* norte americana. Em três anos aquele governo, sem qualquer forma de intervenção, promoveu – por não atrapalhar – a proeza de conseguir colocar a economia nos trilhos em menos de três anos e meio e ainda de a colocar num dos ritmos de crescimento mais longos e duradouros da história americana.

7. Renda, distribuição e fatos

    Para alcançar os objetivos desejados é pratica recorrente da esquerda confundir, propositalmente, categorias estatísticas com pessoas. Fazendo isso, ela abre caminho perfeito para veicular desinformação sobre os mais diversos temas. Os meios de comunicação divulgam com certa frequência, principalmente em épocas eleitorais, artigos que mostram disparidade crescente entre pobres e ricos, por exemplo. No entanto, nunca levam em conta alguns dos dados oficiais, de incômoda presença. Ora, um olhar algo mais criterioso revelaria facilmente que neste país (EUA) a renda dos 20% mais pobres cresceu 91% de 1996 a 2005, enquanto que a renda dos 20% mais ricos, no mesmo período, subiu 10%.

Por evidente, as pesquisas da Receita Federal americana acompanham as pessoas por toda a vida, analisam e interpretam as mudanças de classes sociais e mostram o número exato dessa migração junto à quantidade de pessoas que estão dentro de cada estamento. Ao passo que dados como os do censo estadunidense fixam-se na estatística e não em observar quais os indivíduos que estão nesta classe. Desta forma, muitos dos participantes da *intelligentsia* se mostram dispostos a interpretar os dados da maneira que lhes convém, para reafirmar sua visão (comprometida, certamente, não com os fenômenos tal como são).

Sobre esta discussão Sowell diz:

> Ao focar a atenção somente nas categorias de renda, em vez de perceber o movimento real das pessoas que transitam entre essas categorias, a *intelligentsia* foi capaz de criar, retoricamente, um "problema", para o qual uma "solução" se faz necessária. Eles criaram uma poderosa visão de "classes", compreendendo "disparidades" e "desigualdades" de renda, as quais são causadas por "barreiras" criadas pela "sociedade". Mas a real e eficiente rotina de milhões de pessoas, as quais escapam da quinta parte de mais baixa renda da escala, da pouca atenção às supostas "barreiras" sociais tão alardeadas pelos integrantes da *intelligentsia* (SOWELL, 2011, p. 79).

O virtuosismo retórico é, neste sentido, a arma utilizada para colocar situações diametralmente opostas na mesma equação, com vistas a conclusões extremamente questionáveis.

A propósito de distribuição de renda, então, nosso autor questiona a visão moralista da *intelligentsia* que coloca renda e riqueza como uma espécie de presente divino, com seus detentores tendo a obrigação de serem, por esta dádiva, cuidadosos e bondosos com seus semelhantes, dividindo-o de modo justo.

Sobre a moral ilibada dos hipócritas utópicos Sowell conclui:

> O mundo real nunca estará à altura de algumas visões de sociedade ideal e a discrepância entre o real e o ideal sempre será julgada, pelos infalíveis visionários intelectuais, como fracasso moral da sociedade (SOWELL, 2011, p. 80).

8. A saúde "gratuita"

Existe evidente distinção entre custos e preços. Em termos, por assim dizer, "teóricos", o segundo deveria cobrir integralmente o primeiro. No entanto, quando o primeiro supera o segundo e não há revisão dos custos frente aos preços o serviço prestado ou produto oferecido devem, por óbvio, se "ajustar" a uma estrutura de preços não condizentes com a realidade, o que implica, necessariamente, a perda de qualidade ou queda na quantidade do produto/serviço oferecido (quando, claro, no mesmo período não vier à tona nenhum tipo de progresso técnico que faça os custos baixarem). Os políticos são mestres em realizar tal proeza orçamentária quando o intuito é ganhar votos em períodos eleitorais. O grande problema está no fato de médicos e empresas farmacêuticas reagirem no médio prazo, fazendo produtos e serviços declinarem em quantidade e qualidade, prejudicando o indivíduo que carece de serviços públicos para manter sua vida.

A ação política neste caso é realizada com incremento de leis e promessas, também aqui, completamente sem sentido, que fazem contratos serem reajustados no período imediato com vistas a uma espécie de maquiagem emergencial relativa ao atendimento público em vésperas de pleitos. A aparente melhora nos serviços garante votos, porém, o orçamento é fixo e os pagamentos terão de ser realizados em algum momento. É neste período que o governo falha e os pagamentos deixam de ser realizados. Lógico que não necessariamente a saúde perderá recursos, mas outros setores como segurança pública, educação, previdência e outras despesas flexíveis no orçamento terão de, obrigatoriamente, perder orçamento para que o governo honre o aumento de gastos em alguma das partes. Pode acontecer de o governo ser irresponsável o suficiente para elevar todos os gastos, e posteriormente não conseguir honrar seus compromissos em nenhuma das áreas prometidas. Um brasileiro não terá qualquer dificuldade em imaginar o que Sowell descreve: somos filhos de políticas populistas fortemente sedutoras, mas impagáveis.

Na prática o autor apresenta quadro derivado de sua própria experiência de vida, visto ter sido funcionário do serviço de saúde pública dos Estados Unidos em 1959. A burocracia estatal mata... e mata aos montes. Uma política pública jamais deve ser avaliada pelas suas intenções, mas, isso sim, pelos seus efetivos resultados.

9. As lições econômicas

Sowell é mestre em aguçar a curiosidade do leitor e abrir os seus olhos para maneiras de pensar fora do *mainstream* colocado pela *intelligentsia*. Sua obra é vastíssima, mas o que as lições econômicas, no seu universo próprio, mostram é com que frequência inaudita somos vítimas da incongruência entre os fatos e o que é reportado pelos instrumentos midiáticos mundo afora. Não se trata, em absoluto, de desconsiderar as evidentes mazelas dos mais variados povos e civilizações. Antes pelo contrário, trata-se de enfrentá-las a partir do que efetivamente são. As lições econômicas de Sowell buscam, logo, deixar o leitor capaz de filtrar, com algum grau de excelência e pragmatismo, toda "boa nova" enraizada em medida governamental de controle econômico, seja no mercado ou no provimento de serviços. Afinal de contas, como, à luz de Sowell, bem sabemos, é muito fácil estar errado, e continuar errado, quando os custos de estar errado são pagos por outros.

BIBLIOGRAFIA:

SOWELL, Thomas. *Fatos e Falácias de Economia*. Rio de Janeiro: Editora Record, 2017.

CAPÍTULO 13

A ECONOMIA DO CONHECIMENTO EM SOWELL

Fabio Barbieri

A leitura dos textos de Thomas Sowell é essencial para a compreensão dos fenômenos políticos contemporâneos. Suas teses sobre o "politicamente correto", ações afirmativas na educação, discriminação racial e diferenças salariais são em geral bem conhecidas. Neste capítulo, enfatizaremos as bases econômicas que dão suporte a essas opiniões.

Se por um lado é verdade a tese de Hayek de que alguém não pode ser um ótimo economista se for apenas um economista, também é válida a implicação oposta: análises de questões sociais que ignoram a teoria econômica são em geral deficientes. Sobretudo em nossa época hostil aos valores liberais, a desconsideração da dimensão econômica da discussão política pode ser fatal. A ideologia típica dos defensores do "politicamente correto", por exemplo, adota uma postura perigosamente moralista, que atribui ignorância e egoísmo aqueles que discordam das crenças prevalecentes. Mas a própria noção de que em política exista uma perspectiva correta facilmente reconhecível em vez de um embate de opiniões diversas, mantidas por pessoas bem-intencionadas e inteligentes, em si já carrega o germe do autoritarismo. De fato, no ambiente político moderno, qualquer desvio de alguma postura popular é rotulado como fascismo.

A crítica de Sowell à ideologia contemporânea aponta diretamente para essa postura pretensiosa e para os perigos do maniqueísmo inerente a ela. Para criticar uma ideologia que nutre a ilusão de monopólio das boas intenções, nada melhor do que fazer uso de noções econômicas. O pensamento político influenciado por teorias econômicas é caracterizado pelo estudo das consequências não intencionais da ação humana, em geral contrárias ao objetivo pretendido. A existência de resultados opostos ao desejado implica, por sua vez, no reconhecimento de que existem ciências sociais que lidam com problemas que não se reduzem à moral. Se não reconhecermos que a vontade é restrita pela existência de leis econômicas, resta atribuir os fracassos dos planos a sabotadores, algo que sugere a defesa da violência física como instrumento fundamental da política.

Ao elaborar variações sobre o tema fornecido pelo ditado segundo o qual o inferno está cheio de boas intenções, o argumento econômico dissolve o discurso político baseado apenas em declarações de fins nobres. Para o economista, a análise da eficácia dos meios importa mais. A análise política de Sowell, em essência, denuncia os modernos moralistas, satisfeitos com a própria imagem de altruísmo e consciência superior, mas completamente desinteressados pelas teorias e pelos fatos relevantes para sabermos se as medidas políticas propostas por eles de fato funcionam.

Para que possamos explorar essa afirmação sobre a base econômica do pensamento de Sowell, dividiremos este capítulo da seguinte forma. Inicialmente, reproduziremos o contraste que esse autor estabelece entre a visão de mundo dos economistas, que ele denomina "visão trágica" e a dos proponentes da ideologia moderna, denominada "visão dos ungidos". Na sequência, exploraremos mais de perto quais teorias econômicas o autor utiliza para estabelecer esse contraste. Depois de breves comentários sobre publicações puramente acadêmicas realizadas pelo autor, argumentaremos que seus livros sobre questões políticas consistem em aplicações práticas da teoria dos preços, tal como ensinada na Universidade de Chicago. A boa análise econômica, já foi dito, consiste de fato em aplicações da teoria básica. Depois de identificar que esse é o caso no que diz respeito a

THOMAS SOWELL E A ANIQUILAÇÃO DE FALÁCIAS IDEOLÓGICAS

Sowell, mostraremos como esse autor alia a tradição neoinstitucional iniciada por Ronald Coase (1910-2013), calcada na noção de custos de transação, com ideias austríacas de Hayek sobre o caráter disperso do conhecimento. Após fornecer breve introdução às ideias centrais dessas três tradições de pesquisa inter-relacionadas, mostraremos como elas são combinadas em um livro fundamental de Sowell, intitulado *Conhecimento e Decisões*. Nessa obra, seu autor efetua uma análise dos custos de transação informacionais, ou, em outras palavras, uma investigação sobre o uso e transmissão do conhecimento disperso na sociedade, conforme as decisões são tomadas de forma centralizada ou descentralizada.

Iniciemos então com o retrato que o autor faz da ideologia moderna. Esse retrato é elaborado em *A Visão dos Ungidos* e também em *Conflito de Visões*, entre outros livros. Na primeira dessas obras, Sowell (SOWELL, 1995, pp. 2-3) enfatiza o apelo moralista dessa ideologia:

> O que uma visão pode oferecer, e o que a visão predominante do nosso tempo enfaticamente oferece, é um estado especial de graça para aqueles que acreditam nela. Aqueles que aceitam essa visão são considerados não apenas factualmente corretos, mas situados em um plano moral superior. Em outras palavras, aqueles que não concordam com a visão predominante são vistos como se estivessem não meramente em erro, mas em pecado. Para aqueles que têm essa visão do mundo, os ungidos e os ignorantes não discutem no mesmo plano moral ou atuam segundo as mesmas regras frias de lógica e da evidência. Os ignorantes devem tornar-se "conscientes", ter sua "consciência elevada", com a esperança de que eles "crescerão". Se os ignorantes se mostrarem recalcitrantes, entretanto, sua "mesquinhez" deve ser combatida e as "razões reais" por trás de seus argumentos e ações expostas. Embora os modismos verbais mudem, este quadro básico da retidão diferencial do ungido e do ignorante não se alterou fundamentalmente por pelo menos duzentos anos (SOWELL, 1995, pp. 2-3).

Sowell ilustra esse padrão com um exemplo do início do século XIX: em contraste com Malthus, que trata com respeito Condorcet e Godwin, que defendem opiniões opostas às suas, este último questiona até a humanidade de Malthus. Como afirma Sowell, esse padrão se repete de forma consistente. Se considerarmos o debate na metade do mesmo século entre Bastiat e Proudhon sobre a causa dos juros, o primeiro jamais ataca as intenções do segundo, ao passo que este último considera Bastiat um inimigo da humanidade, incapaz de aprender qualquer coisa, apesar de que o liberal tivesse de fato um domínio técnico das questões envolvidas muito maior do que o socialista. Esses dois casos meramente ilustram um padrão recorrente: toda a evolução da ciência econômica foi marcada pela acusação moralista, da parte de conservadores e socialistas, de que os economistas defenderiam uma ciência lúgubre que glorifica o egoísmo, ou *pig-philosophy* que crê que o homem só se interessa pelo vil metal. Segundo esses críticos, a economia seria uma disciplina imoral e, quando seus praticantes deixam explícito que se trata de uma ciência de meios, não de fins, os mesmos críticos a condenam por não se sujeitar a uma perspectiva puramente normativa. O mesmo padrão de contraste entre essas duas posturas persiste no século XX. Em marcante contraste com o hábito socialista de associar oponentes à defesa de interesses malignos, Hayek, por exemplo, atribui aos socialistas apenas erro intelectual.

Em nossa época, o padrão se reforça. Cada vez mais a ideologia moderna interpreta dissidências como conflitos entre heróis e vilões. Consideremos apenas um exemplo. Todo movimento político que se define em termos de fins almejados, em vez dos meios propostos para atingi-los, em geral sofre do problema identificado por Sowell. Considere o contraste popular na América do Sul entre "desenvolvimentismo" e "monetarismo". O primeiro diz respeito a um fim e o segundo se refere a um meio. Mas seria um não-desenvolvimentista contrário ao desenvolvimento? Porém, se o receituário dito desenvolvimentista fracassa, como recentemente ocorreu no governo Dilma Rousseff, o rótulo não se altera para "estagnacionismo", algo que seria exigido pela prática de se definir pelos resultados, não pelos meios propostos.

O fracasso do plano coloca o ungido diante de uma escolha: ou ele reconhece o pluralismo de explicações rivais e se dedica à investigação científica do problema através do contraste de ideias ou reafirma seu monopólio da virtude e do saber, atribuindo o fracasso à sabotagem de algum grupo identificado como inimigo do povo. Como colocaria Sowell, o monopólio moral é incompatível com o mercado livre de ideias.

THOMAS SOWELL E A ANIQUILAÇÃO DE FALÁCIAS IDEOLÓGICAS

O que torna Sowell especialmente relevante para o debate contemporâneo é a aplicação de sua crítica à tendência ideológica identificada com o "politicamente correto", que ganhou corpo nos Estados Unidos nos anos oitenta e foi adotada recentemente no Brasil. Em questões sobre raça, gênero ou meio ambiente, assim como ocorrera outrora com aqueles que fantasiavam ser os exclusivos e legítimos representantes dos interesses econômicos dos pobres, os modernos defensores de "minorias" também dividem o mundo entre, por um lado, esclarecidos e altruístas e, por outro, ignorantes e egoístas. Como coloca Sowell:

> [...] o ungido contemporâneo e aqueles que os seguem fazem grande caso de sua "compaixão" pelos desafortunados, sua "preocupação" com o ambiente, sua postura "antiguerra", por exemplo – como se essas fossem características que os distinguissem das pessoas com visões opostas sobre políticas públicas (SOWELL, 1995, p. 4).

Assim como antes o mundo era dividido entre representantes dos trabalhadores e do capital, em vez de uma disputa sobre diferentes diagnósticos sobre as causas da prosperidade, agora teríamos pessoas conscientes dos problemas ambientais em contraste com aqueles que não se importam, não conhecem ou ainda se beneficiam desses problemas. Isso, por sua vez, exclui investigações comparativas do complexo problema sobre quais arranjos institucionais e políticas tendem a gerar a exaustão ou preservação de recursos.

Os modernos ungidos imaginam que protegem minorias e salvam o planeta ao politizar, ou "problematizar" cada aspecto da vida, da vigilância sobre o sexo e etnia de atores na publicidade até a escolha de dietas, passando por modos de transporte e duração dos banhos. Esse último caso ilustra a dimensão moralista do fenômeno: o militante que se orgulha de como evita usar a descarga se revela em geral completamente indiferente quando a ele é apresentada a informação de que o desperdício de água por vazamentos causados por falta de manutenção do capital nas empresas estatais de saneamento seria muito mais significativo. Mas, admitindo essa informação como correta, ela não serviria como sinalização de virtude para que suscite a indignação política do ungido.

A transformação da política em um exercício de autocongratulação pelas próprias virtudes não se configura um problema por causa de sua origem moralista. Afinal, ao contrário da sociologia do conhecimento e das crenças marxistas, ideias são corretas ou incorretas independente das motivações que as geraram. A pretensão de conhecimento, ou arrogância fatal, empregando expressões utilizadas por Hayek, gera o real problema, pois tendem a gerar empobrecimento e corrosão dos valores de uma sociedade livre. A exploração dessa afirmação requer maior detalhamento da ideologia em questão.

Além da base moralista, a visão dos ungidos é composta por outras características. Sowell (Cf. SOWELL, 1995, p. 242) identifica cinco axiomas que funcionam como seus dogmas centrais. O primeiro afirma que problemas sociais existem não por escassez de recursos, conhecimento e restrições das próprias pessoas, mas sim porque os demais não têm o conhecimento que os ungidos têm. O segundo ponto é o favorecimento de soluções que apliquem o conhecimento articulado de um conjunto de especialistas e o correspondente desprezo por soluções descentralizadas embutidas em tradições e instituições que sobreviveram a processos de aprendizado por tentativas e erros. O terceiro dogma afirma que processos de causação social são fruto da ação intencional e não de processos sistêmicos, de forma que resultados não desejados pelo ungido são objeto de condenação moral. O quarto afirma que os perigos inerentes aos problemas podem ser evitados pela imposição da visão superior dos ungidos ao restante da sociedade por meio da ação governamental. Por fim, o quinto dogma atribui as resistências contra as políticas que os ungidos defendem às limitações morais e intelectuais dos oponentes, não a leituras diferentes de evidência complexa e inconclusiva.

Esse padrão ideológico se traduz em termos de ação política em quatro estágios típicos. Para Sowell (Cf. SOWELL, 1985, p. 8), inicialmente uma crise é identificada. Na sequência, é proposta uma solução definitiva para o problema, que desconsidera os impactos no restante da sociedade das medidas necessárias para resolvê-lo completamente. O terceiro estágio consiste na observação de resultados opostos aos desejados, pelas razões econômicas que detalharemos mais adiante. Por fim, a reação típica ao estágio anterior envolve afirmar que, se não fossem pelas políticas adotadas, os resultados seriam ainda piores.

Tome por exemplo o aumento do preço de algum bem, como o aluguel durante a guerra ou alimentos em processos inflacionários, em geral resultantes de intervenções governamentais prévias esquecidas durante o diagnóstico. A percepção de escassez de moradias é vista como um problema que exige solução centralizada, que assume a forma de controles de preços. Como predito pela teoria econômica e corroborado por quarenta séculos de história, do Código de Hamurabi a Hugo Chávez (1954-2013), passando por Diocleciano (244-311), José Sarney (1930-) e os atuais líderes do Partido Democrata americano, o controle de preços não funciona. Pelo contrário, agrava o problema. A teoria e evidência é naturalmente ignorada. No lugar, a ganância de proprietários é denunciada e renova-se a disposição para expandir as mesmas políticas fracassadas.

Esse padrão pode ser descrito como uma "Lei de Say do intervencionismo": a oferta de controles centrais gera sua própria demanda. Em outros termos, quanto mais fracassa um conjunto de intervenções estatais, maior é o apelo pela expansão daquilo que gerou o problema. Esse padrão, tão bem descrito por Ludwig von Mises em sua *Crítica ao Intervencionismo*, tem sua dimensão ideológica explorada por Sowell em sua análise da visão dos ungidos, que é dissecada pela comparação com a visão trágica dos economistas. Esse contraste é feito no quinto capítulo da *Visão dos Ungidos*.

O contraste envolve a combinação de arrogância intelectual com visão simplista sobre o funcionamento do mundo por parte dos ungidos. Como todos sabemos – o comportamento dos adolescentes é um exemplo – a combinação entre presunção e ignorância é potencialmente explosiva. Em política e economia não é diferente.

Iniciemos a comparação com os pressupostos sobre conhecimento. Para o ungido, o conhecimento relevante em sociedade é composto pela inteligência articulada na forma científica, detido por uma minoria educada da qual imaginam fazer parte. "*Além disso, a visão inflada de si mesmos dos ungidos é frequentemente acompanhada de suposições sobre a irracionalidade ou imoralidade das pessoas comuns*" (SOWELL, 1985, p. 116). Para a visão trágica, em contraste, questões sociais envolvem além disso o uso de conhecimento não articulado, disperso pela população inteira, algo que convida ao exame das estruturas de incentivos, não de exortações morais.

Se o funcionamento de processos sociais exigisse apenas a aplicação do conhecimento abstrato e simplificado encapsulado nas teorias científicas, a capacidade humana para resolver problemas, se a sociedade fosse guiada pelos ungidos, seria vasta. A visão trágica, em contraste, considera as regras de interação social, que levam fundamentalmente em conta as limitações da capacidade e conhecimento humano.

A adoção de uma postura falibilista por parte dos adeptos da visão trágica se relaciona à complexidade inerente às interações sociais. Por exemplo, se o analista levar a sério o fato de que existe escassez de recursos, ou seja, de que a soma da quantidade existente com aquela que poderia ser produzida a partir das técnicas conhecidas de produção não for suficiente para atender todos os objetivos que se considere desejáveis pelas pessoas, toda questão social necessariamente envolve *trade-offs* ou escolhas sobre em que medida cada necessidade será sacrificada em favor das outras. Em contraste, o ungido acredita que a ação política seria capaz de gerar soluções definitivas para problemas identificados, algo que naturalmente ignora a comparação entre a importância da necessidade escolhida e aquelas que foram sacrificadas ao transferirmos recursos produtivos para a primeira.

A reciclagem, por exemplo, é para o ungido um imperativo moral, adotado pelas pessoas detentoras de consciência ecológica. O economista, por outro lado, faz perguntas do tipo: qual é a quantidade ótima de reciclagem? Quais tipos de resíduo devem ser reciclados? Esse tipo de pergunta decorre da preocupação com *trade-offs*. Será que reciclar um determinado tipo de material não envolve o uso de mais recursos não renováveis do que aqueles que se pretende poupar? Não existe resposta *a priori*, mas uma preocupação legítima com a questão requer investigação sobre os benefícios e custos envolvidos de cada alternativa, mas dificilmente envolveria uma "solução de canto", ou seja, algo que recomende a reciclagem de tudo. O ungido, porém, se ofende com isso. Segundo Sowell, a evidência teórica e empírica é irrelevante para o ungido, apenas o sentimento de moralidade superior derivado de sua consciência.

Qual teoria abstrata seria capaz de identificar concretamente a disponibilidade de recursos existentes, as possibilidades técnicas de produção e as prioridades de cada um dos membros da sociedade? A ignorância das complexidades envolvidas nos *trade-offs*, aliada à ilusão de posse de conhecimento superior, geram, para Sowell, uma visão simplista sobre o funcionamento da sociedade:

> A característica definidora da visão do ungido consiste em considerar que o que falta para o tipo de progresso social que imaginam é vontade e poder, não conhecimento. Mas para aqueles com a visão trágica, vontade e poder sem conhecimento é o perigo – e para muitos propósitos mais amplos, o conhecimento é inerentemente insuficiente (SOWELL, 1985, p. 114).

Por isso, a visão trágica privilegia mecanismos de decisão descentralizados, processos sistêmicos que emergiram evolutivamente, segundo aprendizado por tentativas e erros. Esses mecanismos descentralizados, tais como regras de conduta e os mercados, revelam preferências e transmitem informação derivada da experiência de muitas pessoas. Em contraste, a visão dos ungidos conta com planos centrais, guiados pelo conhecimento e moral superiores dos esclarecidos apenas.

O contraste, naturalmente, não é entre planejamento e tradições irracionais, mas entre planejamento central com hierarquias ou planejamento descentralizado com interação voluntária, além das diversas situações intermediárias. Se a alternativa descentralizada é preferida, a liberdade é definida negativamente na visão trágica como proteção contra o poder, não como poder ou habilidade de atingir certos objetivos, como na visão dos ungidos. A justiça, por sua vez, diz respeito à qualidade das regras processuais, não ao controle de resultados. A análise de alternativas de governança, por fim, examina os incentivos que cada arranjo alternativo promove, em vez de contar com vontade política dos agentes.

Para Sowell,

> Se a causação sistêmica é a força social dominante, sobra um papel bem menor para os ungidos, muito menos importância para a diferença entre seu conhecimento, sabedoria e virtude, por um lado, e o conhecimento, sabedoria e virtude do homem comum, por outro (SOWELL, 1985, p. 128).

A visão trágica implica em maior modéstia do que aquela inerente à visão dos ungidos e não projeta em um líder heroico os próprios sonhos de salvar a humanidade por meio de nossa consciência superior.

Depois de esboçarmos a crítica política de Sowell, calcada em sua visão de mundo influenciada pela teoria econômica, devemos dizer algo mais sobre os elementos dessa teoria que são empregados pelo autor. Consideremos inicialmente a formação do autor. Thomas Sowell graduou-se em Harvard, obteve o título de mestre em Columbia e o doutorado em economia na Universidade de Chicago, o curso mais prestigiado nessa área.

Em Chicago, Sowell foi orientado por George Stigler (1911-1991), um economista laureado com o Prêmio Nobel, que contribuiu com o desenvolvimento da "teoria dos preços" ou microeconomia, na tradição de Frank Knight (1885-1972) e Jacob Viner (1892-1970). É importante mencionar duas contribuições de Stigler, que repercutem no tipo de economia cultivada por Sowell. Stigler desenvolveu a teoria econômica da regulação, mostrando como agências regulatórias podem agir de modo a favorecer os interesses das firmas reguladas e não da população em geral. Outra contribuição importante, que também marca a obra de Sowell, é o artigo de Stigler sobre a economia da informação, que trata dos custos e benefícios de aquisição de conhecimento.

Além dessas contribuições, Stigler também se interessava por história do pensamento econômico. Sowell, por sua vez, tem parte significativa de sua obra acadêmica voltada a essa área. O livro de Sowell (1972) derivado de sua tese de doutoramento trata da "Lei de Say". Nesse livro, o autor analisa as controvérsias no século XIX entre os economistas clássicos que discutiam a possibilidade ou não de existência de superprodução geral de bens.

Os artigos publicados em revistas acadêmicas de Sowell tratam em geral das teorias dos economistas clássicos, em particular Adam Smith, Jean-Baptiste Say, Malthus, Sismondi e Marx, além de autores posteriores, como o líder da escola institucional americana, Thorstein Veblen (1857-1929) e o próprio George Stigler.

Sobre Marx, Sowell (1985) escreve um livro que procura expor resumidamente a filosofia, a interpretação da história e a teoria econômica do autor, reservando um último capítulo para a crítica. Nessa obra, Sowell se mostra bastante generoso em sua avaliação das teorias do autor alemão. O projeto de separar exposição de crítica, no caso de Marx, esbarra com um problema incontornável. Como os conceitos e relações desenvolvidas por Marx carecem de clareza, expor suas teorias sem simultaneamente apontar seus problemas implica em afirmar que tais conceitos possuem de fato significado definido. De fato, Sowell acaba aceitando alguns dos subterfúgios usados por Marx que impedem que qualquer proposição concreta seja tributável a ele, protegendo suas doutrinas de crítica. Ao enfatizar que para Marx o trabalho é essência do valor, independente das suas manifestações concretas nos preços de mercado, manifestações essas estudadas pelos autores que Marx denomina "economistas vulgares", Sowell afirma que Marx não teria proposto uma teoria do valor, mas uma definição de valor. Mas, sem elaborar o que isso significa exatamente (não poderia ser uma leitura instrumentalista, ou ainda convencionalista, dado o essencialismo de Marx), a crítica fundamental de Böhm-Bawerk a Marx é dispensada por Sowell como uma má compreensão sobre o que Marx teria dito, em vez de uma crítica fundamental como de fato é.

O capítulo crítico final, por esse motivo, é desapontador, já que não aborda os problemas fundamentais da teoria, redutíveis em última análise a uma teoria errônea do valor, que por sua vez se relaciona a compreensão deficiente do problema alocativo que marca a economia antiga. Ao ignorar discussões sobre o significado dos conceitos de valor e custo, como mostrar que a "quantidade socialmente necessária" de trabalho não depende de fatores técnicos, mas de avaliações subjetivas de custos de oportunidade dos fatores, sujeitas a apreciações divergentes ou especulações manifestas em mercados de capital (ou em organismos de planejamento central), o problema do cálculo econômico sob o socialismo é ignorado, assim como a relação entre valor e alocação intertemporal e assim por diante.

Diante de seu objetivo de não distorcer o que o autor teria dito, os pontos essenciais são deixados de lado. Suas objeções críticas são centradas em problemas de incentivos, risco e de uso de capital humano. Se contemplarmos o funcionamento sistema econômico como um todo e não partirmos da existência de firmas estabelecidas, existe naturalmente valores associados a atividades não redutíveis ao trabalho de mera execução na forma de esforço físico.

Por outro lado, é interessante a crítica que Sowell faz a literatura secundária, que coloca Marx como um partidário de teorias de ciclos baseadas em superprodução e subconsumo. Para Sowell, as observações sobre flutuações econômicas de Marx suportadas pelos seus escritos o colocariam como membro da tradição que explica crise por distorções estruturais na economia, não por crises de subconsumo.

Passando agora para a teoria econômica que fundamenta os livros mais conhecidos de Sowell, vamos dividir a análise em três influências: neoclássica, neoinstitucional e neoaustríaca. As três serão combinadas na contribuição principal do autor, que estudaremos no final do capítulo.

A primeira dessas vertentes diz respeito à teoria dos preços. A teoria dos preços, entretanto, é herança comum entre as três vertentes apontadas, a despeito das peculiaridades marcando as diferenças entre elas. Nos concentraremos nos elementos comuns entre elas.

Em sua *Economia Básica*, Sowell (2018) expõe os fundamentos da teoria econômica, além de resumi-la brevemente em diversas outras obras que utilizam essa teoria, como *Conhecimento e Decisões*. Na primeira dessas obras, Sowell expõe os fundamentos da disciplina sem o uso de gráficos ou matemática, se concentrando nos fundamentos e os ilustrando através de discussões de políticas de interesse geral. Façamos nós mesmo um brevíssimo resumo dos fundamentos mais básicos da economia, para o leitor não familiarizado com a disciplina.

A teoria econômica é a disciplina que estuda a alocação de recursos escassos a fins alternativos. Cada indivíduo ou família tem uma quantidade grande de objetivos ou propósitos. No entanto, existem obstáculos a sua realização. Tanto o tempo quanto os recursos são limitados. Quando a quantidade destes é inferior à quantidade necessária para satisfazer todas as necessidades imaginadas, dizemos que os recursos são escassos.

Diante da escassez, as unidades decisórias da economia, como famílias, firmas e governos devem fazer escolhas sobre qual uso dar aos recursos. Se fossem todas igualmente importantes, o agente ficaria paralisado pela indecisão. Mas alguns usos são mais urgentes. Cada pessoa estabelece então alguma forma de priorização. Ao escolher, optamos por alocar os recursos para seus usos mais importantes, segundo a avaliação subjetiva de cada um. Os economistas utilizam o termo "utilidade" para representar esse ordenamento de preferências.

As opções a serem escolhidas, além apresentarem valores diferentes para cada pessoa, assumindo posições diferentes nos ordenamentos, mas têm seu valor mudando conforme as necessidades são satisfeitas em graus diferentes. Por exemplo, a fome pode tornar a alimentação prioritária, mas conforme a saciamos, outras necessidades assumem importância maior, como abrigo, vestuário, até a apreciação da poesia e de textos filosóficos.

Em geral, a importância de diferentes unidades de um bem ou serviço, visto como um meio para atingir fins, diminui com a sua abundância. Mantendo a renda real constante de cada pessoa, o valor de cada unidade do bem – sua utilidade marginal – declina conforme diminui sua escassez. Um copo d'água no Saara vale mais do que na Amazônia. O valor econômico tem sentido diverso do sentido moral ou o sentido usual do termo: se derrubarmos um copo d'água, qual necessidade deixa de ser satisfeita? Isso difere da questão sobre qual é o valor da água para a vida, por exemplo.

Ao fazer uma escolha, as pessoas comparam a importância daquilo que priorizam, a utilidade marginal do bem, com a importância daquilo que abdicam, denominada custo de oportunidade. Os agentes utilizam a produção e a troca como meios de melhorar sua situação. No caso da produção, o custo de oportunidade do capital ou do trabalho representa a opinião, que reflete a expectativa de cada agente sobre que coisas úteis poderiam ser obtidas caso esses recursos fossem empregados de outra forma. No caso da troca, o mesmo ocorre: comparamos a utilidade marginal daquilo que consideremos adquirir com seu custo de oportunidade, que pode representar tanto a produção do bem pelo próprio agente ou as outras coisas que poderiam ser feitas com os recursos ou com o dinheiro empregado.

Considerado novamente os processos produtivos, se o tamanho de uma fábrica ou fazenda for constante, quanto mais trabalhadores contratarmos, maior será a produção, mas a eficácia do fator trabalho, do adubo ou das máquinas declina. Esse é conhecido como o princípio dos retornos decrescentes dos fatores.

Pois bem, de um lado, a utilidade marginal de um bem declina conforme diminui sua escassez. De outro, a produção desse bem envolve retornos decrescentes. Em conjunto, esses dois fatos implicam que não utilizaremos os recursos para produzir uma única coisa. Convém distribuir os recursos na produção de várias coisas úteis. Aliando isso ao fato de que os recursos não são ilimitados, cada escolha implica em um *trade-off*: aumentamos a produção de algo diminuindo outras, e com custos cada vez maiores.

Cada opção sobre o que fazer com os recursos, cada conjunto de decisões, é denominada uma alocação. Qual é a alocação mais adequada, ou seja, que atende às necessidades mais importantes nas escalas de valores dos agentes, utilizando assim os recursos da melhor forma possível? Esse é o problema da eficiência alocativa, cuja resposta representa, em essência, a diferença entre sociedades ricas e pobres.

Esse tipo de avaliação é trivial se tivermos uma economia simples, com poucos milhares de agentes, ou, no limite, em uma ilha de Robinson Crusoé, que toma sozinho todas as decisões. Conforme aumenta a complexidade do sistema econômico, com extensa especialização dos agentes em diferentes profissões que trocam entre si seus bens, os meios e os fins são separados. Inúmeras pessoas contribuem indiretamente para tornar possível uma certa refeição e essas pessoas não conhecem a pessoa que consumirá tal refeição.

Nessa situação, ninguém sabe o que deve ser feito a partir de qual insumo. Quantos por cento do aço disponível, por exemplo, deverá ser dedicado à indústria de transporte e quanto ao setor de saúde, além das milhares de outras possibilidades, que incluem a localização, o momento no tempo, o tipo de produto e diversas outras questões sobre as opções possíveis.

Com isso, entramos no elemento "austríaco" do argumento. Hayek (1937), em um artigo fundamental, intitulado *Economia e Conhecimento*, indaga como o conhecimento disperso entre todos os membros da sociedade sobre os recursos locais, as necessidades das pessoas e as possibilidades técnicas de produção correspondem à realidade ou se são simplesmente errôneas. Como coordenar os planos de ação entre todos os agentes? A teoria econômica deveria explicar como ocorre o aprendizado dos agentes para que o conceito de equilíbrio ou coordenação de planos tenha sentido.

Um aspecto importante dessa explicação se encontra em outro artigo seminal, *O Uso do Conhecimento na Sociedade*. Nesse artigo, Hayek (1945) mostra como o sistema de preços funciona como uma linguagem que comunica escassez. Imagine que o estanho é um componente do corante que uso em minha fábrica que produz um brinquedo. Mas na verdade eu não sei que uso esse recurso, pois apenas compro um insumo que emprega tal recurso. Se o estanho se tornar escasso, seja porque uma as minas do recurso foram esgotadas, o comércio com os países produtores bloqueados por uma guerra civil ou ainda a cura de uma doença foi descoberta e desenvolvido um remédio que utiliza o metal, se torna necessário que eu pare de utilizá-lo na produção do meu brinquedo. Mas como fazê-lo se não entendo nada de geologia, guerras ou medicina? Meu plano de ação é, no entanto, coordenado com os planos dos demais através do sistema de preços: o preço do estanho sobe e eu paro de utilizá-lo, pois do contrário isso implicaria em prejuízo no meu negócio, ao passo que os produtores dos bens cujos consumidores estejam dispostos a pagar mais pelo recurso ainda têm condições de fazê-lo.

O sistema de preços permite então que a limitação do conhecimento dos agentes seja contornado. A complexidade do problema alocativo aumenta conforme empregamos mais máquinas e as pessoas se dedicam a trabalhos cada vez mais diferenciados. Isso resulta em aumentos sucessivos de produtividade, gerando crescimento econômico. O uso do sistema de preços, que possibilita o cálculo de lucros e prejuízos, possibilita a coordenação dos planos individuais diante do contínuo aumento de complexidade, sem que ninguém seja capaz de estabelecer quais são os benefícios e custos marginais de cada escolha alocativa possível.

O sistema de preços de mercado, além de funcionar como indicador do valor que as pessoas atribuem aos diferentes bens, funciona como um mecanismo de descoberta. Diante do caráter falível e disperso do conhecimento de todos, cada empresário baseia seus planos em suas hipóteses empresariais potencialmente errôneas, que são testadas no mercado, gerando lucro ou prejuízo, que resultam em aprendizado por tentativas e erros.

Embora o lucro seja condenado moralmente durante milênios, na ausência do processo de teste descrito acima, não seria possível manter o grau de especialização e, portanto, de riqueza atual. Belo princípio moral, cuja observância implicaria na miséria e subsequente morte da maioria da população mundial!

O problema econômico fundamental, a escolha diante da escassez, é universal, se fazendo presente em qualquer época e local e deve ser resolvido inclusive sob planejamento central. Sob qualquer arranjo institucional ou sistema econômico que pretende superar a produtividade observada em sociedades tribais, é necessário coordenar os planos dos agentes com conhecimento limitado e disperso em um conjunto de decisões alocativas complexas.

Para lidar com essa questão, podemos deixar de lado a obsoleta noção marxista de "modo de produção" e a substituir por algo mais sofisticado, o conceito de "modo de alocação", compatível com a teoria econômica do último século e meio. Ao longo da história, os sistemas econômicos diferem conforme a distância entre dois tipos ideais, os sistemas descentralizados e os sistemas centralizados, mercados livres e hierarquias, com as diversas formas intermediárias possíveis entre elas.

Como escolher entre esses arranjos institucionais, ou, de forma mais modesta, como explicar a existência desses arranjos? Esse tipo de questão se beneficia da teoria econômica desenvolvida por Ronald Coase, o fundador da economia neoinstitucional. Coase (1937) publica seu artigo fundamental, *A Natureza da Firma*, no mesmo ano e na mesma revista na qual aparece o artigo de Hayek sobre economia e conhecimento que mencionamos acima.

Nesse artigo, o conceito-chave é a noção de custo de transação. Esse conceito originalmente se refere aos custos de utilizar os mercados. Novamente diante de imperfeições no conhecimento, as partes envolvidas em um contrato não têm condições de antecipar tudo o que pode acontecer durante a vigência do mesmo ou ainda monitorar o comportamento alheio. Sendo assim, utilizar mercados requer custos de monitoramento, de negociação de condições e preços e ainda de busca por opções. Coase utiliza o conceito para explicar a existência de firmas: porque teríamos funcionários contratados em vez de simplesmente contratar seus serviços nos mercados toda vez que for necessário? Para o autor, os custos de transação tornam mais barato para certas transações a adoção de estruturas de governança hierárquicas nas firmas, em comparação com trocas em mercados. Firmas seriam como ilhas de planejamento central em um mar de mercados.

A noção pode ser ampliada. Cada maneira de governar transações envolve custos: hierarquias militares, franquias de lanchonetes, bolsas de valores ou qualquer outra forma de contrato. Para Coase, devido às pressões competitivas, as formas adotadas minimizam custos de transação em comparação com as formas rivais. Seria conveniente, por exemplo, contratar um funcionário com conhecimento específico do qual a firma necessite por um longo período, ao passo que um serviço não especializado, com ampla oferta, talvez seja mais barato adquirir continuamente no mercado. Além de estudar como as formas contratuais variam segundo os custos de transação, os economistas neoinstutucionais investigam como diferentes matrizes institucionais dão origem a diferentes níveis de custos de transação, liberando recursos para atividades produtivas. A prosperidade (e a pobreza) das nações é explicada então em termos da qualidade das instituições adotadas, que alteram a estrutura de incentivos dos agentes.

Depois dessa breve revisão de alguns conceitos econômicos fundamentais, podemos voltar ao estudo de Sowell. O leitor pode reconhecer na crítica desse autor à visão dos ungidos o conjunto dos conceitos revistos: devido à escassez de recursos, políticas implicam em *trade-offs*, não em soluções definitivas. Além disso, dirigir processos complexos de cima para baixo, hierarquicamente, implica na ignorância do conhecimento não articulado disperso entre os agentes. Consequências não intencionais, por sua vez, deveriam deslocar nossa atenção da pureza de intenções e vontade política para o exame da estrutura de incentivos em cada ambiente institucional.

A análise econômica de Sowell, que se encontra espalhada em seus inúmeros livros, não consiste em contribuições originais puramente teóricas, mas em aplicações práticas das teorias econômicas às discussões políticas de nosso tempo. A escolha diante da escassez, a transmissão de conhecimento via sistema de preços e os custos associados a cada forma institucional são combinadas por Sowell em suas análises econômicas aplicadas.

Além de divulgar os princípios da disciplina em trabalhos como *Economia Básica*, Sowell (2017) se junta à tradição de Bastiat, Hazlitt e muitos outros na tarefa de desmontar em *Fatos e Falácias* os mais frequentes e tenazes erros de análise econômica que povoam o debate político.

Nessa obra, Sowell identifica as falácias econômicas que se manifestam em discussões de problemas urbanos, como controles de aluguel, além de questões de gênero, raça e renda, como por exemplo a discussão de diferenças salariais entre grupos, questões sobre ciência e universidades e, por fim, problemas relativos aos países do chamado "Terceiro Mundo".

Sobre esses diferentes assuntos, Sowell identifica os tipos mais frequentes de falácias. Aqui, nos limitaremos a comentar a tipologia de argumentos falhos identificados pelo autor. O primeiro tipo, um dos mais frequentes em todo o registro da história do debate econômico, é a falácia que trata dos assuntos econômicos como um jogo de soma zero. Na teoria dos jogos, um jogo de soma zero se refere a uma situação na qual o ganho de um agente implica em perda do outro. Essa falácia manifesta-se na metáfora do bolo: os recursos limitados são fixos, de modo que uma fatia maior de um reduz as fatias disponíveis para os demais.

Essa falácia manifesta-se de muitos modos, mas os dois mais clássicos opõem interesses de países exportadores e importadores e do "capital" e "trabalho". Durante o período mercantilista, entre os séculos XVI e XVIII, os governos tratavam o comércio internacional como um jogo de soma zero: as nações exportadoras enriqueciam apenas pelo empobrecimento dos países importadores. O vendedor obtém metais preciosos com as vendas e o comprador perde essa riqueza. As políticas econômicas inicialmente pretendiam proibir a saída de ouro e prata de um país, buscando mais tarde apenas um saldo comercial "favorável", isto é, com importações superando importações. Embora associada ao mercantilismo, as políticas de favorecimento da venda das grandes firmas estabelecidas marca todo sistema econômico no qual o estado assume proporções significativas, como no tempo presente.

A rejeição do comércio internacional livre ou a tese que juros e salários andam em direção oposta cometem a falácia básica que trata os recursos como se fossem fixos. Mas a especialização seguida de troca aumenta o montante total de riqueza produzida, assim como a tecnologia e o emprego de máquinas aumenta a produtividade do trabalho e os salários. Obstruções às trocas voluntárias, por outro lado, impedem o crescimento da quantidade total, criando como consequência não intencional um jogo de soma negativa.

A segunda falácia identificada por Sowell é a falácia da composição, que transfere uma característica das partes de algo para o todo: "como cada componente de uma máquina é leve, a máquina é leve". Em economia, essa é de fato uma das falácias mais frequentes. Os homens práticos, que rejeitam teorias abstratas, cometem o erro de extrapolar algo benéfico a um conjunto de produtores em um setor para o resto da sociedade. Se um subsídio gera estímulos a um segmento industrial, por exemplo, deveria ser ampliado para os demais. Tal raciocínio esquece que o estímulo ao setor foi obtido em geral a custa de recursos escassos, retirados dos demais setores. Pretender que esse esquema possa ser generalizado equivale a criar uma máquina de moto-perpétuo. Mas, do mesmo modo como não é possível obter energia a partir do nada em termodinâmica, não existe almoço grátis em economia, como atesta o ditado de Milton Friedman (1912-2006).

Sowell associa a falácia da composição em economia à competição por recursos obtidos por privilégios legais no sistema político, algo que os economistas descrevem como atividade de *rent-seeking*. Empresários estabelecidos demandam proteção contra competição alegando proteção ao emprego e o estímulo a indústrias nacionais em sua infância, mas os preços elevados e qualidade inferior de seu produto protegido da competição prejudicam os demais setores, reduzindo inclusive o emprego, além de fazer com que o setor invista em renovar seus privilégios em vez de melhorar seus produtos. Como o benefício a um setor é imediato e facilmente identificável, ao passo que os custos se espalham entre os demais setores e também por ocorrerem em momentos subsequentes, são mais difíceis de identificar. Isso cria um ambiente propício ao discurso demagógico e à exploração econômica, como mostrou a análise de Bastiat.

A terceira falácia identificada por Sowell nessa obra é denominada "falácia da peça de xadrez", que ignora os custos dos experimentos bem-intencionados e desastrosos propostos pelos políticos. O nome enigmático da falácia é uma referência à comparação feita por Adam Smith em sua *Teoria dos Sentimentos Morais* entre um planejador central ou regulador, denominado "homem de sistema" e um enxadrista:

> O homem de sistema [...] é frequentemente tão enamorado com a suposta beleza do seu próprio plano ideal de governo, que ele não pode sofrer o menor desvio de qualquer parte dele. Ele age no sentido de implementá-lo completamente, e em todas as suas partes, sem qualquer consideração seja aos grandes interesses ou aos fortes preconceitos que possam se opor a ele. Ele imagina que pode arranjar os diferentes membros de uma grande sociedade com tanta facilidade quanto a mão que arranja as diferentes peças em um tabuleiro de xadrez. Ele não considera que tais peças não têm outro princípio de movimento além daquele que a mão impõe sobre elas; mas que, no grande tabuleiro da sociedade humana, cada peça individual tem um princípio de movimento próprio, inteiramente diferente daquele que a legislação possa escolher impor sobre ela.

Essa bela passagem de Smith ilustra o tema explorado por Hayek sobre o caráter limitado do conhecimento associado à complexidade do problema de coordenação dos planos dos agentes. Esse tema, como vimos, é explorado por Sowell em sua crítica à arrogância dos ungidos, que pretendem que o conhecimento abstrato pode substituir o conhecimento disperso dos agentes a respeito das condições particulares de tempo e local, para utilizarmos os termos de Hayek em seus artigos citados acima.

Nessa passagem, Smith aponta ainda no século XVIII o dilema do socialismo: diante da complexidade da interação social, o planejador central ou abandona sua pretensão de controlar a sociedade ou de fato impõe seu plano necessariamente baseado em modelo simplificado de funcionamento do xadrez social, gerando empobrecimento e opressão. Mesmo depois das críticas de Mises e Hayek ao planejamento central e a ilustração de suas teses pela história do totalitarismo no século XX, essas lições correm o risco de serem totalmente perdidas em face da ideologia dos ungidos, o que aponta para a importância de trabalhos como o de Sowell, que incansavelmente preserva esse capital civilizacional em risco de depreciação.

O último elemento da lista de Sowell é a falácia dos recursos ilimitados, derivado da negação da importância da escassez relativa de recursos. Como vimos em sua crítica à visão dos ungidos, estes não trabalham com *trade-offs*, mas com a noção de soluções de problemas. Isso induz à desconsideração dos custos de oportunidade das políticas desenhadas para a "solução" do problema. Conforme opere a lei das consequências não intencionais das políticas, e o ungido conclui que a política não foi tentada com o afinco necessário, mais recursos e limitações à liberdade são exigidas para continuar a política e aprofundar o erro inicial. Em especial se os custos forem pagos por outros e não pelo ungido, de modo que não existem incentivos que coíbam a falácia da peça de xadrez, o sistema político opera como se não existissem custos. Esse processo atesta a sabedoria da observação segundo a qual a economia seria a triste ciência de revelar custos, ao passo que a política a alegre arte de escondê-los.

Depois desse apanhado de algumas ideias econômicas cultivadas por Thomas Sowell, encerramos este capítulo com alguns comentários sobre um de suas obras mais importantes, *Conhecimento e Decisões*. Nesse livro, Sowell (1996) reúne elementos das três vertentes de pensamento econômico aludidas acima, gerando uma contribuição ao campo da economia do conhecimento. Tendo como pano de fundo o problema alocativo e a teoria dos preços, tal como ensinada em Chicago, Sowell estuda os processos de produção e uso de conhecimento, inspirado por Hayek no texto *O uso do conhecimento na sociedade*. Ao combinar essas duas vertentes da teoria econômica, Sowell obteve elogios tanto da parte de Friedman, que qualifica o livro como brilhante, quando da parte de Hayek, que afirma se tratar de aplicação prática original de princípios teóricos abstratos.

A essas duas influências junta-se indiretamente à economia dos custos de transação. O resultado é a formação do conceito de custos de transação informacionais. Sowell, no espírito do conceito de Coase, afirma que "*uma das razões para a existência das firmas comerciais é a economia na produção e aplicação de conhecimento*" (SOWELL, 1996, p. 33). Os custos associados à produção e uso de informação são discutidos em termos dos ambientes institucionais nos quais as decisões são tomadas, seja pelas famílias, firmas, agências reguladoras ou parlamentos. A produção, transmissão e uso de conhecimento na sociedade implica na existência de custos de transação associados aos processos decisórios, custos esses independentes dos custos criados pelas próprias decisões (Cf. SOWELL, 1996, p. 42).

Diante dessa estrutura analítica, proposta nos anos oitenta, podemos afirmar que Sowell é um dos autores que contribuíram para o desenvolvimento da economia da informação. A contribuição de Sowell se assemelha aos temas desenvolvidos por essa disciplina. Afinal, seu autor foi orientando de Stigler, que aplicou ao mercado de informações os conceitos de oferta e demanda. O trabalho de Sowell, porém, não se resume a problemas de assimetria de informação, pois também sofre influência de Hayek, que percebe o mercado como mecanismo de descoberta de conhecimento pela competição, que envolve rivalidade entre empresários que mantêm hipóteses diferentes. De fato, Sowell utiliza a distinção entre ideias de informação, que em seu livro serve ao mesmo propósito da distinção entre informação e conhecimento, sendo esse último associado a diferentes interpretações dos fatos ou hipóteses empresariais que competem nos mercados.

Inicialmente, temos uma descrição da economia do conhecimento. O conhecimento assume vários formatos e passa por diferentes processos de autenticação. O conhecimento científico passa por testes explícitos de coerência lógica e compatibilidade com dados observacionais. No outro extremo, crenças culturais requerem passam por processos de aceitação social. O conhecimento utilizado em sociedade, porém, inclui informações concretas sobre os detalhes do funcionamento das economias, como preferências, tecnologias existentes e recursos produtivos, que diferem segundo local e período.

O crescimento econômico, embora envolva cada vez mais produção de conhecimento explícito, de natureza científica e tecnológica, pelo fato de que também é caracterizado por crescente especialização, permite que cada pessoa utilize muito mais informação do que precise conhecer explicitamente. Seguindo o argumento de Hayek, Sowell de fato pergunta: *"Qual então é a vantagem intelectual da civilização sobre a selvageria primitiva? Não consiste no fato de que cada homem civilizado tem mais conhecimento, mas sim que ele requer bem menos"* (SOWELL, 1996, p. 7). Um membro de uma sociedade tribal, por exemplo, tem que ser como uma espécie de Leonardo da Vinci (1452-1519), dominando quase inteiramente o conhecimento astronômico, bélico, botânico, agrícola de sua tribo para que possa sobreviver. Um habitante de uma cidade moderna, pelo contrário, tem apenas uma vaga noção de como funciona um motor a combustão, um computador ou como os produtos que consomem chegam as prateleiras dos mercados.

Isso convida à investigação do problema de como transmitir e utilizar esse conhecimento disperso. Como mencionamos acima, isso envolve o estudo das instituições relacionadas as unidades de tomada de decisão. Essas instituições diferem segundo os diferentes custos de aquisição e uso de informação, conforme o tipo de informação. Para Sowell, embora seja possível controlar centralmente uma cadeia de *fast food*, não seria possível criar uma rede equivalente de comida sofisticada, dado que o controle das informações sobre qualidade de ingredientes é conhecimento necessariamente mais disperso. Pelo mesmo motivo, observamos com frequência empresas estatais de produção de aço, já que esse tipo de produção requer conhecimento de natureza abstrata, científica, que pode ser mais centralizado, ao passo que o controle central da agricultura, que dependeria de conhecimento localizado, invariavelmente fracassa.

Por fim, o estudo da governança de processos de uso de informação, além das restrições impostas pela natureza do conhecimento, conforme este seja mais científico ou mais prático, deve considerar também as estruturas de incentivos com as quais os agentes que tomam decisões operam. Devemos então perguntar como erros e acertos são punidos ou premiados em cada forma de organização, segundo sua natureza mais ou menos descentralizada, sujeição a normas burocráticas ou sujeitas a concorrência em mercados competitivos.

Esse ponto de vista convida o analista a não assumir uma postura a-institucional de políticas públicas, como se propostas nessa área fossem implementadas por deuses não sujeitos a restrições. Uma abordagem científica a esse tipo de questão deve considerar os processos decisórios, o comportamento esperado de agentes reais em estruturas de incentivos determinadas, lidando com fluxos de informação que variam conforme sua natureza e constância no tempo e local.

Considere, por exemplo, o contraste feito por Sowell entre a visão divina e a perspectiva que considera os custos de transação informacionais:

> A postura onipotente da política social ignora tanto a diversidade de valores quanto o custo do acordo entre os seres humanos. Os sistemas políticos e/ou econômicos que envolvem menos controle das autoridades superiores reduzem os custos de concordância – que podem ir até os campos de concentração e genocídio. Para aqueles que sentem que seus valores são os valores, os sistemas menos controlados necessariamente apresentam um espetáculo de "caos", simplesmente porque tais sistemas respondem a uma diversidade de valores. Quanto mais sucesso esses sistemas responderem à diversidade, mais "caos" haverá, por definição, de acordo com os padrões de qualquer conjunto específico de valores além das próprias diversidade ou liberdade como valores. Visto de outra maneira, quanto mais observadores que se acham superiores (*self-righteous*) existir, mais caos (e "desperdício") será visto (SOWELL, 1996, p. 43).

Esse é um tema importante na filosofia política de Hayek: a liberdade e os mercados permitem a cooperação com um grau menor de concordância sobre fins últimos. Mesmo inimigos políticos podem colaborar entre si via mercados, ao passo que se recusariam a colaborar se soubesse de suas opiniões sobre várias questões.

Uma implicação interessante da abordagem de Sowell diz respeito a uma comparação entre mercados e governos. Para Sowell (Cf. SOWELL, 1996, p. 41), o mercado, ao contrário do governo, não consiste em um conjunto particular de instituições. A escolha entre os dois envolve a comparação entre o uso de instituições dadas, conhecidas *ex ante*, com a opção de optar ou criar instituição alternativa conveniente em cada situação concreta.

Esse caráter abstrato e flexível dos mercados, descrito por Hayek como um mecanismo de descoberta de novas formas de atender necessidades, possibilita a criação e difusão de conhecimento ao mesmo tempo disperso entre inúmeras pessoas e sujeito a um fluxo contínuo de mudanças. Esse mesmo caráter abstrato, porém, o torna invisível para aqueles que percebem apenas ordens concretas que emanam de organizações hierárquicas. Para Sowell:

> Talvez a maior conquista das economias de mercado seja a economia na quantidade de conhecimento necessário para produzir um determinado resultado econômico. Essa é também sua maior vulnerabilidade política. O público pode obter os benefícios econômicos de tais sistemas julgando os resultados sem compreender os processos (SOWELL, 1996, p. 69).

No restante do livro, Sowell examina, tendo em vista o referencial econômico exposto acima, *trade-offs* em processos decisórios nas esferas econômica, social e política. Nessa análise, assim como nos seus demais livros, Sowell dá importante contribuição a uma discussão mais qualificada e menos simplista das questões políticas. A leitura de Sowell é fundamental para que afastemos a tendência a pretensão de conhecimento que ameaça os valores que preservam uma sociedade livre.

BIBLIOGRAFIA:

COASE, R. "The Nature of the Firm". *Economic, New Series*, vol. 4, n° 16, pp. 386-405, 1937.

HAYEK, F.A. "Economics and Knowledge". *Economic, New Series*, vol. 4, n° 13, pp. 33-54, 1937.

HAYEK, F.A. "The Use of Knowledge in Society". *The American Economic Review*, vol. 35, n° 4, pp. 519–530, 1945.

SOWELL, T. *Say's Law: An Historical Analysis*. Princeton: Princeton University Press, 1972.

THOMAS SOWELL E A ANIQUILAÇÃO DE FALÁCIAS IDEOLÓGICAS

SOWELL, T. *Marxism: Philosophy and Economics*. Londres: Allen e Unwin, 1985.

SOWELL, T. *The Vision of the Anointed: self-congratulation as a basis for social policy*. Nova York: Basic Books, 1995.

SOWELL, T. *Knowledge and Decisions*. Nova York: Basic Books, 1996 [1980].

SOWELL, T. *Conflito de Visões: origens ideológicas das lutas políticas*. São Paulo: É Realizações, 2011[?].

SOWELL, T. *Fatos e Falácias da Economia*. Rio de Janeiro: Record, 2017.

SOWELL, T. *Economia Básica: um guia de economia voltado ao senso comum*. 2 vols. Jacaré: Alta Books, 2018.

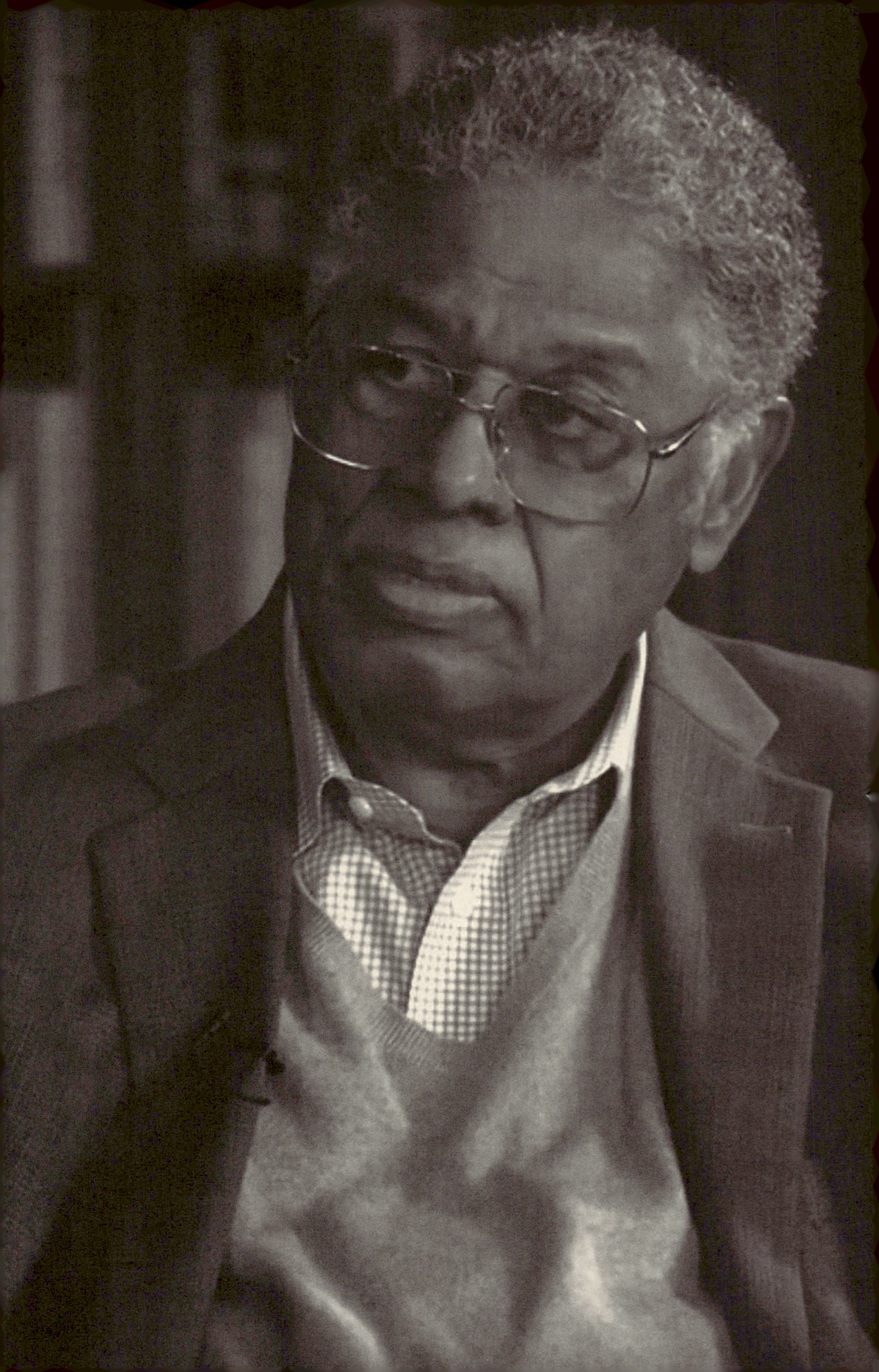

CAPÍTULO 14

THOMAS SOWELL
E AS POLÍTICAS URBANAS

Marize Schons

Segundo Frédéric Bastiat (1801-1850) a diferença entre um mau e um bom economista é que o primeiro se detém no efeito do "que se vê"; enquanto o segundo, leva em consideração tanto "*no efeito que se vê*" quanto no efeito do que "*não se vê*" (BASTIAT, 2010).

Ao se restringir nas percepções mais imediatas da sua ação, o especialista descomprometido com os efeitos longínquos das decisões econômicas é responsável por estimular processos dolorosos para humanidade. Em outras palavras, o mau economista contribui negativamente com o futuro de uma comunidade ao limitar-se no presente.

A partir dos critérios de Bastiat, Thomas Sowell, seria considerado um excelente economista. Ao analisar as implicações econômicas da vida urbana, o pesquisador e professor americano é preciso na observação do presente, porém principalmente criterioso na análise entre as *ideias* dos especialistas sobre como solucionar os problemas e nas *decisões* tomadas no campo político, a princípio, dispostas a resolverem o problema.

É nesta relação entre *ideias sobre a cidade* e *decisões políticas* produzidas para supostamente resolver os problemas da na cidade que Sowell mostra seu compromisso como um bom economista ao se comprometer em mostrar os efeitos das políticas urbanas ludibriados por boas intenções e ideias vagas, portanto, orientado pelas *falácias*. Dessa forma, na obra *Fatos e Falácias da Economia* (SOWELL, 2017), Sowell assume um desafio: desemaranhar as falácias que fundamentam a econômica e, inclusive, o planejamento urbano moderno.

O QUE SÃO *FALÁCIAS*?

Se para Jane Jacobs (1916-2016) – uma das urbanistas mais influente do século XX – o planejamento de políticas urbanas partem do nosso folclore, para Sowell nossa forma de lidar com a cidade baseiam-se em falácias. Entretanto, falácias não consistem em ideias malucas, mas sim propósitos políticos de aparência plausível e com amplo apoio dos indivíduos.

Entretanto, as falácias, apesar de imprecisas, encontram "*defensores habilidosos, capazes de perpetuá-las ao evitar a análise consistente, recorrendo ao apelo a emoções ou interesses*" (SOWELL, 2017, p. 22). É por conta disso, que ideias que parecem boas superficialmente – ou seja, aquilo que se vê – acarretam efeitos negativos e expressamente opostos das intenções da política – portanto, não conseguindo escapar dos efeitos do que não se vê.

Sowell se pergunta: "afinal, quem é a favor da injustiça?" ou, ainda, quem seria a favor da desigualdade? E é exatamente esse ilusório "consenso" uma das principais razões pela qual as falácias se perpetuam amplamente nas políticas econômicas.

A imprecisão conceitual é uma das principais razões por falácias atraírem apoio político, mesmo que essas incentivem decisões ineficientes. Isso porque, apesar da desvantagem intelectual dessas ideias – que acabam se baseando em palavras indefinidas como "justiça" e "igualdade" – é exatamente a imprecisão que garante a vantagem política de tentar conformar e mobilizar pessoas diferentes que, muitas vezes, têm, inclusive, objetivos contraditórios.

Independente das intenções iniciais, as decisões políticas causam efeitos. Entretanto, essas consequências, apesar de corresponderem a respectivas causas, muitas vezes são efeitos que levam anos para se manifestarem. Essa amplitude temporal entre a decisão política e o efeito da política acaba por inviabilizar fatos concretos e permitir que soluções de políticas públicas ineficientes resistam.

Os resultados das péssimas decisões de *experts*, todavia, dificilmente serão admitidos pelos próprios especialistas, situação que contribui para a estabilidade de consensos sobre *o que fazer em relação aos problemas urbanos*. Dessa forma, fica claro que a crítica do economista se dirige aos fazedores de políticas públicas que, como observadores externos, partem do pressuposto de que "*sabem melhor do que as próprias pessoas onde todas devem morar*".

Essa visão de mundo que pressupõe *ser possível ordenar a vida na cidade por ações políticas orientadas pela prescrição dos especialistas* contribui para uma utopia social que insiste em soluções que alimentam os problemas diagnosticados na vida urbana – criminalidade, engarrafamento, preços elevados de imóveis e aluguéis ou poluição – por se basear em premissas erradas sobre a dinâmica de transporte, comércio, habitação e dos modos de vida que indivíduos livres adotam para si. Isto é, soluções de políticas públicas corresponderem mais a uma ordem estabelecida pelo pensamento dos observadores externos sobre o fenômeno urbano que pela ordem verdadeira do funcionamento da cidade.

O DESENVOLVIMENTO DAS CIDADES E AS DISPERSÕES POPULACIONAIS

Para conseguir propor um novo olhar sobre a cidade, Thomas Sowell escreve sobre os mais sensíveis e polêmicos temas – transporte, habitação e comércio. E é a partir da crítica e desmistificação das convicções políticas consolidadas, que o autor constrói novas soluções.

Abrindo mão das aspirações utópicas que regem a política, a análise do autor baseia-se nos fundamentos econômicos da vida urbana e os incentivos que regem a ação dos indivíduos. Dessa forma, o objeto de análise são os *fatos*, representados por exemplos retrospectivos – dados históricos – e dados qualitativos e quantitativos.

Um desses exemplos consiste na *falácia do adensamento urbano*, portanto, a ideia que a densidade demográfica pode ser considerada uma das causas da pobreza. Esse pressuposto rege as crenças sobre como funciona a concentração e dispersão populacional e exclui o fato de que "*a essência das cidades é a sua densidade populacional*" (SOWELL, 2017, p. 27).

A densidade também é responsável por incentivar a concentração de atividades econômicas no ambiente urbano que atrai moradores que – para acessarem os benefícios da efervescência da vida citadina – necessitam do transporte. Essa relação explica a posição de Thomas Sowell em considerar que "*os custos do transporte definem muito dos rumos da história das cidades*" (SOWELL, 2017, p. 23). Isso porque a redução dos custos de transporte é uma variável que está relacionada a dispersão populacional no território.

É por esse motivo, que o transporte de baixo custo acabou sendo necessário para viver no ambiente urbano. E as cidades que eram muito mais povoadas no passado – a partir da expansão dos transportes, principalmente terrestres – incentivou que as pessoas povoassem novas áreas da cidade e, assim, construíssem os *subúrbios*.

No primeiro momento, o fenômeno da dispersão urbana em antigas cidades densamente povoadas incentiva apenas os mais ricos – que, por conta disso, têm a possibilidade de arcar com os custos do transporte – fugiram dos centros para se refugiarem nas regiões periféricas da cidade.

A revolução do transporte no século XX – época da criação do metrô de Nova York, por exemplo – foi responsável pela progressiva diminuição dos custos do transporte tanto quanto ao dinheiro quanto ao tempo. Esse fato permitiu que distâncias físicas no território fossem se tornando cada vez maiores, porém, possíveis de serem acessadas pelos indivíduos.

O cálculo do custo do deslocamento, contudo, não é apenas cálculo econômico sobre seus custos financeiros. Mas sim, os custos em relação ao tempo despendido nos trajetos. Dessa forma, a redução dos custos também permitiu que "*pessoas comuns passassem a arcar com os custos de se mudarem para o subúrbio*" (SOWELL, 2017, p. 28). Essa nova dinâmica contribuiu para que citadinos morassem mais longe dos seus locais de trabalho. Porém também criou "*a necessidade que mais habitantes chegassem no mesmo horário no trabalho*" (SOWELL, 2017, p. 28).

Estava criado o problema moderno do *congestionamento no trânsito*. Esse problema trouxe "*consequências econômicas, ambientais e até médicas*" (SOWELL, 2017, p. 30). Não obstante, também impactou acesso dos trabalhadores ao posto de trabalho, aumentou a poluição do ar, e dificultou o trânsito de ambulâncias que atendem emergências médicas.

Diante o problema criado, as soluções foram orquestradas para lidar com o problema e "melhorar as condições de vida na cidade". Algumas soluções conhecidas foram: a proibição da circulação de carro em determinadas horas e locais, pedágios dentro do perímetro urbano e alteração no sentido das ruas em diferentes períodos de dia.

Todavia, para o autor, são os incentivos transformam o comportamento (Cf. SOWELL, 2017, p. 30). E é a partir desta lógica, que a oferta de estradas gratuitas acabaria estimulando o uso excessivo das vias.

Não obstante, observadores externos insistem nas soluções políticas ao se basearem na expectativa de transformação dos padrões e formas de vida dos indivíduos acabam falhando.

Ao investirem na "fixação no transporte público", *experts* acreditam que a construção de vias estimula o congestionamento ao levar mais motoristas às estradas. O resultado concreto é que a construção de novas vias não acompanha a demanda por mais estradas, o que agrava o problema do congestionamento.

Apesar desses equipamentos urbanos de transporte coletivo estimularem o desenvolvimento das cidades – como é o caso de cidades como Nova York – os dados recentes apontam uma diminuição progressiva do uso de transporte público pelos trabalhadores.

Mesmo que os argumentos políticos que insistem no transporte coletivo pareçam razoáveis, essa é uma solução de política pública que a sua eficiência acaba por depender da imposição às pessoas de *"um estilo de vida que elas simplesmente não querem ter"* (SOWELL, 2017, p. 33).

Os dados estatísticos apresentados pelo autor apontam que mais da metade dos americanos não escolhem retornarem a suas casas imediatamente após o trabalho por realizar outras paradas que correspondem ao seu cotidiano – pegar os filhos no colégio, ir ao supermercado, desfrutar de algum serviço. A partir desse modo de vida, o transporte público acaba não sendo imediatamente um substituto do automóvel como esperam os especialistas.

Os automóveis também são responsabilizados pela poluição do ar nas grandes cidades. Por outro lado, essa crença acaba não levando em consideração como antigas cidades eram ambientes insalubres para seus moradores.

O resultado concreto é que o *ideal de transporte público* acaba não limitando a comercialização dos carros pelo fato do transporte coletivo não corresponder às necessidades que formas de vida na cidade impõe e os problemas que a cidade realmente enfrenta como, por exemplo, o caso da criminalidade.

PATOLOGIAS SOCIAIS E INEFICIENTES SOLUÇÕES

O fenômeno das grandes cidades criou patologias sociais específicas aos modos de vida urbano. Desemprego, criminalidade desintegração familiar, discriminação racial são responsáveis por um contexto de conflitos sociais.

A falácia nesse contexto compreende que são os ambientes degradantes os responsáveis pela pobreza. Um pressuposto que cria incentivos para a criação de políticas de higienização de favelas e comunidades empobrecidas. O efeito prático resume-se no diagnóstico que a *habitação* é a principal questão a ser "solucionada" por políticas que acreditam que a intervenção governamental no mercado imobiliário estimula a "habitação com o preço acessível".

Contudo, os programas de governo, baseados em ações de intervenção governamental, não viabilizam imóveis aos mais pobres. Muito pelo contrário, a partir de dados históricos, Sowell demonstra o aumento do comprometimento da renda das famílias com habitação no começo do século XX até o presente.

Se em 1901 uma família em média nos Estados Unidos comprometia um quarto da renda com habitação (cerca de 23%); no começo dos anos 2003 os custos com habitação demonstravam comprometer um terço (cerca de 33%) de uma renda muito maior se comparado com a renda média daquelas do começo do século XX.

São diversos os fatores que impactam a oferta e a demanda de imóveis como, por exemplo, o aumento da renda dos indivíduos e o crescimento da população. Entretanto, nenhuma dessas variáveis pode explicar instantaneamente o aumento de preços em uma cidade.

Apesar de Las Vegas ter triplicado a população em 20 anos (1980-2000), esse fato não impactou o preço médio real dos imóveis. Por outro lado, o autor observa que o preço médio de Palo Alto, no estado da Califórnia, quadruplicou os preços dos imóveis em uma década, porém, sem demonstrar aumento populacional.

Um dos principais fatores apontados por Thomas Sowell para explicar o aumento dos custos da habitação são as restrições impostas, especialmente a partir dos anos setenta, à construção de novas moradias nos Estados Unidos.

"*A estreita relação da intervenção governamental e o acentuado aumento dos custos habitacionais*" (SOWELL, 2017, p. 39) arbitrou novas regras – "*leis de zoneamento, leis ambientais, leis de preservação histórica*" (SOWELL, 2017, p. 40) – impuseram restrições que inflacionaram os preços dos imóveis.

Enquanto em Las Vegas, no estado de Nevada as construtoras puderam ter a liberdade de corresponder às demandas por habitação que eram crescentes, em Palo Alto, no estado da Califórnia, regras rigorosas começaram a limitar a construção de novas habitações.

Restrições na altura das construções também têm efeitos econômicos significativos. Na cidade, muitas coisas estão conectadas e toda a ação tem uma reação: as restrições de altura incentivam pessoas a morarem mais distantes do trabalho, contribuindo para o agravamento dos congestionamentos.

Sowell desconecta associações causais imediatas e demonstra como a "*intervenção governamental é a chave para a criação de habitações com o preço acessível quando na verdade tem sido um fator fundamental para inviabilizar o acesso aos imóveis*" (SOWELL, 2017, p. 47).

Porém, o "*desejo de controlar o que as pessoas fazem na habitação – ou em outros aspectos*" (SOWELL, 2017, p. 47) – é anterior ao fenômeno do aumento de preços dos imóveis. A "*erosão do direito de propriedade*" (SOWELL, 2017, p. 44) contribui para um processo que permite que famílias ricas pressionem politicamente as "*restrições ao uso da terra*" geralmente para "*proteger um estilo de vida*" de alguns. Todavia, essas restrições, como sempre, têm seus custos generalizados e, por isso, pago por todos.

Em outras palavras, a contemplação de regras para impor a preservação de espaços públicos, apesar de politicamente atraente, encarecem as construções – por limitar o uso da terra. A limitação do uso da terra para a criação de espaços públicos, apesar de aparentemente parecer uma boa solução, na realidade, protege apenas os mais ricos que desfrutam do equipamento urbano em questão – como praças, museus, parques.

Experts, por vezes, ignoram que a cidade tem custos. Por um lado, o meio urbano pode oferecer serviços mais acessíveis e baratos por concentrar muito comércio e estimular a concorrência. Por outro, algumas dimensões importantes da cidade – como saneamento e segurança pública – acabam se tornando mais caras e, infelizmente, nem sempre são acessíveis a todos.

De qualquer forma, alguns desses serviços são "baratos" porque a atividades econômicas em uma cidade são diversas. Infelizmente os recursos não são distribuídos de maneira uniforme no meio urbano, impondo custos aos negócios que variam dentro da mesma cidade.

A alternativa dos especialistas para a suposta desordem seria o "crescimento inteligente". Que, apesar do nome, consiste na imposição governamental de preferências – inclusive estética – dos fazedores de políticas públicas. Uma utopia que pretende controlar o comportamento aleatório e caótico dos indivíduos nas cidades.

Entretanto, para o autor é enganoso falar de comunidades planejadas e comunidades não planejadas. A crença que favelas, por serem lugares deteriorados, são responsáveis pela criminalidade, incentiva políticas de higienização das favelas. Ou seja, independente de uma reforma estética no ambiente urbano, os indivíduos não necessariamente vão mudar o comportamento.

É tolice planejar a aparência (JACOBS, 2014)[70]. Os problemas sociais não são combatidos a partir da remoção de pessoas de ambientes físicos ruins e sua recolocação no tipo de ambiente físico que os especialistas consideram melhor.

---

70 Um dos exemplos usados por Thomas Sowell é o caso sobre o bairro Nord End do livro *Morte e Vida das Grandes Cidades* escrito por Jane Jacobs (1916-2016).

CONSIDERAÇÕES FINAIS

Baseada sobre alicerces absurdos (JACOBS, 2014), as falácias inviabilizam a vida urbana a partir de políticas que, paradoxalmente, pretendem reformar a aparente "desordem" das cidades.

Contudo, precisamos ter a clareza que a tentativa de prescrever transformações na forma como indivíduos livres vivem, diz mais respeito a uma *"imposição governamental dos observadores, críticos, ativistas ou experts"* (SOWELL, 2017, p. 67) que um compromisso de "atender os propósitos funcionais que a maioria das pessoas desejam sobre suas próprias vidas" (SOWELL, 2017, p. 67).

"Como tudo que é humano, as cidades são imperfeitas" (SOWELL, 2017, p. 75). Portanto, o pensamento de Sowell sobre o fenômeno urbano parte da aceitação irrestrita da liberdade e da imperfeição da ação do indivíduo. Isto é, para o autor, a complexidade da vida social nunca estaria nos planos dos *experts*.

BIBLIOGRAFIA

BASTIAT, Frédéric. *O que se vê e o que não se vê*. São Paulo: Instituto Mises Brasil, 2010.

JACOBS, Jane. *Morte e vida das Grandes Cidades*. São Paulo: Martins Fontes, 2014.

SOWELL, Thomas. *Fatos e Falácias da Economia*. Rio de Janeiro: Editora Record, 2017.

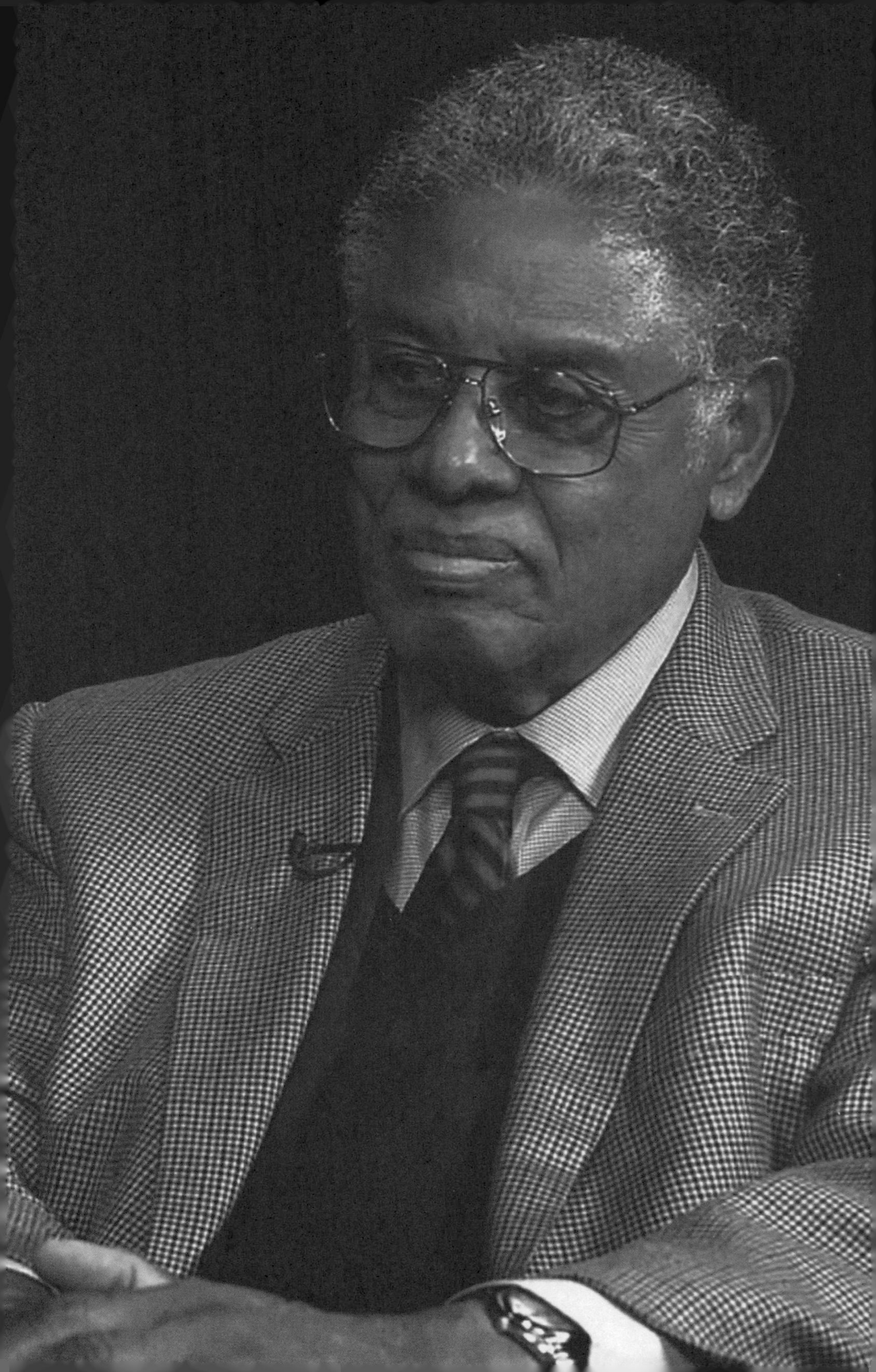

CAPÍTULO 15

A VIDA IDÍLICA – E NADA INOFENSIVA – DO INTELECTUAL PÚBLICO

Nahman Matias de Mello Oliveira
Dennys Garcia Xavier

INTRODUÇÃO

No capítulo final da obra *Os Intelectuais e a sociedade*, Sowell explana sobre o que caracteriza um intelectual, para que se possa compreender a natureza de seu papel. Para o autor, intelectuais podem ser divididos em duas categorias básicas: o intelectual no sentido substantivo da palavra, que denota dimensão ocupacional, e o intelectual no sentido adjetivo, que denota uma característica. O intelectual no sentido substantivo é para o qual se dirigem as duras críticas de Sowell. É caracterizado pelo profissional cujo produto de seu trabalho começa e termina com a fabricação de ideias, ideias essas não tangíveis ou palpáveis; a outra categoria é a característica de uma atividade que requer o mesmo esforço mental, mas no qual o produto de seu trabalho é tangível, isto é, são profissionais intelectuais cuja produção resulta em bens e serviços, materiais físicos e suficientemente evidentes, capazes de serem absorvidos pela sociedade sem esforço de raciocínio.

O intelectual no sentido primeiro é amplamente encontrado nas áreas de Humanas: sociólogos, antropólogos, linguistas etc. Para tornar-se público, isto é, um indivíduo formador de opinião, frequentemente intelectual assim vai para além da área de sua especialidade, o que significa comentar sobre assuntos dos quais possui amplo conhecimento, mas não necessariamente suficiente para estabelecer com critério as suas opiniões. Na segunda categoria se encontram profissionais como médicos, engenheiros, cientistas, mecânicos, cuja atividade requer, por evidente, esforço intelectual. No entanto, dentre estes, são raros, diz Sowell, os que decidem lançar-se como intelectual público, em virtude das restrições típicas de suas áreas de especialização.

Ao entender, portanto, a distinção da natureza de seu trabalho, e os incentivos e restrições que levam cada profissional a lançar-se como formador de opinião, é possível compreender a influência dos intelectuais, no primeiro sentido do termo, sobre sociedade, e as consequências disso.

OS INCENTIVOS E RESTRIÇÕES QUE DETERMINAM OFERTA E DEMANDA POR INTELECTUAIS PÚBLICOS

Para compreender a natureza e quantidade de intelectuais que compõem a chamada *intelligentsia* da sociedade, Sowell explica os incentivos e as restrições que cada profissional tem para tornar-se um intelectual público, isto é, "alguém conhecido por seus comentários e por suas opiniões sobre os assuntos em voga". É por meio do incentivo e de restrições que os indivíduos têm relativamente às suas ocupações que é gerado o anseio de lançar-se a uma carreira pública, e é por intermédio destes fatores que são formadas tanto oferta como demanda por intelectuais desse tipo. Mas, para chegar a essa conclusão, é preciso ter em mente a diferença existente no produto da profissão de ambos os grupos de intelectuais, ou seja, o resultado, o *télos* de seu trabalho.

Para evidenciar a diferença entre o trabalho de um intelectual cuja produção começa e termina com ideias doutro profissional cujo trabalho requer igualmente uma capacidade mental, porém tem como resultado bens ou serviços, Sowell escreve:

> É certo que um engenheiro pode se tornar famoso por seu trabalho como engenheiro, porém é improvável que a maior autoridade em literatura francesa ou em história da civilização maia se torne publicamente conhecida além dos limites de sua especialidade (SOWELL, 2009, p. 445).

O autor compara o reconhecimento que se pode ter abraçando uma das duas possíveis profissões, salientando que o produto do primeiro, por ser razoavelmente compreendido por toda a sociedade, pode obter mais fama e reconhecimento do que aquele cuja produção é algo abstrato.

Para um intelectual no sentido substantivo da palavra, o incentivo interno para lançar-se a uma carreira pública, comentando sobre assuntos os mais diversos, é superior ao do profissional cuja atividade também requer esforço mental, pois o produto de seu trabalho tem reconhecimento restrito tanto em âmbito acadêmico, na medida de sua especialidade, quanto na sociedade – afinal, o que pessoas ordinárias farão com o conhecimento técnico/aprofundado da linguística, por exemplo? Por outro lado, o intelectual, no sentido adjetivo do termo, tem um menor incentivo interno, pois o próprio produto de seu trabalho, também na medida de sua especialidade, pode angariar amplo reconhecimento tanto acadêmico quanto público sem precisar lançar-se na tentativa de fazer comentários além de sua especialização: todo mundo entende que a descoberta da cura do câncer é importante. É palpável, tangível e auto-evidente.

O incentivo para se tornar um intelectual público, portanto, é mais determinante para a classe dos intelectuais ocupacionais, pois na maioria esmagadora das vezes suas ideias são celebradas e prestigiadas fora de seu âmbito de profissão. Conseguir alcançar ambos os reconhecimentos, tanto pelos seus iguais na sua área de especialização, quanto ter renome por essa mesma área fora da universidade, ou seja, tanto o reconhecimento público quanto o reconhecimento dentro de seu campo de profissão, requer uma versatilidade na comunicação. Isso quer dizer que o indivíduo precisa dominar a habilidade de escrever tanto de maneira técnica usada nas universidades, como de maneira simples para pessoas que não têm formação na área.

Sowell se refere a John Maynard Keynes e a Milton Friedman como autores que foram internacionalmente conhecidos como intelectuais públicos, e escreveram sobre assuntos de sua área de especialização como também variados outros. No entanto, a despeito destes indivíduos que têm a habilidade da versatilidade intelectual escolherem caminhar para tornarem-se intelectuais públicos, os incentivos para saírem de seus limites de especialidade são poucos quando equiparados com os intelectuais no sentido substantivo da palavra. Para estes últimos, a escolha se põe entre aceitar os limites de reconhecimento da sua área e de influência pública, ambos reduzidos em virtude da área de especialização não produzir algo tangível; ou aventurar-se para fora de sua especialidade e competência.

Desta maneira a oferta de intelectuais públicos pende para o espectro dos intelectuais substantivos. Aqueles cuja profissão começa e termina com uma ideia.

A demanda por intelectuais públicos também é explicada pela distinção do resultado de trabalho de cada tipo de profissional. Os produtos finais de médicos, engenheiros, químicos e outros têm uma demanda instintiva implicando maior necessidade pela sociedade dos bens e serviços promovidos por eles: tecnologia, avanços médicos e eletricidade são alguns exemplos. Por outro lado, as pesquisas de sociólogos, linguistas, antropólogos, historiadores são continuamente demandadas pelos profissionais atuantes na área e instituições educacionais. Logo, são os intelectuais que criam sua própria demanda.

É razoável dizer que se se esperasse uma demanda espontânea para os produtos finais destes intelectuais, o fluxo destes produtos cairia gravemente, ou, nas palavras de Sowell, "as visões de tais intelectuais sobre o estado atual do mundo ou sobre como poderíamos melhorá-lo não fariam grande diferença para o público ou não teriam qualquer efeito na condução das políticas de governo em uma democracia" (SOWELL, 2009, p. 448). O grande público contribui com a demanda deste material de forma involuntária, através dos impostos que financiam as instituições educacionais, programas artísticos e outros, o que não ocorre com o material final fabricado pelos mecânicos.

THOMAS SOWELL E A ANIQUILAÇÃO DE FALÁCIAS IDEOLÓGICAS

Em vista disso, com a falta de reconhecimento em sua área de especialização, ou um reconhecimento limitado dentro de sua área de especialização; com a demanda escassa pelo produto de seu trabalho, não haveria melhor pacote de incentivos – e restrições que serão explicadas mais adiante – para um indivíduo lançar-se na carreira de intelectual público, comentando sobre os mais vastos assuntos e lançando ao vento ideias muitas vezes sem qualquer fundamento consistente. Embora essa tentação não esteja longe dos profissionais cujos produtos finais de seu trabalho são tateáveis, existe menos incentivo interno para lançar-se a uma carreira pública, que demande comentar assuntos fora de sua área de conhecimento. Sobre a natureza dos comentários aleatórios feitos pelos intelectuais, Sowell diz:

> Eles não precisam ser completos charlatães, apenas pessoas cujos vastos conhecimentos sobre determinado assunto encobrem, deles mesmos e de outros, sua ignorância fundamental em relação às questões que os atraem para o debate público (SOWELL, 2009, p. 451).

Um fator importante que determina a oferta dos intelectuais públicos são as restrições observadas na ocupação de cada grupo. Sobre isso, vale a pena citar Sowell,

> Diferentemente de engenheiros, de médicos ou de cientistas, a *intelligentsia* não encontra nenhuma séria restrição ou sanção baseada em verificação empírica. Ninguém poderia ser processado por inépcia, por exemplo, ao ter contribuído para a histeria causada em torno do inseticida DDT e que levou a seu banimento em muitos países por todo o mundo, mas que custou a vida de literalmente milhões de pessoas devido ao reaparecimento da malária. Por outro lado, médicos cujas ações tiveram uma ligação muito mais tênue com complicações médicas sofridas por seus pacientes tiveram que pagar milhões de dólares em compensações por prejuízos, ilustrando, uma vez mais, uma diferença fundamental entre as circunstâncias profissionais da *intelligentsia* e as circunstâncias das pessoas em outras profissões igualmente exigentes do ponto de vista mental (SOWELL, 2009, p. 463).

Para além da verificação empírica, os intelectuais também não precisam prestar contas à sociedade sobre suas opiniões ou comentários, independente do impacto negativo ou positivo das mesmas, nem mesmo entre as pessoas de seu círculo profissional, razão pela qual se entende a quantidade de falas sem respaldo que brota da *intelligentsia* com catastróficas consequências para a sociedade como supracitado.

INFLUÊNCIA DOS INTELECTUAIS

Dito isso, como os intelectuais influenciam a sociedade? Sowell explica. Faz-se necessário discernir a influência de intelectuais com suas agendas e previsões especiais em momentos aleatórios da influência que é exercida pela *intelligentsia*, isto é, todo um grupo de intelectuais que disseminam e "*consolidam uma visão predominante na sociedade, filtrando os fatos que contradizem essa visão*" (SOWELL, 2009, p. 451). Dela fazem parte os intelectuais acadêmicos, o "suprassumo da vida intelectual", os menos constrangidos pela realidade, consequência de seus cargos acadêmicos estáveis, sem nenhuma prestação de conta do que produzem, e que controlam agendas nas universidades, decidindo pesquisas e bolsas.

Os intelectuais fora deste universo normalmente são bancados por seus próprios escritos. Não têm a estabilidade dos acadêmicos; no entanto, se a produção compatibilizar com a produção da *intelligentsia* no geral, encontra fácil financiamento para seus projetos. Jornalistas, colunistas, editores, comentaristas, membros de grupo de protestos, professores, intelectuais em todos os níveis cuja validação de ideias é apoiada em seus pares.

Não obstante a influência da *intelligentsia* remontar ao século XVIII, o acentuado impacto destes intelectuais na sociedade no que se refere à predominância de suas visões na área pública, educacional, política, mídia etc., é recente. Isto decorre do fato do

> [...] crescente número de intelectuais que as sociedades mais abastadas têm condição de sustentar e as plateias cada vez maiores que absorvem essas ideias, as quais se constituem a partir de uma ampla disseminação da educação e do acesso à cultura por toda a sociedade, além da penetração cada vez mais profunda da grande mídia sobre a sociedade (SOWELL, 2009, p. 451),

razão pela qual esse fenômeno tem sido restrito às nações modernas e democráticas (para não usar, ocidentais).

Não que em séculos anteriores os intelectuais não influenciassem a vida da sociedade. No entanto, a participação popular dos cidadãos nas políticas nacionais era irrisória, diz Sowell. Essa realidade muda com o surgimento de um novo regime de governo, o Estado democrático de Direito, fundado, como lembra Sowell, em 1776. E, com a difusão da cultura letrada, poder político que abrangeu todas as esferas socioeconômicas, a influência deste grupo ascende de forma acelerada. A partir de então, ano após ano se amplifica a influência da *intelligentsia*. Há, como registra Sowell, o surgimento de um contingente de intelectuais conservadores, que combatem o domínio do conhecimento por esse grupo de indivíduos, contudo,

> [...] a visão de mundo dos intelectuais – como ele é e como deveria ser – permanece dominante. Não houve, desde os tempos dos direitos divinos dos reis, tamanha presunção de querer dirigir os outros e de reprimir suas decisões, em grande parte por meio de poderes governamentais ampliados. Toda a agenda da *intelligentsia*, desde planejamento econômico governamental até causa ambiental, resume a crença de que terceiros sabem mais que os outros e deveriam receber o poder de passar por cima da decisão alheia. Isso inclui, por exemplo, impedir que as crianças consolidem os valores recebidos pelos pais caso valores mais "avançados" tenham a preferência daqueles que ensinam nas escolas e nas faculdades (SOWELL, 2009, p. 455).

Essa visão não pretende ser somente uma perspectiva sobre a realidade, mas, isso sim, um autoelogio ao próprio pensamento do intelectual, que oferece soluções aos problemas da sociedade, preservando-o da experiência das massas e da história. Existe um cenário que se encaixa nas preconcepções desta *intelligentsia*, e é através desta realidade que devem se pautar as políticas públicas, pensamentos pessoais, modo de viver etc.

GOVERNO

As decisões dos agentes de governo podem alargar a influência dos intelectuais. Estabelecida a crescente quantidade de assuntos sobre os quais atualmente um governo precisa legislar, fica clara a impossibilidade de um único indivíduo ser competente em todos eles. Como no caso dos intelectuais, os políticos conferem a si próprios reconhecimento heterodoxo ao ultrapassar as linhas de sua eventual especialização. Mais real é este fato quando o político só detiver a arte de eleger-se. Até mesmo a escolha de especialistas que os possa auxiliar em suas decisões torna-se um tipo de competência. Correntemente, os políticos abraçam a visão predominante da *intelligentsia*, para que possam encontrar repercussão nos eleitores, e, assim procedendo, alcançam o objetivo do reconhecimento, mas, como alerta Sowell, caminham para lugares ainda mais distantes da realidade.

No entanto, os legisladores contam com um constrangimento que os faz voltar atrás se necessário, o conhecimento do público sobre suas decisões. Esse limite não existe, no entanto, para outro poder do governo: os juízes federais com cargos vitalícios. Eles não têm o *feedback* corretivo que têm os legisladores, logo, ficam menos constrangidos diante da realidade fática. Se ainda tais juízes aderirem à visão intelectual dominante, é ainda mais improvável um *feedback* corretivo, mas sim uma adulação por parte da *intelligentsia* no geral, geralmente classificando-os como inovadores da lei. Aqueles juízes que doutra forma se limitam à sua área de especialização são praticamente ignorados.

A despeito de não ter a durabilidade dos juízes, a burocracia federal combina poderes legislativos, judiciários e executivos. As políticas e processos determinados pela burocracia transformam-se de regras a normas, mais difíceis de derrubar do que retirar um *congressman* de seu cargo. O dinheiro que flui para essa classe indireta do governo lhe dá grande margem de manobra para influenciar pesquisadores acadêmicos e opinião pública, além de comprar o silêncio de especialistas ou a conversão de alguns em prol de seus propósitos públicos. Assim, a manipulação se expressa nos pensamentos sobre aquecimento global, armamento, pena de morte, políticas ambientais etc.

> O governo em geral – ou seja, todos os três poderes constitucionalmente estabelecidos, assim como o "quarto poder", representado pela burocracia – é capaz de agir com base em quaisquer noções ou suposições, mesmo que infundadas, que por acaso predominem entre os setores da *intelligentsia*.

Podemos ter outras visões concorrentes em potencial, mas para serem notadas elas terão que enfrentar uma luta muito desigual. Evidências empíricas podem abundar, as quais contrariam a visão predominante, mas tais evidências serão tratadas como semente quando cai em terra seca e não de forma adequada para a informação do grande público. O moderno governo tentacular tende, portanto, a engrandecer a influência da *intelligentsia* na medida em que o governo é uma instituição de tomada de decisão sob o controle de legisladores, de juízes, de executivos e de burocratas, em que ninguém é constrangido a permanecer dentro da área de sua própria competência ao tomar decisões (SOWELL, 2009, p. 467).

HISTÓRICO DOS INTELECTUAIS

Então, Sowell indaga: o que os intelectuais têm feito à sociedade?

Se pensarmos no desenvolvimento da sociedade, em matéria de avanços da medicina, tecnológicos, comunicação, transporte, observamos que os profissionais responsáveis por estes progressos têm, é claro, habilidades intelectuais, mas que não são produtores de ideia como a classe dos intelectuais ocupacionais aos quais estamos nos referindo.

É raro encontrar um benefício tangível com os quais eles, intelectuais da metafísica, contribuíram e que afete toda a sociedade, e não só seu círculo pessoal de validadores. No entanto, não é difícil calcular os custos sociais de muitas de suas ideias. Existiram escritos sobre a criminalidade, considerados importantíssimos, e outras modas intelectuais, mas só vieram a ser escritos a fim de refutar alguns outros semelhantes que escreviam sobre o assunto; alguns intelectuais podem reivindicar a influência nos direitos civis. No entanto, pergunte a uma pessoa como os desenvolvimentos médicos, científicos e tecnológicos melhoraram a vida da sociedade, e ela, ainda que leiga, pode dizer no mínimo três benefícios; pergunte à mesma pessoa o que o resultado de pesquisas dos sociólogos e desconstrucionistas fizeram de forma tangível para melhorar a vida da sociedade. Seria um desafio até mesmo para comprovar suas próprias respostas, insiste Sowell.

COESÃO SOCIAL

Sowell destaca que a *intelligentsia* tem destruído a cola da sociedade ao fazer dissolver os sentimentos de patriotismo, religião, família, em conceitos como classe e gênero. Os primeiros são classificados como prejudiciais, enquanto os últimos são afirmados como os que definem de fato os seres humanos e devem ser mais importantes. O autor dá o exemplo dos intelectuais da primeira metade do século XX, em que a *intelligentsia* acreditava existir uma solidariedade entre as classes trabalhadoras, impedindo que nações guerreassem entre si. A nacionalidade não definiria, portanto, sua atitude. Imagine a surpresa destes quando eclode a Primeira Guerra Mundial. Como é de costume entre os membros da *intelligentsia*, não se procura saber a opinião das classes a quem eles mesmos atribuem certos tipos de interesse. Suas hipóteses são proclamadas aos quatro ventos como leis, sem validação necessária ou ulterior.

É frequente o uso da tática de enfraquecer a ideia de nação em detrimento de classes sociais, culturais, religiosas e outras mais que surgirem. Os intelectuais raramente percebem que ao tentar notabilizar os problemas sociais dentro de seus respectivos países, "*desqualificando incessantemente sua sociedade, sua história e suas deficiências momentâneas*" (SOWELL, 2009, p. 473), atomizam ainda mais a sociedade, afundando-a em um antro de ressentimento e reclamações.

É ainda mais frequente usar da deificação de outros países, normalmente os orientais, para afetar a imagem do seu próprio – raramente não ocidental – a fim de mostrar o quão necessária é a mudança das leis nacionais para abrigar as novas mudanças da sociedade, enquanto simultaneamente ignoram que as mudanças pelas quais clamam não acontecem nos países orientais de referência.

Por evidente, nem todos os intelectuais atuam de forma hipócrita, a fim de angariar reconhecimento ou benefícios individuais. Eles podem crer no que dizem, mas seus argumentos são, em geral, fruto de um fundamento raso ou pouco meditado, o que desemboca em padrões que intitulam como "justiça social", que nenhuma sociedade alcançou e nem irá alcançar. Assim, alavancam-se as infindáveis reclamações e conclamações à sociedade:

> Chamar esses padrões de "justiça social" permite que os intelectuais se dediquem à promoção de reclamações intermináveis, denunciando os modos particulares pelos quais a sociedade fracassa em alcançar os critérios arbitrários estabelecidos por eles, juntamente de um desfile de outros grupos que se colocam como vítimas, exemplificado na fórmula "raça, classe e gênero" que temos hoje; e o mesmo tipo de pensamento por trás dessa fórmula particular é usado quando se retratam as crianças como vítimas de seus pais, e imigrantes ilegais como vítimas de uma sociedade xenofóbica e indiferente. Ou seja, muitos membros da *intelligentsia* se dedicam à produção e à distribuição de agravos e de ressentimentos, vasculhando a história quando não conseguem um número suficiente de agravos contemporâneos que se encaixem em sua visão (SOWELL, 2009, p. 474).

O resultado dessa atitude, conforme Sowell, é "*uma sociedade que recompensa e admira as pessoas por violarem as próprias normas consagradas, fragmentando a sociedade em segmentos discordantes*" (SOWELL, 2009, p. 473), e, consequentemente, enfraquecendo a coesão social. Ao fim e ao cabo os pontos negativos são inflados exponencialmente, de maneira que as realizações positivas da sociedade ficam sem espaço, criando a imagem de que não vale a pena preservá-la ou defendê-la. Os benefícios provenientes dos arranjos sociais outrora existentes são considerados perpétuos, desconsiderando que seja necessário um sacrifício para mantê-los, relegando, desta forma, a possibilidade da extinção destes.

LOCALIZAÇÃO DO MAL

Para alcançar os padrões de uma nova sociedade, eles precisam identificar um mal que propaga a injustiça, e este mal não se encontra universalmente nos seres humanos *per si*, mas em alguma classe, instituição ou grupo de representantes os quais somente uma revolução pode extinguir. Forçando a mudança brusca, menosprezam as reformas paulatinas, e esquecem as muitas vezes em que a História mostrou que essa forma de reorganizar a sociedade trouxe mais ônus do que benefícios – a França e sua Era do Terror, Rússia e o totalitarismo, Cuba pós-Batista, países nos quais a realidade, antes de suas revoluções, já era ruim.

Sob esta perspectiva, os vilões – sejam indivíduos ou grupos – não podem estar fora da "nossa sociedade", pois seria muito complicado combatê-los através de uma revolução (usualmente o foco do ataque são os nefastos erros morais cometidos por ela no passado que se reflete no presente). O melhor exemplo é utilizar-se do racismo para justificar a escravidão, e a escravidão para justificar desigualdade social entre brancos e negros, e, embora essa causalidade não seja empiricamente comprovada[71] é amplamente difundida pela mídia e pela *intelligentsia* no geral. Não fosse somente isso, pretere a história da escravidão, um mal difundido por todo o mundo e em todas as épocas, ao descrevê-la como uma "*peculiaridade dos povos brancos contra os negros nos Estados Unidos ou nas sociedades ocidentais*" (SOWELL, 2009, p. 478).

> Durante a maior parte de sua história os europeus escravizaram outros europeus, os africanos escravizaram outros africanos e os asiáticos escravizaram outros asiáticos. Na medida em que a escravização em massa de europeus se tornou uma opção menos viável, uma parcela da maciça quantidade de africanos que eram escravizados por outros africanos passou a ser transferida aos europeus. O racismo nasceu dessa situação, mas não explica a escravidão, a qual o precedeu por séculos. No entanto, a impressão transmitida por muitos entre a *intelligentsia* é de que o racismo explica o motivo pelo qual os brancos escravizaram os negros. É uma impressão que se alinha intimamente com a visão predominante, que a explora ao máximo – deixando o resto da história sobre a escravidão mundo afora de lado, o que faz com que a visão predominante pareça plausível (SOWELL, 2009, pp. 480-481).

Essa mesma forma de contar a história, destacando as "peculiaridades da sociedade ocidental", ocorre com o fenômeno do imperialismo. É totalmente esquecido do pensamento da *intelligentsia* que entre todos os povos houve conquistas, opressões e guerras, mas um destaque especial é dado para os horrores cometidos pelos europeus, cruéis e sanguinários opressores dos nativos, esses retratados como

---

[71] Sowell recomenda para maior informação sobre a suposta causalidade entre desigualdade social e raça: Bradley R. Schiller, *The Economics of Poverty and Discrimination*. 10. Ed. Upper Saddle River, NJ, Pearson Education, Inc., 2008, p. 72; Angelo M. Codevilla, *The Character of Nations: How Politics Makes and Breaks Prosperity, Family and Civility*. Nova York, Basic Books, 1997, p. 50.

tábulas rasas, vivendo inocentemente em suas terras. É postergado o fato de que, anteriormente à ascensão europeia, os próprios europeus foram subjugados por invasores da Ásia, Oriente Médio e da África do Norte[72]. Mais ainda, é negligenciado que ambos os fenômenos, escravidão e imperialismo, foram largamente condenados e suprimidos, pioneiramente, pela sociedade ocidental, contrariando as posições de africanos, asiáticos e outras culturas que insistiam em sua manutenção. Todavia, a história disseminada é aquela em que o Ocidente e seus valores são o mal que precisa ser suprimido e substituído por algo assim considerado mais sublime.

A PROPAGAÇÃO DA VISÃO

Diante disso, se há algo para o que a *intelligentsia* contribuiu e melhora a cada dia é a desintegração e desmoralização dos laços sociais e confiança mútua dentro da sociedade. Converteu grandes realizações em ofensas, encorajou a vitimização, justificou o crime em vias de opressão do sistema, alterou o papel da educação para doutrinação; difamou aqueles que criam bens e serviços e valorizou os que em nada contribuem – afirmando que estes últimos ainda são merecedores de parcela daquilo que aqueles produziram – e descartou o conhecimento comprovado pela experiência de gerações.

A *intelligentsia* romantizou culturas que violam as suas mulheres, matam os deficientes e não aceitam a livre expressão, enquanto rechaçam aquelas que lutaram pelo fim da escravidão, pela livre expressão, pela prosperidade, pelos avanços médicos, pela lei e pela ordem. Frequentemente esquecem-se do fluxo migratório – ainda mais que atual – de pessoas da primeira cultura para a segunda. Encontra motivos para justificar o criminoso, porém, não escusa a polícia por má conduta. Culpa o rico pela pobreza do pobre, argumenta que as rendas muito altas só podem ser suspeitas ou inaceitáveis, e, ainda sustenta, aqui e ali, que o antigo modelo soviético representa uma melhor opção para essa desigualdade: as mortes nos campos de trabalho forçado e por fome certamente não foram contabilizadas.

---

72 Para uma leitura sobre a Civilização Ocidental a autora recomenda: Niall Ferguson. *Civilização: ocidente x oriente*. 2 ed. São Paulo: Planeta, 2016; Paul Kennedy. *Ascensão e queda das grandes potências: transformação econômica e conflito militar de 1500 a 2000*. Rio de Janeiro: Campus, 1989.

Essa "grande" contribuição à sociedade, leva a infindável conflito interno. Ao estabelecerem seus inatingíveis padrões de justiça, convocando mudança, atomizando a sociedade em diversos grupos, opostos entre si, prefiguram o próprio desmantelamento desta sociedade, ao que Sowell diz:

> Enquanto pressuposições apressadas forem aceitas como conhecimento e a pura retórica for considerada idealismo, os intelectuais continuarão a triunfar em se projetarem como vanguardistas de uma "mudança" genérica – de cujas consequências eles continuarão a não prestar contas (SOWELL, 2009, p. 482).

RESUMO E IMPLICAÇÕES

Os que diferem da opinião consagrada pela *intelligentsia* normalmente são lidos como empecilhos ao progresso, retrógrados e reacionários. Muitas as vezes não significam um grande obstáculo para ela, é bem verdade, visto já existir um grande canal de escoamento de suas opiniões, especialmente a Academia, onde exerce um controle mais direto. Esse rótulo é o corolário da imagem que os intelectuais têm de si mesmo, de intelectuais ungidos, superiores à massa da população, detentores de todas as respostas pelas perguntas ainda não respondidas, e, também, das perguntas que já foram respondidas, mas de forma errada, porque a sociedade não soube interpretar.

Em virtude desta visão que têm de si próprios, são raros aqueles que reconsideram suas opiniões, ainda que contra-argumentados plausivelmente, dispõem de poucos incentivos para admitir erros.

"Esses intelectuais não detêm o monopólio do raciocínio", escreve Sowell. Contudo, as restrições com as quais outros profissionais em outros campos têm de lidar os colocam em disparidade com aqueles que não têm muito a perder caso produzam uma ideia sem sentido. Um intelectual não perde a carreira se falar que o desarmamento é o segredo para a segurança nacional; por outro lado, se um médico falha em um diagnóstico, ele enfrenta lutas judiciais. Os custos de ideias que não funcionam na prática são diferentes para ambos os profissionais. Ainda sobre as restrições em cada grupo de intelectuais, um cientista cessa sua pesquisa diante do erro de sua hipótese, um técnico não sobrevive no time se seus métodos não dão resultado, "*nenhuma teoria ou crença sobrevive a derrotas incessantes*" (SOWELL, 2009, p. 488).

Oposto a esse grupo de pessoas cuja profissão também pressupõe a atividade mental, tal realidade não está presente nos profissionais cuja profissão é a produção de ideias. A validação do produto de seu trabalho está na aceitação ou refutação de seus iguais, isto é, de outros intelectuais. O risco que têm se errarem em suas conjecturas é mínimo: um intelectual não é demitido por uma ideia que falhou, ela não produz resultado tangível, não diretamente.

Os intelectuais não prestam contas do que falam e fazem ao mundo real. Assim, como Sowell argumenta, da falta de prestação de contas para a irresponsabilidade o passo é pequeno. Da mesma forma ocorre com outros membros da *intelligentsia*, como a mídia. Tanto noticiário como entretenimento não têm compromisso em validar o que dizem ou de avaliar pormenorizadamente de que forma seus produtos podem impactar: o compromisso está com a audiência. A falta de responsabilidade que permeia os âmbitos da *intelligentsia* contribui para o confluir de ideias soltas sem fundamentação consistente.

Esses intelectuais "*tendem a gravitar em torno de instituições onde suas ideias ficarão menos sujeitas aos perigos do descrédito factual*" (SOWELL, 2009, p. 488), o que forma um núcleo poderoso difícil de romper. Estas instituições, as Academias, mídia, fundações, organizações não-lucrativas sustentam financeiramente e ideologicamente o fluxo destas ideias carregadas de transformação e mudança para os problemas da sociedade.

Não obstante tudo, a *intelligentsia* é parcialmente limitada pelos fatos, pela experiência e pelo senso comum, e só pode alcançar sua hegemonia cultural, moral e ideológica à medida em que os membros de sua sociedade aceitem passivamente o que ela profere. Apesar disso, conclui Sowell:

> Assim como um corpo orgânico pode continuar a viver, apesar de abrigar certa quantidade de micro-organismos cuja predominância o destruiria, da mesma forma uma sociedade pode sobreviver a certa quantidade de forças de desintegração que a compõem. Porém, isso é muito diferente de dizer que não existem limites para a quantidade, a audácia e a ferocidade com que essas forças de desintegração agem sobre uma sociedade

para que ela continue a sobreviver sem ao menos ter a vontade de resistir (SOWELL, 2009, pp. 490-491).

BIBLIOGRAFIA:

SOWELL, Thomas. *Os intelectuais e a sociedade*. São Paulo: É Realizações, 2011.

_____. *A Conflict of Visions: Ideological Origins of Political Struggles*. New York: Basic Books, 1987 (2007).

AUTORES

DENNYS GARCIA XAVIER (Coordenador/Autor)

Autor e tradutor de dezenas de livros, artigos e capítulos científicos, é Professor Associado de Filosofia Antiga, Política e Ética da Universidade Federal de Uberlândia (UFU). Professor do Programa de Pós-graduação em Direito (UFU). Doutor em *Storia della Filosofia* pela *Università degli Studi di Macerata* (Bolsista de Doutorado Pleno no Exterior, CAPES). Tem Pós-doutorado em História da Filosofia Antiga pela Universidade de Brasília (UnB) e Pós-doutorado em História da Filosofia pela Universidade de Coimbra (Bolsista CAPES), com passagens de pesquisa pela *Universidad Carlos III de Madrid, Universidad de Buenos Aires, Trinity College Dublin, Università La Sapienza di Roma, Università di Cagliari* e *Université Paris Sorbonne*. Membro da *International Plato Society* e da Sociedade Brasileira de Estudos Clássicos (SBEC). Membro do GT Platão e Platonismo da ANPOF. Membro do Centro do Pensamento Antigo (CPA-UNICAMP). Ex-Presidente da Sociedade Brasileira de Platonistas (SBP). Ex-Assessor Especial da Universidade Federal de Uberlândia. Coordenou o Programa de Pós-graduação em Filosofia da Universidade Federal de Uberlândia (UFU) (2015-2016). Diretor de Pesquisa da UniLivres. Coordenador do *Students for Liberty* Brasil. Professor do Programa de Pós-graduação em Escola Austríaca do Instituto Mises Brasil. Coordenador do Projeto Pragmata, no qual são pesquisados problemas e soluções liberais para a educação brasileira, especialmente de nível superior.

ANAMARIA CAMARGO

Mestre em educação com foco em *E-learning*, pela Universidade de Hull, Inglaterra, onde atuou como professora EaD de 2006 a 2014. Pesquisadora da área de Educação, seja como professora, coordenadora acadêmica, desenvolvedora de materiais didáticos, tutora e colunista de jornais. Coordenadora do movimento Educação sem Estado, é coorganizadora e autora de capítulos nos livros *Educar é Libertar* e *A Liberdade Decifrada: Desconstruindo Mitos do Estatismo Brasileiro*. Diretora de Políticas Educacionais do Instituto Liberdade e Justiça.

ANTERO ALVES PEREIRA NETO

A cursar Ciências Econômicas na Universidade Federal de Uberlândia (UFU). Pesquisador de Iniciação Científica, sob orientação do Prof. Dennys Garcia Xavier. Tema da pesquisa: *O problema da pobreza em uma sociedade liberal. Uma visão Friedmaniana*. Integrante do projeto Prossiga, com orientação de alunos da graduação nas disciplinas de Microeconomia I e II. Monitor em História do Pensamento Econômico 2018/1. Monitor em Formação Econômica do Brasil 2018/2. Monitor em Economia Brasileira Contemporânea I 2019/1. Diretor de Assuntos Acadêmicos do Diretório Acadêmico Celso Furtado (Ciências Econômicas-UFU), 2019.

FABIO BARBIERI

Cursou o bacharelado em Administração Pública na Fundação Getúlio Vargas de São Paulo (FGV-SP) e o mestrado e o doutorado em Economia pela Universidade de São Paulo (USP). É professor da Faculdade de Economia, Administração e Contabilidade de Ribeirão Preto (FEA-RP) da USP, editor adjunto e membro do Conselho Editorial do periódico acadêmico *MISES: Revista Interdisciplinar de Filosofa, Direito e Economia*, especialista do Instituto Mises Brasil (IMB) e professor da Pós-Graduação em Escola Austríaca (PGEA). Foi professor da Universidade Presbiteriana Mackenzie e do Centro Universitário FECAP. É autor de diversos artigos acadêmicos publicados em diferentes periódicos e dos livros *História do Debate do Cálculo Econômico Socialista* (Instituto Mises Brasil, 2013) e *A Economia do Intervencionismo* (Instituto Mises Brasil, 2013), bem como coautor das obras *Manual de Microeconomia* (Atlas, 2011) e *Metodologia do*

Pensamento Econômico: o Modo de Fazer Ciência dos Economistas (Atlas, 2013).

FERNANDA AQUINO SYLVESTRE

Licenciada em Letras – Português e Inglês pela Universidade Federal de Uberlândia (UFU). Especialista em Teoria Crítica da Literatura pela Faculdade de Ciências e Letras da Unesp – Araraquara. Doutora em Estudos Literários pela Faculdade de Ciências e Letras da Unesp – Araraquara. Professora Associada I da Universidade Federal de Uberlândia. Professora permanente do Programa de Pós-Graduação em Letras da Universidade Federal de Uberlândia, desenvolvendo o projeto *O conto de fadas na contemporaneidade*. Membro do GT da ANPOLL Vertentes do Insólito Ficcional. Líder do grupo de pesquisa Narrativa e Insólito e vice-líder do grupo de pesquisa "Vertentes do Fantástico".

FRANCISCO ILÍDIO FERREIRA ROCHA

Tem graduação de Bacharelado em Direito (1998), especialização em Ciências Criminais (1999) pela Universidade Federal de Uberlândia, Mestrado em Direito pela Universidade de Franca (2004) e Doutorado em Direito Penal pela PUC-SP (2014). Atualmente é professor do Centro Universitário do Planalto de Araxá. Experiência na área de Direito, com ênfase em Direito Penal, Sociologia e Filosofia. É professor convidado do curso de Pós-Graduação em Direito Societário e Contratos Empresariais da UFU e do curso de Pós-Graduação em Segurança Pública e Atividade Policial do Supremo Concursos. É autor do livro *Manual de Biodireito* e de diversos capítulos em outras publicações, bem como artigos científicos.

FRANCISCO RAZZO

Autor dos livros *A Imaginação Totalitária: os perigos da política como esperança* e *Contra Aborto*, ambos pela editora Record. É graduado em Filosofia pela Faculdade São Bento-SP, mestre em Filosofia pela PUC-SP. Colunista do jornal *Gazeta do Povo*.

GUSTAVO HENRIQUE DE FREITAS COELHO

Graduado em Análise e Desenvolvimento de Sistemas pela Universidade de Franca (2015). Graduando em Filosofia pela Universidade Federal de Uberlândia (UFU), com projetos de pesquisas desenvolvidos com foco em Ética e direitos dos animais. Tem diversas participações em eventos científicos, na condição de autor de trabalhos e também como organizador. Membro do Projeto Pragmata, onde atua como pesquisador e biógrafo.

JOSÉ LUIZ DE MOURA FALEIROS JÚNIOR

Mestre em Direito pela Universidade Federal de Uberlândia – UFU. Especialista em Direito Processual Civil, Direito Civil e Empresarial, Direito Digital e *Compliance* pela Faculdade de Direito Prof. Damásio de Jesus. Graduado em Direito pela Universidade Federal de Uberlândia – UFU. Palestrante e autor de artigos e capítulos de livros dedicados ao estudo do Direito. Advogado.

MARCELO ROSA VIEIRA

É doutorando pelo Programa de Pós-Graduação em Filosofia da Universidade Federal de Uberlândia. Tem Mestrado em Filosofia pela Universidade Federal de Uberlândia (2016) na linha de pesquisa "Ontologia e Teoria do Conhecimento". Tem graduação em Pedagogia pela Universidade Federal de Juiz de Fora e graduação em Filosofia pela Universidade Federal de Uberlândia. Trabalhou de 2017 a 2019 como Professor Substituto no Instituto de Filosofia da Universidade Federal de Uberlândia (IFILO), no qual ministrou as disciplinas Lógica, Filosofia da Ciência, Tópicos Especiais de História da Filosofia Contemporânea e Estética. Tem vários artigos publicados na área de Filosofia. Escritor, já publicou também alguns livros de poesia e de ficção (romance e novela).

MARIZE SCHONS

É docente no curso de Relações Internacionais e Direito do IBMEC-MG. Doutoranda em Sociologia na Universidade Federal do Rio Grande do Sul. Mestre em Antropologia Social (UFRGS, 2016). Bacharel em Ciências Sociais pela mesma instituição (2013). Desenvolve pesquisa sobre políticas públicas de prevenção a desastres ambientais no Brasil e no contexto internacional. É integrante do grupo Tecnologia Meio Ambiente e Sociedade (TEMAS) e Conselheira Acadêmica do Instituto Atlantos.

NAHMAN MATIAS DE MELLO OLIVEIRA

Graduanda em Relações Internacionais pela Universidade Federal de Uberlândia (UFU). Participou do Grupo de Estudos sobre Conservadorismo/UFU. Participou do Projeto de Extensão PEIC – NUPEDH Vai à Escola. Interesses acadêmicos: Teoria Realista das Relações Internacionais e Geopolítica, Regimes Totalitários, Literatura antiga, Economia liberal, Teoria da Guerra e Império Romano, Teologia Reformacional e Filosofia Política. Membro do Projeto Pragmata, conduzido por Prof. Dennys Garcia Xavier.

NEI OLIVEIRA DE SOUZA JÚNIOR

Graduando em Ciências Sociais na Universidade Federal de Uberlândia. Foi pesquisador PIBIC – FAPEMIG no tema "Alienação" nos autores Adam Smith, Karl Marx, J. J. Rousseau e John Locke. Membro do GT sobre Conservadorismo da UFU. Leciona aulas de Sociologia em cursos de Ensino Médio e Pré-vestibular. Co-autor do capítulo "A origem do governo" no livro *Ayn Rand e os delírios do altruísmo*, da Coleção Breves Lições/LVM Editora. Pesquisador da teoria "valor-trabalho" de Karl Marx conjuntamente com a teoria "utilidade-marginal" em Carl Menger e Bohm-Bawerk, sob orientação de Dennys Garcia Xavier.

PAULO CRUZ

É professor e palestrante nas áreas de Filosofia e Educação. Formado em Filosofia, pelo Centro Universitário Assunção, e mestre em Ciências da Religião, pela Universidade Metodista de SP, é professor de Filosofia e Sociologia no Ensino Público, no estado de SP. Em 2017 foi um dos agraciados com o prêmio Ordem do Mérito Cultural, honraria concedida pelo ministério da Cultura, anualmente, por indicação popular, a nomes que se destacaram na produção/divulgação cultural. Escreve às segundas-feiras para o jornal *Gazeta do Povo*.

PAULO ROBERTO DE ALMEIDA

Doutor em Ciências Sociais pela Universidade de Bruxelas (1984), Mestre em Planejamento Econômico pela Universidade de Antuérpia (1977), e Diplomata de carreira desde 1977. Foi professor no Instituto Rio Branco e na Universidade de Brasília, Diretor do Instituto Brasileiro de Relações Internacionais (IBRI) e, desde 2004, é professor de Economia Política nos programas de mestrado e doutorado em Direito no Centro Universitário de Brasília (Uniceub). Como Diplomata, serviu em diversos postos no exterior e na Secretaria de Estado. De 3/08/2016 a 4/03/2019 foi Diretor do Instituto de Pesquisa de Relações Internacionais (IPRI), da Fundação Alexandre de Gusmão (Funag), autarquia vinculada ao ministério das Relações Exteriores. É editor adjunto da *Revista Brasileira de Política Internacional*. Seleção de livros publicados: *Miséria da Diplomacia: a destruição da inteligência no Itamaraty* (2019); *Contra a Corrente: ensaios contrarianistas sobre as relações internacionais do Brasil, 2014-2018* (2019); *A Constituição Contra o Brasil: ensaios de Roberto Campos sobre a Constituinte e a Constituição de 1988* (2018); *O Homem que Pensou o Brasil: trajetória intelectual de Roberto Campos* (2017); *Formação da diplomacia econômica no Brasil* (3ª ed., 2017); *Nunca Antes na Diplomacia: a política externa brasileira em tempos não convencionais* (2014); *Relações Internacionais e Política Externa do Brasil: a diplomacia brasileira no contexto da globalização* (2012); *Globalizando: ensaios sobre a globalização e a antiglobalização* (2011); *O Moderno Príncipe: Maquiavel revisitado* (2012); *O estudo das relações internacionais do Brasil* (2006); *Os primeiros anos do século XXI: o Brasil e as relações internacionais contemporâneas* (2002); *O Brasil e o multilateralismo econômico* (1999). Site: www.pralmeida.org; blog: http://diplomatizzando.blogspot.com/; CV-Lattes: http://lattes.cnpq.br/9470963765065128; *e-mail*: pralmeida@me.com; paulomre@gmail.com.

PEDRO CALDEIRA

Graduado em Psicologia Educacional pelo Instituto Superior de Psicologia Aplicada (Lisboa), especialista em *Supervision for the Couseling Professions pela European Board of Career Couseling*, Mestre em Estatística e Gestão de Informação pela Universidade Nova de Lisboa e Doutor em Gestão de Informação pela Universidade Nova de Lisboa. Professor na Universidade Federal do Triângulo Mineiro (UFTM) em disciplinas de Tecnologia Educacional (graduação) e metodologia de pesquisa (pós-graduação). Cocoordenador do Curso de Aperfeiçoamento Ciência e Infância (em parceria com a Secretaria Municipal de Educação de Uberaba), Coordenador da Liga

Acadêmica de Leitura e Produção de Textos da UFTM e Coordenador do projeto Meu Quintal é Maior que o Mundo (intervenção em praças de Uberaba, projeto fomentado no âmbito do Program Urban95 da Bernard van Leer Foundation – Holanda). Membro da família Costa Caldeira que conta com duas crianças, um adolescente, dois cachorrões e dois adultos. Autor e co-autor de livros, capítulos de livros e artigos em Psicologia, Gestão de Pessoas e Educação. Nos últimos anos também passou a dedicar-se à escrita de livros infantis.

ROSANE ROCHA VIOLA SIQUIEROLI

Graduada em Direito pela Universidade Federal de Uberlândia (UFU). Especialista em Ciências Criminais também pela UFU. Tem larga experiência na área de Comunicação Social, telejornalismo, com ênfase em Jornalismo Especializado (Empresarial e Científico). Mestre em Filosofia pelo Programa de Pós-graduação em Filosofia da UFU.

TOMMY AKIRA GOTO

Professor da Pós-Graduação em Filosofia e da Graduação e Pós-Graduação em Psicologia da Universidade Federal de Uberlândia (UFU). Doutor em Psicologia – PUC-Campinas (2007), Mestre em Filosofia e Ciências da Religião – Universidade Metodista de São Paulo (2002), Graduado em Psicologia pela Universidade São Marcos (1998). Vice-presidente fundador da Associação Brasileira de Psicologia Fenomenológica; Membro-colaborador do CLAFEN; Membro Ordinário da *Asociación Internacional de Fenomenología y Ciencia Cognitiva*; Membro-assistente da Sociedad Iberoamericana de Estudios Heideggerianos SIEH; membro da Associacion Latinoamericana de Psicologia Existencial (ALPE).

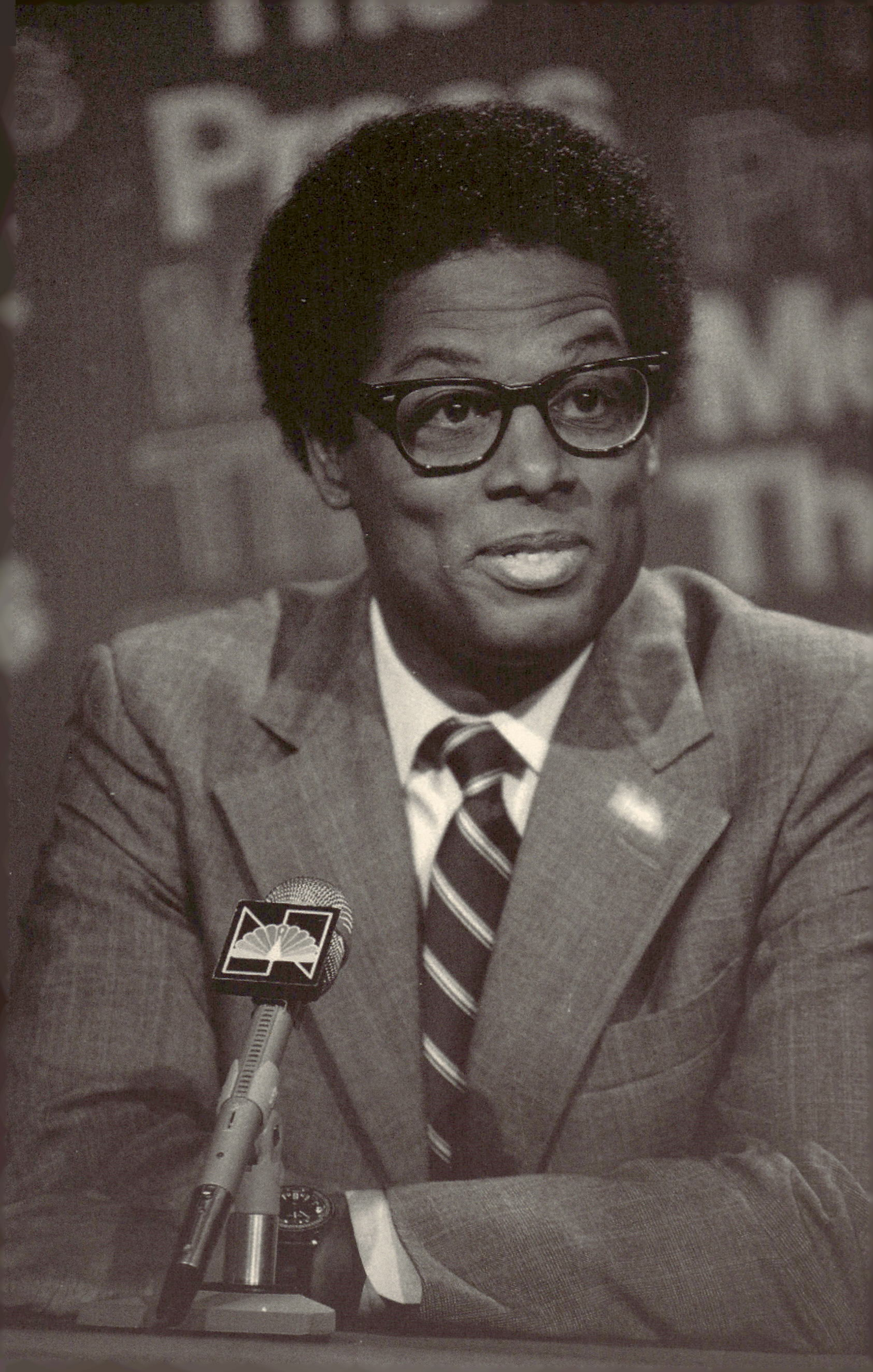

ÍNDICE REMISSIVO E ONOMÁSTICO

A

Abyssinian Baptist Church, 35
Acadêmico *Egghead*, 12
Ação afirmativa, 26-27, 61, 875, 135, 208, 231, 235-37, 242-43, 245, 247-49, 252-54
Ação afirmativa ao redor do mundo, de Thomas Sowell, 208
Ação afirmativa nos Estados Unidos, 245, 247, 252
Ação Humana, de Ludwig von Mises, 200
Acordo naval anglo-germânico de 1935, 226
Acordos Navais de Washington de 1921-1922, 226
Actions and Passions, de Max Lerner, 50
Adams, John (1735-1826), 21, 25, 28
Affirmative Action Around the World: an empirical study, de Thomas Sowell, 27, 98
Agência para as Questões dos Índios, 245
Alabama, 68
Alemanha, 160, 225-26, 228, 265
Alito Jr., Samuel Anthony (1950-), 88
Almeida, Paulo Roberto de (1949-), 10, 15, 17
America and the Intellectuals, simpósio de 1953, 12
América Latina, 21-22, 221, 276
American Economic Association, 71
American Economic Review, 61-62
American Telephone & Telegraph Company (A.T. & T), 70-71
American University, 65
Amherst College, 87
Amsterdam News, 35
Andhra Pradesh, Índia, 240
Annapolis, 255
Anti-Dühring, de Friedrich Engels, ver *Herr Eugen Dühring's Revolution in Science [Anti- Dühring]*

Applied Economics: Thinking Beyond Stage One, de Thomas Sowell, 98-99

Área de Livre Comércio das Américas, 18

Arendt, Hannah (1906-1975), 125

Aristóteles (384-322 a. C.), 132

Aron, Raymond (1905-1983), 11, 19, 21

Arouet, François-Marie (1694-1778), conhecido como Voltaire, 140

Arquipélago Gulag, de Alexander Solzhenitsyn, 276

Arrow, Kenneth Joseph (1921-2017), 84-85

Ascensão e queda das grandes potências: transformação econômica e conflito militar de 1500 a 2000, de Paul Kennedy, 341

Ash, Mary, 88

Ashenfelter, Orley (1942-), 152

Ásia Central, 235

Assam, Índia, 242-43

Ativismo judicial, 167-74, 177

Atlântico, 160

Através do espelho e o que Alice encontrou por lá, de Lewis Carroll, 199

Austrália, 234

B

Bálcãs, 160

Banco Central norte-americano, 288-89

Banco Interamericano de Desenvolvimento (BID), 18

Banco Mundial, 18

Bangladesh, 233

Barnes, Frederick Woods "Fred" (1943-), 203, 214

Barroso, Luiz Roberto (1958-), 168-69

Basic Economics: A Citizen's Guide to the Economy, de Thomas Sowell, 21, 98

Basic Economics: A Citizen's Guide to the Economy, second edition, de Thomas Sowell, 98

Basic Economics: A Common Sense Guide to the Economy, de Thomas Sowell, 21

Basic Economics: A Common Sense Guide to the Economy, third edition, de Thomas Sowell, 99

Basic Economics: A Common Sense Guide to the Economy, fourth edition, de Thomas Sowell, 99

Basic Economics: A Common Sense Guide to the Economy, 5th edition, de Thomas Sowell, 99

Bastiat, Frédéric (1801-1850), 296, 309, 311, 319

Batista, Eike (1956-), 211

Battery Park City, 40

Bernardo de Chartres (1070-1130), 214

Besançon, Alain (1932-), 133, 277

Bethell, Tom (1940-), 24

Bíblia, 203

Bihar, Índia, 242

Black Alternatives Conference, The, ver *The Fairmont Conference*

"Black 'conservative', A", de Thomas Sowell, 86

Black Education: Myths and Tragedies, de Thomas Sowell, 82, 97

Black, Joseph (1728-1799), 203

Black Rednecks and White Liberals, de Thomas Sowell, 98

Böhm-Bawerk, Eugen von (1851-1914), 277, 303

Boicote aos ônibus de Montgomery, Alabama, 68

Boskin, Michael Jay (1945-), 89

Bradley Prize, The, 94

Brague, Rémi (1947-), 115

Brandeis, Louis D. (1856-1941), 168

Brasil, 17, 27, 108, 159, 162, 164, 168-69, 173, 200, 211, 232, 277, 297

Braudel, Fernand (1902-1985), 27

Brennan, William J. (1906-1997), 249

Breyer, Stephen Gerald (1938-), 88

Bridges, Ruby (1954-), 209

Brock, Louis Clarck "Lou" (1939-), 208

Brown, Sterling Allen (1901-1989), 59

Brown v. Conselho de Educação, 208-09

Brown, William Anthony "Tony" (1933-), 89

Buenos Aires, 20

Burke, Edmund (1729-1797), 138-39, 144, 189

C

Califórnia, 24, 250, 325

Camarata, Stephen, 92

Camboja, 275-76

Camp Lejeune, 56

Campos, Roberto (1917-2001), 19, 21

Capital, O, de Karl Marx, 19, 60, 260-61, 264, 267-68, 271, 278

Caritar, Marie Jean Antoine Nicolas de (1743-1794), marquês de Condorcet, 138, 140, 144, 155, 295

Carolina do Norte, 30, 32, 36, 42, 212

Carolina do Sul, 53

Carroll, Lewis, pseudônimo de Charles Lutwige Dodgson (1832-1898), 199

Carter III, Hodding (1935-), 195-96

Carvalho, Olavo Luiz Pimentel de (1947-), 277

Casa Branca, 68, 84-85, 195

CBS, 92

Censo Decenal Americano, 30

Censo populacional dos EUA, 30

Central Park, 52

Centro de Estudos Avançados em Ciências Comportamentais, 84, 87

Centro Universitário de Brasília (UniCEUB), 17
Cerf, Bennet (1898-1971), 161
Chamars da Índia, 241-42
Character of Nations, The: How Politics Makes and Breaks Prosperity, Family and Civility, de Angelo M. Codevilla, 340
Charlotte, Carolina do Norte 32, 35, 38
Chávez Frias, Hugo Rafael (1954-2013), 299
Chelsea, Manhattan, 42
Chicago, 18, 21, 71, 73, 302, 313
China, 25, 51, 234, 275-76
Chomsky, Noam (1928-), 24
Choosing a College: A Guide for Parents and Students, de Thomas Sowell, 98
Cidade Perfeita, 132
Cincinnati, Ohio, 248
Civil Rights: Rhetoric or Reality, de Thomas Sowell, 98
Civilização Ocidental, 74, 105, 341
Civilização: ocidente x oriente, de Niall Ferguson, 341
Classical Economics, On, de Thomas Sowell, 98
Classical Economics Reconsidered, de Thomas Sowell, 20, 97
Coase, Ronald (1910-2013), 295, 308, 313
Codevilla, Angelo M. (1943-), 340
Código de Hamurabi, 299
Cohn, Norman Rufus Colin (1915-2007), 277

Coleção *Breves Lições*, 9, 29
Colégio Dunbar, 209
Coleman Jr., William T., 85
College Board, 59
Comissão de Serviço Civil (*Civil Service Commission*), 51
Comissão Federal de Comércio, 85
Comissão Federal de Comunicações (FCC), 208
Comitê Consultivo de Políticas Econômicas do Presidente, 90
Comitê de Informação Pública, 222
Como mentir com estatísticas, de Darrell Heff, 199
Conceito de mais-valia (*surplus value, Mehrwert*), 261-65, 269
Condorcet, Marie Jean Antoine Nicolás de (1743-1794), 138, 140, 144, 155, 295
Conflict of Visions, A: The Ideological Origins of Political Struggles, de Thomas Sowell, 24, 98, 136, 179
Conflict of Visions, A: The Ideological Origins of Political Struggles, revised edition, de Thomas Sowell, 99
Conflito de Visões, de Thomas Sowell, 117, 136, 295
Conhecimento e Decisões, de Thomas Sowell, 62, 295, 304, 312
Congresso Nacional, 11
Conquests and Cultures: An International History, de Thomas Sowell, 98
Conselho da Indústria de Guerra, 222

Conselho Nacional de Desenvolvimento Científico e Tecnológico (CNPq), 10

Consulado do Brasil em Hartford, 17

Contribution to the Critique of Political Economy, A, de Karl Marx, 279

Coordenação de Aperfeiçoamento de Pessoal de Nível Superiot (Capes), 10

Coreia do Norte, 51

Coreia do Sul, 51

Cornell'69: Liberalism and the Crisis of the American University, de Donald Alexander Downs, 77

Cornell's Afro-American Society, 76

Corpo de Fuzileiros Navais, 53-57

Creators Syndicate, 96

Creel, George (1876-1953), 222

Crise financeira de 1929, 31

Crítica ao Intervencionismo, de Ludwig von Mises, 299

Croly, Herbert (1869-1930), 220-21

Cuba, 340

D

Dachau, 225

Dalits da Índia, 237-38, 243-45

Dalrymple, Theodore, pseudônimo de Anthony Daniels (1949-), 204

Davis, Elmer, 36

Departamento de Economia da Cornell University, 74

Departamento de Trabalho dos EUA, 63-64

Dicionário *Houaiss*, 180

Dinamarca, 228

Diocleciano (c. 244-311), imperador romano, 299

Diplomatizzando, 18

Direito de Voto (1965), 231-32

Direitos Civis (1964), 67-69, 231-32, 236, 246, 249, 337

Discriminação e disparidades, de Thomas Sowell, 200

Discrimination and Disparities, de Thomas Sowell, 27, 99

Discrimination and Disparities, second edition, de Thomas Sowell, 99

Divisão de Investigação Criminal, 56

Dodgers, no Brooklyn, 48

Douglass College, 64-65, 69-70, 87

Douglass Residential College, 64

Downs, Donald Alexander (1948-), 77

Drew, Charles Richard (1904-1950), 209

Duhamel, Georges (1884-1966), 224

Dunlop, John T., 85

E

Earhart Foundation, 63

Eastman Kodak, 203
Earhart, Harry Boyd (1870-1954), 63
Economics 103, 74
Economia Básica, de Thomas Sowell, 304, 309
Economia e Conhecimento, de F. A. Hayek, 306
Economic and Political Review, 242
Economic Facts and Fallacies, de Thomas Sowell, 20, 99
Economics: Analysis and Issues, de Thomas Sowell, 97
Economics and Politics of Race, The: An International Perspective, de Thomas Sowell, 98
Economics of Poverty and Discrimination, de Bradley R. Schiller, 340
Édipo, de Sófocles, 131
Einstein Syndrome, The: Bright Children Who Talk Late, de Thomas Sowell, 93, 98
Eixo (Roma/Tóquio/Berlim), 229
Em defesa do preconceito, de Theodore Dalrymple, 204
Empire Strikes Back, The ("O Império Contra-ataca"), 111
Epstein, Cynthia, 85, 153
Equal Employment Opportunity Commission, 90
Eric Hoffer: the longshoreman philosopher, de Tom Bethell, 24
Erving II, Julius Winfield (1950-), 208
Escócia, 137, 203

Escola Austríaca de Economia, 139
Escola Sem Partido, 159
Escritório de Administração de Pessoal dos Estados Unidos (United States Office of Personnel Management), 51
Escritório Geral de Contabilidade, 58
Estação Aeronaval de Pensacola, 54-55
Estado e a Revolução, O, de Lenin, 278
Estados de Violência, de Frédéric Gros, 125
Estados Gerais da França, 154
Estados Unidos da América, 12, 17, 21-22, 24-25, 27, 35, 40-41, 51, 53, 57-58, 67, 74, 86, 91, 96, 105, 108, 139, 162, 180-81, 183, 209, 225, 231-35, 242, 244-47, 252-53, 255, 274, 291, 297, 324-25, 340
Ethics, 62
Ethnic America: A History, de Thomas Sowell, 90-91, 98
Europa, 21, 160, 163, 220-21, 223, 235, 266
Evans, Eric, 77

F

Fabro, Cornelio (1911-1995), 277
Faculdade Amherst, 209
Faculdade de Direito da Universidade Washington, 87
Fairmont Conference, The, 89

Fairmont Hotel, São Francisco, 89
Fanjul, família cubana, 248, 253
Fatos e Falácias da Economia, de Thomas Sowell, 320
Federação Americana de Professores, 111-12
Federação Americana do Trabalho, 163
Ferguson, Niall Campbell (1964-), 341
Feuer, Lewis S. (1912-2002), 202-03
Filipinas, 74
Flórida, 54-55
Fogão "Perfeição", 32
Forbes Magazine, 96, 211
Força Aérea da Malásia, 234
Forças Armadas dos Estados Unidos, 58, 255
Ford, Gerald Rudolph (1913-2006), 38º presidente dos Estados Unidos da América, 83, 85
Fortune, 91
Fox News, 203
França, 21-22, 154, 223-25, 340
Friedman, Milton (1912-2006), 61-62, 89, 139, 155, 197-98, 200, 311, 313, 332
Fundação Rockefeller, 73-74
Fundo Monetário Internacional (FMI), 18

G

Gadsden, Marie, 59

Gastonia, 30, 32
George Mason University (GMU), 26
German Ideology, The, de Karl Marx e Friedrich Engels, 279
Ghandi, Mohandas Karanchand (1869-1948), o *Mahatma*, 243
GI ("galvanized iron"), 58
G. I. Bill, 58
Ginsburg, Ruth Bader (1933-), 87-88
Godwin, William (1756-1836), 138-40, 143-45, 147, 155, 158, 180, 295
Górgias, de Sócrates, 126
Grande Depressão Econômica dos anos 30, 19, 274
"Grande Salto para a Prosperidade Americana", 19
Grécia Antiga, 115, 189
Gros, Frédéric (1965-), 125-26
Gudin, Eugênio (1886-1986), 21
Guerra Civil norte-americana, 255
Guerra da Coreia, 51-52, 54-55
Guerra do Vietnã, 24

H

Halifax, Carolina do Norte, 42
Hamilton, Alexander (1755-1804), 139
Hamlet, personagem de Shakespeare, 198
Harvard College, 60

Harijans da Índia, 243
Haryana, Índia, 241
Harlem, 35-40, 208
Hayek, Friedrich August von (1899-1992), 9, 14, 23, 29, 62, 139, 144, 147, 153, 155, 182, 277, 293, 295-96, 298, 306, 308, 312-16
Heatter, Gabriel, 36
Heff, Darrell, 199-00, 210
Heffner, Richard Douglas (1925-2013), 17
Hegel, Georg Wilhelm Friedrich (1770-1831), 260
Heidegger, Martin (1889-1976), 136
Herr Eugen Dühring's Revolution in Science [*Anti- Dühring*], de Friedrich Engels, 271
Higher Education Act, 196
Hildebrand, Dietrich von (1889-1977), 277
Himalaia, 160
Hitler, Adolf (1889-1945), 156, 186, 188, 208, 225-27
Hobbes, Thomas (1588-1679), 139, 143
Hoffer, Eric (1898-1983), 23-24
Holmes, Oliver Wendell (1809-1894), 139
Holmes Jr., Oliver Wendell (1841-1935), 139
Holocausto, 186
Hoover, Herbert Clark (1874-1964), 31º presidente dos Estados Unidos da América, 24, 100, 163

Hoover Institution, 24, 84, 87-90, 100
Housing Boom and Bust, The, de Thomas Sowell, 99
Housing Boom and Bust, The, revised edition, de Thomas Sowell, 99
Howard University, 58-59, 69-70
Humpty Dumpty, personagem de contos infantis ingleses, 199, 201
Hyderabad, Índia, 235

I

"I Have a Dream", de Martin Luther King Jr., 231
Ideia de filosofia e o problema da concepção de mundo, A (*Zur Bestimmung der Philosophie*), de Martin Heidegger, 136
Ideology and Ideologists, de Lewis S. Feuer, 202
Ilhas Fiji, 235
Império Romano, 276
Índia, 27, 233-34, 237-39, 241-45, 252-53
Inside American Education: The Decline, The Deception, The Dogmas, de Thomas Sowell, 98, 103, 113
Instituições Públicas de Ensino Superior (IPES), 10-13
Institute of International Economics, 18
"Intelectual ungido", 151-53, 157, 161-62, 172, 219

Intellectuals and Race, de Thomas Sowell, 99

Intellectuals and Society, de Thomas Sowell, 24, 99

Intellectuals and Society, second edition, de Thomas Sowell, 99

Intelligentsia, 14, 109, 150, 154, 156-57, 159, 162-65, 180, 221-22, 225-29, 286-90, 292, 330, 333-43

Investigação sobre a Justiça Política (An Enquiry Concerning Political Justice), de William Godwin, 139

Iugoslávia, 274

J

Jacobs, Jane (1916-2006), 320, 326-27

James, William (1842-1910), 63, 218

Japão, 226, 265-66

Jogo de175-76,

Johnson, Lyndon Baines (1908-1973), 68-69, 193, 195

Johnson, Paul Bede (1928-), 23, 25, 150

Junior High School 43 (J.H.S. 43), 39

Junta Seletiva de Serviço Militar, 52-53

Justiça Social, 152, 168-69, 171-72, 176-77, 181, 197, 203, 249, 252, 286-87, 338-39

K

Kagan, Elena (1960-), 88

"Karl Marx and the Freedom of the Individual", de Thomas Sowell, 62

Kennedy, Anthony McLeod (1936-), 88

Kennedy, Paul Michael (1945-), 341

King Jr., Martin Luther (1929-1968), 231-32, 236, 256

Knight, Frank (1885-1972), 302

Knowledge and Decisions, de Thomas Sowell, 87-88, 91, 98

Kuhn, Thomas (1922-1996), 137

L

Lacy, James, 35-39, 41, 82

Lapierre, Georges (1886-1945), 225

Lar para Meninos Desabrigados no Bronx, 46-47

Las Vegas, 325

Laski, Harold Joseph (1893-1950), 140, 223

Late-Talking Children, de Thomas Sowell, 92, 98

Lei de Cotas, 232

Lei de Direitos Civis, 68

Lei de Say, ou *Lei de mercados de Say* ou *Lei da preservação do poder de compra*, 71, 299, 302

Lei dos Direitos Civis de 1964, 69, 249

Leis *Jim Crow*, 41

Lenin, pseudônimo de Vladimir Ilyich Ulianov (1870-1924), 261-62, 266, 277-78

Leonardo da Vinci (1452-1519), 314

Lerner, Max (1902-1992), 50

Lester, Richard A., 190

Levi, Edward H., 85

"Liberdade de ensinar e aprender, A", de Pedro Zany Caldeira, 255

Liberdade decifrada, A, de Dennys Xavier e Anamaria Camargo, 255

Lomax, Stan, 36

London School of Economics, 140

Londres, 38, 96, 226

Los Angeles, 81, 85, 187

Los Angeles Herald-Examiner, 96

Los Angeles Times, 96

M

MacArthur, Douglas (1880-1964), 225

Madhya Pradesh, Índia, 241

Madre Teresa de Calcutá, nascida Anjezë Gonxhe Bojaxhiu M. C. (1910-1997), 188

Magna Cum Laude ("com grandes honras"), 60

Maharashtra, Índia, 240-41

Maitland, Flórida, 277

Malásia, 27, 234-35

Mallock, William Hurrell (1849-1923), 277

Malthus, Thomas Robert (1766-1834), 295, 302

Man: A Course of Study, de Thomas Sowell, 108

Man of Letters, A, de Thomas Sowell, 99-00

Marinha dos Estados Unidos da América, 54-55

Markets and Minorities, de Thomas Sowell, 91-92, 98

Marx, Karl (1818-1883), 19, 23, 25, 50, 60, 119, 155, 257-65, 267-73, 275-79, 282-83, 302-04

"Marx's 'Increasing Misery' Doctrine", de Thomas Sowell, 62

"Marx o Homem", de Thomas Sowell, 23, 260

Marxism: Philosophy and Economics, de Thomas Sowell, 98, 257

Massachusetts, 81, 87

Massachussetts Institute of Technology (M.I.T.), 109

Mathews, F. David, 85

Mayer, Gustav (1871-1948), 260

McCauley, Rosa Louise, mais conhecida por Rosa Parks (1913-2005), 68

McLellan, David (1940-), 260

McPhelin, Michael, S.J. (1926-1996), 74-75

Mediterrâneo, 160

Meese, Edwin "Ed" (1931-), 89

Meet the Press, 91

Memorial de Lincoln, 236

Migrations and Cultures: A World View, de Thomas Sowell, 98
Mill, James (1773-1836), 203
Mill, John Stuart (1806-1873), 25, 150-51, 203, 264-65
Ministério da Educação (MEC), 10-11
Mises, Ludwig Heirich Edler von (1881-1973), 200-01, 277, 299, 312
Morte e Vida das Grandes Cidades, de Jane Jacobs, 326
M Street School, 254-55
Mount Holyoke College, 87
Moynihan, Daniel Patrick (1927-2003), 27
Münchausen, Karl Friedrich Hyeroninus von (1720-1797), barão de Münchausen, 170
Murrow, Edward R., 36, 38

N

National Education Association, 111
National Humanities Medal, 94
Natureza da Firma, A, de Ronald Coase, 308
Nevada, 325
New Brunswick, Nova Jersey, 64, 69
New Republic, 220-21
New York Times, The, 79, 86, 91, 96, 193
New York Times Magazine, 82
Newsday, 96
Newsweek, 91, 96

Nigéria, 27, 253
Nixon, Richard Milhous (1937-1994), 37º presidente dos Estados Unidos da América, 285
Nova Jersey, 64
Nova Orleans, 209
Nova Política Econômica, de Lenin, 266, 278
Nova York, 34-36, 38-39, 41, 44, 47, 51-54, 57-58, 70, 82-83, 112, 254, 256, 322-23

O

Office of Economic Opportunity, 195
Organização das Nações Unidas (ONU), 51
Orwell, George (1903-1950), pseudônimo de Eric Arthur Blair, 156
Owen, Robert (1771-1858), 140

P

Pacto Kellogg-Briand de 1928, 228
Padover, Saul K. (1905-1981), 260
Palo Alto, Califórnia, 88, 325
Papel das visões, O, de Thomas Sowell, 120
Paquistão Oriental, 233
Parr, Alma Jean, 71
Parris Island, Carolina do Sul, 53

Partido Trabalhista Britânico, 140
Patterns of Black Excellence, de Thomas Sowell, 83
Payne, Robert (1911-1983), 260
Peirce, Charles Sanders (1839-1914), 62-63
Pelotão 548, 53
Pensacola, Flórida, 54-55
Perkins, James A. (1911-1998), 75-76, 79
Personal Odyssey, A, de Thomas Sowell, 30, 98
Phi Beta Kappa, 209
Phil "Donahue" Show, The, 91
Platão (c. 428/427-c. 348/347 a. C.), 124, 130, 132, 170
Pol Pot, nascido Saloth Sar (1925-1998), 261
Popper, Karl Raimund (1902-1994), 277
Portugal, 228
Poverty of Philosophy, The, de Karl Marx, 282
Preferential Policies: An International Perspective, de Thomas Sowell, 98
Prêmio Nobel de Economia, 84, 302
Primeira Guerra Mundial, 163, 219, 221-23, 338
Promise of American Life, The, de Herbert Croly, 220
Proudhon, Pierre-Joseph (1809-1865), 296
Public Interest, The, 83

Q

Queens College at City University of New York, 85
Quest for Cosmic Justice, The, de Thomas Sowell, 98

R

Race and Culture: A World View, de Thomas Sowell, 98
Race and Economics, de Thomas Sowell, 82-83, 87, 97
Rand, Ayn (1905-1982), 9, 173
Randon House, 161
Rangel, Charles Bernard (1930-), 208
Reagan, Ronald Wilson (1911-2004), 40º presidente dos Estados Unidos da América, 89-90, 195, 285, 289
"*Reaganite*", 90
Renânia, 228
Revel, Jean-François (1924-2006), 183
Revolução dos Bichos, A, de George Orwell, 156
Ricardo, David (1772-1823), 23, 25, 260-61, 264
Roberts, John Glover (1955-), 88
Role and Functions of Trade Unions under the New Economic Policy, The, de V. I. Lenin, 278
Rolland, Romain (1866-1944), 224

Roosevelt, Franklin Delano (1882-1945), 32º presidente dos Estados Unidos da América, 19, 225

Roosevelt, Jr., Theodore (1858-1919), 26º presidente dos Estados Unidos da América, 221

Rosenstock-Huessy, Eugen (1888-1973), 277

Rousseau, Jean-Jacques (1712-1778), 25, 140, 155, 180

Rousseff, Dilma Vana, 296

Rouvroy, Claude-Henri de (1760-1825), ou Conde de Saint-Simon, 140

Russell, Bertrand (1872-1970), 224

S

Saara, 160, 305

San Francisco, 23, 89

São Paulo, 128-29

Sarney de Araújo Costa, José (1930-), 31º presidente do Brasil, 299

Sartre, Jean-Paul Charles Aymard (1905-1980), 21

Say, Jean-Baptiste (1767-1832), 23, 71-72, 302

Say's Law: An Historical Analysis, de Thomas Sowell, 82, 91, 97

Say's Law and the General Glut Controversy, de Thomas Sowell, 80

Scalia, Antonin Gregory (1936-2016), 87-88

Scheler, Max Ferdinand (1874-1928), 135

Schiller, Bradley R. (1943-), 340

Scholastic Aptitude Test ou Scholastic Assessment Test (SAT), 250

Schumpeter, Joseph A. (1883-1950), 23, 161

Schurz, Carl (1829-1906), 260

Scott, *Sir* Walter (1771-1838), 203

Scripps-Howard News Service, 96

Scruton, *Sir* Roger Vernon (1944-), 181, 277

Seabury, Paul, 85

Segunda Guerra Mundial, 18, 160-61, 163, 225-26, 228, 241, 255, 265

Senado dos Estados Unidos da América, 255

Shaw, George Bernard (1856-1950), 140, 142, 147, 155

Simpson, Orenthal James "O. J." (1947-), 208

"Síndrome de Einstein", 93

Sismondi, Jean Charles Léonard Simonde de (1773-1842), 302

Smith, Adam (1723-1790), 23, 25, 137-39, 146-47, 170, 203, 261, 164, 302, 311-12

Smith College, 87

Smithies, Arthur, 60

Socialismo de guilda, 12

Sociedade Afro-Americana, 74

Sociedade Fabiana, 140

Sócrates (c. 469/470 a. C.-399 a. C.), 126

Sófocles (c. 497/496 a. C.-c. 406/405 a. C.), 131
Solzhenitsyn, Alexander Issaievich (1918-2008), 276
Sombart, Werner (1863-1941), 277
Sotomayor, Sonia Maria (1954-), 88
Souza, Dinesh Josehp D' (1961-), 23
Sowell, Adrue, 51
Sowell, Birdie, 32-39, 41, 82
Sowell, Charles, 51, 69, 84
Sowell, Henry, 30-31
Sowell, Herman, 33-34
Sowell, John (1965-), 72, 87
Sowell, Lorraine Hansberry, 82
Sowell, Mamie, conhecida como Molly, 30, 33
Sowell, Mary Frances, 44, 51-52, 84
Sowell, Ruth, 33-34, 36-38, 41, 82
Sowell, William, 51-52, 84
Sowell, Willie, 30-32
Sri Lanka, 27, 237, 253
Sraffa, Piero (1898-1983), 277
St. Louis, 87
Stalin, Josef Vissarionovitch (1878-1953), 156, 261, 266
Stanford Daily, 96
Star Wars ("Guerra nas Estrelas"), 111
Stigler, George (1911-1991), 60, 63, 73, 302, 313
Straight Talk, 83
Straight, Willard D. (1880-1918), 83
Stuyvesant High School, 40
Sugar Hill, no Harlem, 40
Suprema Corte dos Estados Unidos da América, 58, 87-88, 208-09, 249

T

Teatro Apollo, 35
Tennessee, 92
Teoria dos Sentimentos Morais, de Adam Smith, 138, 311
Terceiro Mundo, 157, 265, 309
Texas, 250-51
Theories of Surplus Value, de Karl Marx, 271
Thiry, Paul-Henri (1723-1789) ou Barão d'Holbach, 140
Thomas, Clarence (1941-), 87-90
Thomas Sowell Reader, The, 18, 23
Time, 91
Times, The, 96, 226
Traité d'économie politique, ou *simple exposition de la manière dont se forment, se distribuent, et se composent les richesses*, de Jean-Baptiste Say, 101
Trabalho Assalariado e Capital, de Karl Marx, 271
Tratado de Versalhes, 228
True Believers, The: thoughts on the nature of mass movements, de Thomas Sowell, 23
True Virtue, de Thomas Sowell, 153
Truman, Harry S. (1884-1972), 163

Trump, Donald John (1946-), 45º presidente dos Estados Unidos da América, 22

Tucker, Lemuel "Lem" (1938-1991), 92

Tumultos sociais em Los Angeles, 187

U

União Nacional dos Estudantes (UNE), 11

União Soviética, 155, 2161, 266, 277-78, 282

Union Station, 57

Universidade da Califórnia, 250

Universidade da Califórnia, em Berkeley, 23

Universidade da Califórnia em Los Angeles (U.C.L.A), 81

Universidade Dartmouth, 209

Universidade de Brandeis, 80-81

Universidade de Chicago, 60-64, 72, 81, 139, 294, 302

Universidade de Columbia, 18, 60-61, 302

Universidade de Cornell, 71, 73-76, 79-81, 95

Universidade de Harvard, 18, 59-61, 85, 109-10, 139, 209, 302

"Universidade da Integração da Lusofonia Afro-brasileira", 110

Universidade de Michigan, 210

Universidade de Princeton, 152, 190

Universidade de Stanford, 87-88, 109

Universidade de Yale, 209

Universidade do Texas, 250

Universidade Estadual da Pensilvânia, 71

Universidade Vanderbilt, 92

Universidade Washington, 87

University of New York, 85

University of California, em Berkeley, ver Universidade da Califórnia, em Berkeley

Urban Coalition, 79

Urban Institute, The, 82-84

Uso do Conhecimento na Sociedade, O, de F. A. Hayek, 62, 306

Uttar Pradesh, Índia, 242

V

Veblen, Thorstein (1857-1929), 302

Viacom, 208

Villard, Oswald Garrison (1872-1949), 225

Viner, Jacob (1892-1970), 302

"Visão dos ungidos", 180-85, 187, 189-91, 194, 196-98, 294-95, 298-99, 301, 309, 312

Visão dos Ungidos, A, de Thomas Sowell, 180, 295, 299

"Visão trágica", 151-53, 157, 189-92, 194, 299-01

Visão Filosófica do Mundo (Philosophische Weltanschauung), de Max Scheler, 135

Visão irrestrita (*unconstrained*), 131-33, 137-46, 189, 191, 197

Visão restrita (*constrained*), 131-33, 137-46, 189, 191, 198

Vision of the Anointed, The: Self-Congratulation as a Basis for Social Policy, de Thomas Sowell, 24, 98, 179

Voegelin, Eric (1901-1985), nascido Erich Hermann Wilhelm Vögelin, 277

W

Wage Labour and Capital, ver *Trabalho Assalariado e Capital*

Wall Street Journal, The, 91, 96

Warat, Luiz Alberto, 175

Washington, DC, 17-18, 44, 49, 51-53, 57-58, 63, 68, 79, 87, 90-91, 112, 226, 254

Washington Evening Star, 52

Washington Irving High School, 49

Washington Post, The, 91, 96

Washington Star, 52, 96

Washington Star-News, 52

Wealth, Poverty and Politics: An International Perspective, de Thomas Sowell, 25, 98

Wealth, Poverty and Politics, second edition, de Thomas Sowell, 99

Weber, Maximilian Karl Emil (1864-1920), 19, 277

Weil, Simone (1909-1943), 225

Wells, H. G. (1866-1946), 224

Weltanschauung (visão de mundo), 125, 135

West Point, 255

Western Union, 42-44, 47, 49

Who's Who, 251

William Frantz Elementary School, 209

Williamson, John (1937-), 18

Williams, Walter Edward (1936-), 26-27, 81

Willoughby, 57

Wilson, Thomas Woodrow (1856-1924), 28º presidente dos Estados Unidos da América, 221

X

Xavier, Dennys G., 9, 29, 103, 217, 281, 329

A trajetória pessoal e o vasto conhecimento teórico que acumulou sobre as diferentes vertentes do liberalismo e de outras correntes políticas, bem como os estudos que realizou sobre o pensamento brasileiro e sobre a história pátria, colocam Antonio Paim na posição de ser o estudioso mais qualificado para escrever a presente obra. O livro *História do Liberalismo Brasileiro* é um relato completo do desenvolvimento desta corrente política e econômica em nosso país, desde o século XVIII até o presente. Nesta edição foram publicados, também, um prefácio de Alex Catharino, sobre a biografia intelectual de Antonio Paim, e um posfácio de Marcel van Hattem, no qual se discute a influência do pensamento liberal nos mais recentes acontecimentos políticos do Brasil.

O padre Robert A. Sirico, em *O Chamado do Empreendedor*, mostra que virtude, fé, caráter e demais temáticas morais, estão longe de contradizerem o empreendedorismo. Com um cuidado primoroso em não macular os ensinamentos da doutrina católica, Sirico não deixa, todavia, de explanar que o livre mercado pode ser uma via de virtudes, sabedorias e autoconhecimentos. O livro em questão se transforma em uma enorme distopia clerical ante os purpurados que abraçam o socialismo como modelo sacrossanto de sociedade; ter um padre defendendo o livre mercado com tamanha capacidade e competência, nos fará repensar o que realmente é caridade e o que é tão somente assistencialismo e idolatria ao fracasso econômico e social. Além do prefácio original de William E. LaMothe, a presente edição inclui uma apresentação de Adolpho Lindenberg e um posfácio de Antonio Cabrera. Os três autores são cristãos e empreendedores cujos testemunhos corroboram a análise do padre Robert Sirico.

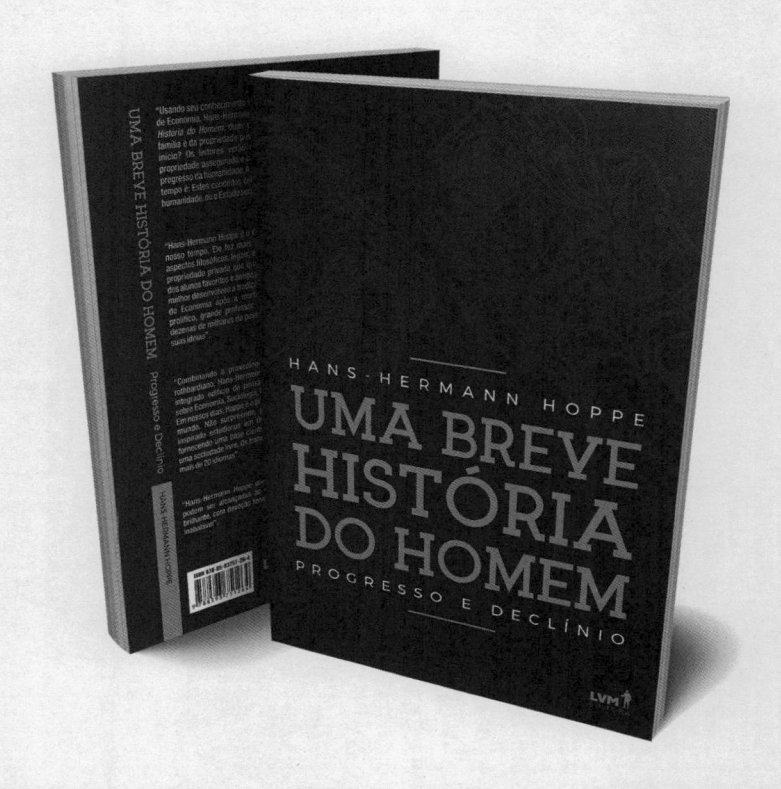

Uma Breve História do Homem: Progresso e Declínio de Hans-Hermann Hoppe, em um primeiro momento, narra as origens e os desenvolvimentos da propriedade privada e da família, desde o início da Revolução Agrícola, há aproximadamente onze mil anos, até o final do século XIX. O surgimento da Revolução Industrial há duzentos anos e análise de como esta libertou a humanidade ao possibilitar que o crescimento populacional não ameaçasse mais os meios de subsistência disponíveis são os objetos da segunda parte. Por fim, no terceiro e último capítulo, o autor desvenda a gênese e a evolução do Estado moderno como uma instituição com o poder monopolístico de legislar e de cobrar impostos em determinado território, relatando a transformação do Estado monárquico, com os reis "absolutos", no Estado democrático, com o povo "absoluto".

Liberdade, Valores e Mercado são os princípios que orientam a LVM Editora na missão de publicar obras de renomados autores brasileiros e estrangeiros nas áreas de Filosofia, História, Ciências Sociais e Economia. Merecem destaque especial em nosso catálogo os títulos da Coleção von Mises, que será composta pelas obras completas, em língua portuguesa, do economista austríaco Ludwig von Mises (1881-1973) em edições críticas, acrescidas de apresentações, prefácios e posfácios escritos por grandes especialistas brasileiros e estrangeiros no pensamento misesiano, além de notas do editor. Tratam-se de livros indispensáveis para todos que desejam compreender melhor o pensamento liberal.

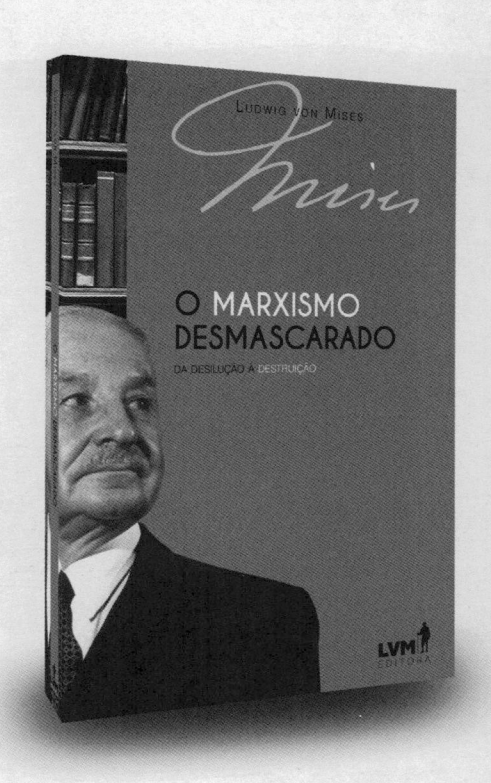

O Marxismo Desmascarado reúne a transcrição das nove palestras ministradas, em 1952, por Ludwig von Mises na Biblioteca Pública de São Francisco. Em seu característico estilo didático e agradável, o autor refuta as ideias marxistas em seus aspectos históricos, econômicos, políticos e culturais. A crítica misesiana ressalta não apenas os problemas econômicos do marxismo, mas também discute outras questões correlatas a esta doutrina, como: a negação do individualismo, o nacionalismo, o conflito de classes, a revolução violenta e a manipulação humana. Nesta edição, além da introdução original de Richard M. Ebeling, foram inclusos uma apresentação de Erik von Kuehnelt-Leddihn, um prefácio de Antonio Paim e um posfácio de Murray N. Rothbard.

Visando cumprir parte da missão almejada pela LVM Editora de publicar obras de renomados autores brasileiros e estrangeiros nas áreas de Filosofia, História, Ciências Sociais e Economia, a Coleção Protoaustríacos lançará em português inúmeros trabalhos de teólogos, filósofos, historiadores, juristas, cientistas sociais e economista que influenciaram ou anteciparam os ensinamentos da Escola Austríaca Economia, além de estudos contemporâneos acerca dos autores que, entre a Idade Média e o século XIX, ofereceram bases para o pensamento desta e de outras importantes vertente do pensamento liberal. Esta importante coleção é coordenada pelo professor Ubiratan Jorge Iorio e conta com a colaboração de renomados intelectuais.

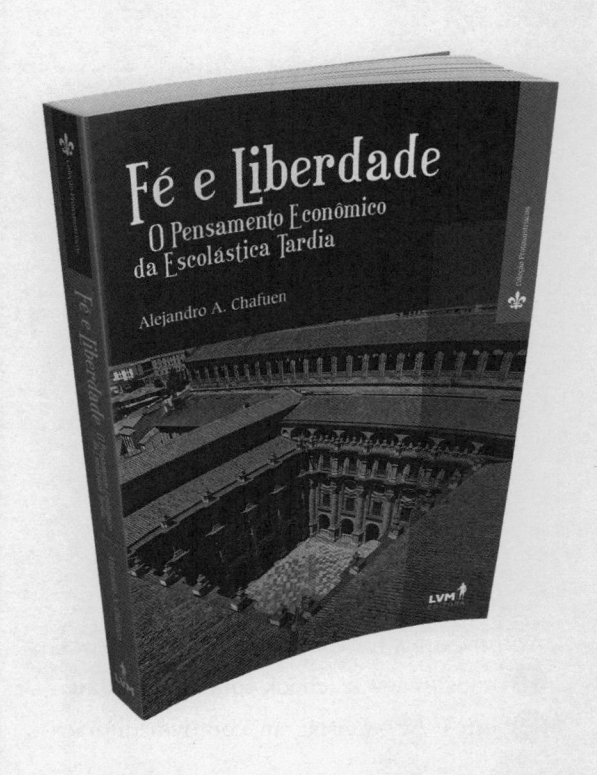

Em doze capítulos, a presente obra de Alejandro Chafuen faz uma análise filosófica, histórica, econômica e jurídica das contribuições teóricas dos teólogos e filósofos da escolástica tardia ibérica ao entendimento do livre mercado, discutindo como esses pensadores católicos abordaram em suas reflexões morais temas como propriedade privada, finanças, teoria monetária, comércio, valor e preço, justiça distributiva, salários, lucros, e atividade bancária e juros, Finalmente, é feita uma comparação entre o pensamento econômico dos escolásticos e as diferentes correntes liberais modernas, em particular a Escola Austríaca de Economia. O livro possui uma nota editorial de Alex Catharino, um prefácio de Paulo Emílio Borges de Macedo, um proêmio do padre James V. Schall, S.J., um preâmbulo de Rafael Termes e um prólogo de Michael Novak, bem como uma introdução exclusiva para a edição brasileira e um posfácio escritos por Alejandro Chafuen.

Acompanhe a LVM Editora nas redes sociais

 https://www.facebook.com/LVMeditora/
 https://www.instagram.com/lvmeditora/

Esta obra foi composta pela Carolina Butler
na família tipográfica Sabon e impressa
pela Rettec para a LVM Editora em janeiro de 2023